ヤバめの科学チートマニュアル

久野友萬
Yuman Hisano

はじめに

今の私たちは、こうなると言われた未来にいる。テレビ会議で人と会い、買い物はネットで済ませ、娯楽は壁掛けテレビのネットフリックスとVRゲーム、街では自動運転車も走り始めている。空飛ぶ車もじきに実用化されるだろう。

華々しいファンファーレもないまま、日常はかつての未来に変わった。私たちは未来に届いた。その代わりに、私たちのストックしてきた未来のイメージは使い果たされた。
今の私たちは、未来のイメージを持っていない。

私たちには何もない。空飛ぶ車やテレビ電話のような、いずれ世界はこう変わるという新しい未来が想像できない。あるのは年金が破綻し、社会保険料で人生がつぶれるという現実だけだ。
なぜ未来を思い描けなくなったのか。その原因のひとつは、作家のところまで、科学の今が届いていないことだと思う。新しい未来のイメージが必要なのに、未来を描く作家のところまで、科学の情報が届いていないのだ。

私はかれこれ10年以上、月刊ムーで、ヤバめの科学記事を書いている。月刊ムーの編集長は理論物理出身のバリバリの理系なので、本誌には理系も納得の記事が必ず入っている。最新の科学はヤバい。幽体離脱やフライパンの裏にある4次元、UFOが飛ぶ原理、実はオカルトではなく科学である。そういうムー的な科学記事を書く。

そういう記事を書いていると作家の方に相談される。映像化された『ホムンクルス』や『殺し屋イチ』の漫画家、山本英夫さんが透明人間とヤクザが殺し合う作品『アダム＆イブ』（いずれも小学館）に取り組んでいた時、「天才科学者の双子姉妹を出すんですけどね」と相談された。意外とそういうのは難しいのかもなと思い、科学者の経歴を作って送った。

小説家の中村啓さんからは、近未来警察小説『SCIS 科学犯罪捜査班』（光文社文庫）で相談を受けた。SCISは日テレ系で『パンドラの果実～科学犯罪捜査ファイル』としてドラマ化され、ディーン・フジオカ氏が主演を務めた。

SCISは最先端の科学技術が引き起こす犯罪の話なので、私がムーで書いている記事はうってつけらしい。時折、会っては科学の話をする。面白いらしく、いくつかは小説のネタになった。

そうやっているうちに（あ、伝わってないな）と気づいた。

最先端の科学はマッドだ。どうかしている。ヤバい。なのに誰も知らない。もったいない。科学は作家にこそ届くべきだし、そうじゃないと誰も未来をイメージできない。

最先端の科学がいかに狂っていて、科学者がどんな妄想をしているのかを作家に届けたい。想像力を商売している人間が、科学者の妄想に負けてどうするのだ。

そこで山本さんや中村さんにするような話をまとめたわけだ。狂った科学を知り、ぶっ飛んだ未来をイメージしてほしい。

イメージは大事だ。人間は考えたことしか実現できないのだ。

久野友萬

目　次

第1章
生物編

SF で描かれてきたマッドサイエンティストの生み出す異様な怪物たちは、もはや夢物語ではなく、現実となりつつあります。遺伝子操作から人工子宮、サイボーグまで、SF のバイオなガジェットがどこまで進み、これからどこへ向かおうとしているのかをまとめました。これから私たちの生命倫理はどこへ向かうのでしょう。

1

第1節　ロシアのサル人間計画

▶人間とサルの混血兵士を作る？

SFの古典「ドクターモローの島」は獣人の物語だ。マッドサイエンティストが、孤島で動物を人間に変える実験を繰り返していたという話である。

動物を人間にするなど正気の沙汰ではないが、1920年代に人間とサルを混血させ、最強の人猿兵士を作りす実験を本気でやった科学者がいる。

ロシアの生物学者イリヤ・イワノビッチ・イワノフは、人工授精技術を確立したことで知られる立派な科学者だ。

イワノフは、パブロフの犬で有名なイワン・パブロフとの共同研究で性腺の摘出（パブロフは、条件反射ではなく消化腺の抽出でノーベル医学賞を受賞している）を行い、性ホルモンを使った人工授精技術の基礎を作った。馬の人工授精技術を完成させ、1頭のオスの精子で500頭のメスを妊娠させることに成功している。

人工授精のパイオニアとして高く評価されているイワノフだが、1990年代にソビエト当時の機密文書が公開され、とんでもないことを計画していたことが明るみになった。

チンパンジーと人間のハイブリッドを作った？
イリヤ・イワノビッチ・イワノフ
Ilya Ivanovich Ivanov

スターリンがイワノフに人工授精を用いて、強い兵士、すなわち粗食に耐え、病気への抵抗力があり、痛みに鈍感な兵士を作るように指示したとの一文があったというのだ（文書の現物は公開されていない）。

スターリンのオーダーに対して、イワノフは猿と人間を掛け合わせることで、スターリンの望む兵士を作ることができると考えた。

▶若返りとサルの金玉

イワノフが類人猿と人間の人工授精を考えていた時、ロシア系フランス人のセルジュ・ボロノフは富裕層向けの若返り術を広め始めていた。ボロノフは若いオス羊の精巣の切片を老いたオス羊の精巣に貼りつける実験を行い、一部で成功したと発表した。生殖機能を失っていた老羊が、手術後、子どもを作ることができたというのだ。

このニュースに世界が湧きたち、人間への手術は可能かどうか、ボロノフに新聞社が殺到する。

1920年、ボロノフは希望する男性4人に人体実験を行った。実験は成功したとされたが、その時に使われたのはチンパンジーの精巣だった。世間はボロノフに注目、ボロノフは避暑地であるコートダジュールに大規模なクリニックを構えた。

画家のピカソや童話作家のメーテルリンク、フランス元首相など世界のVIPが数百万円を支払い、チンパンジーの睾丸を自分の睾丸に貼り付けた。睾丸のためにボロノフは大量のチンパンジーを飼育しており、サルの農場と呼んでいた。またボロノフは精巣に続いて、女性の若返りにはチンパンジーの卵巣を人間の女性の卵巣に貼りつければいいと考え、実際に300人と言われる被験者の女性に、メスのチンパンジーの卵巣を移植した。

イワノフはボロノフに協力し、チンパンジーを人間の精子で受精させる実験や人間の卵巣をチンパンジー（ノーラという名前のメス）に移植する実験をしたらしいが、失敗したという。

1929年にこのエピソードはフェリシアン・シャンプソーの小説『ノーラ、猿の女』として発表された。小説ではノーラはチンパンジーではなくオランウータンと科学者の間で生まれた美しい女性の名前で、やがてダンサーとなり、生物種を越えた超人として欧米の人種差別意識を揺るがすことになる。

のちにボルノフの若返り術は公的に検証され、すべてが嘘だと判明した。その結果、ボルノフは地位も名誉もすべてを失うが、それはまた別の話である。

▶マッドサイエンティスト、アフリカへ

そんな中、イワノフが勤務していたパスツール研究所が、イワノフにフランス領ギニアのキンディア村にあるチンパンジーの飼育施設の利用許可を出した。しばらくしてソビエト金融委員会からイワノフへ1万ドルの研究予算が支給された。ソビエト科学アカデミーもイワノフの計画を承認、イワノフは息子と2人でギニアへ向かった。

ギニアにあるチンパンジーの施設は非常に劣悪で、1923年に設立されてから700頭のチンパンジーを購入していたが、ヨーロッパへ輸出する前に半数が死亡していたという。しかも地元のハンターが捕獲するチンパンジーはいずれも子どもで、イワノフがやろうとしていた猿による人間の人工授精には若すぎた。さらにチンパンジーの子どもを妊娠したいという女性の志願者も見つからなかった。イワノフは猿のオスに強姦された女性が社会からのけ

者にされるというアフリカの神話が、女性の志願を思いとどまらせたと考えたが、それは違うだろう。それ以前に、イワノフはその逆、人間の精子でメスのチンパンジーに人工授精させることはやろうともしなかった。自分の精子でメス猿を妊娠させることなら、面倒な手続きも不要だっただろうが、自分の子どもをチンパンジーに産ませるということはイワノフの脳裏をよぎることもなかったらしい。

資金が少ない中、短期で結果を出そうと考えたイワノフは、飼育施設に見切りをつけ、チンパンジーの成獣から精子を採取、それを無断で人間の女性に人工授精させようと地元の病院に相談を持ちかける。イワノフの計画はすぐさまフランス植民地政府に知られることになり、計画は中止された。

当時から人種差別は根強くあったが、それでもイワノフが無断でサルの精子を人間の女性に受精させようとしたことは常識を超えていた。ソ連科学アカデミーからの支援は停止された。今後、ソ連の科学者がアフリカで実験を行う際に現地の協力を得られなくなるというのが理由だった。イワノフの価値観は社会とズレていたのだ。

イワノフはソ連に帰国後も実験を続けようとしたが、資金難やチンパンジーの調達が難しく実行できなかったという。

その後、イワノフの実験は意外な都市伝説を生む。エイズが流行った理由にイワノフの実験が挙げられたのだ。

1999年1月31日、アラバマ大学のベアトリス・ハーンらは、エイズウイルスのキャリアとなっていたチンパンジーを発見した。おそらく人間がチンパンジーを食用にしたことで、人間へウイルスが感染し、広がったというのが現在の定説だ。

しかし都市伝説では、チンパンジーを人間が食べたためではなく、イワノフの人工授精でエイズウイルスが人間の女性に感染し、広がったという。

いかにもそれっぽいが、実際にはアフリカでイワノフはほぼ人工授精が行えず（3例の実験は行ったらしい）、エイズの流行が始まったのが90年代以降であることから関係はないと断言できるが、そうした噂を生むほどイワノフのやったことは不道徳だったのだ。

▶サル人間はありなのか？

1970年代にチンパンジーを使って、鏡に映る自分の姿を動物は自分と認識できるかどうかを調べたミラーテストの発案者、心理学者のゴードン・ギャラップは2000年代に入ってから妙なことを言い始めた。

1920年代、フロリダ州オレンジ公園にあった霊長類研究センターで、メスのチンパンジーに人間の精子で人工授精を行い、人間とチンパンジーのハイブリット種が生まれたと言うのだ。

実験に使うチンパンジーを調達する過程で、研究所の元大学教授から、メスのチンパンジーは妊娠、出産したが、生まれたハイブリット種は道徳的見地から安楽死させられたとの話を聞いたのだという。

ただし記事が出たのがあおり記事ばかりの「The Sun」というタブロイド紙で、記事の信ぴょう性はない。

ギャラップはチンパンジーと人間のハイブリットを「ヒューマンジー」と呼んだ。人間の男が父でメスのチンパンジーが母だからヒューマン＋チンパンジーでヒューマンジー、イワノフが計画していたチンパンジーのオスが父親で人間の女が母親ならチューマンだ。父がライオン＋母がタイガーでライガーと同じである。なおヒューマンジーという呼び名は、今も使われている。

▶中国の猿人間製造計画

1920年代のイワノフやボロノフの騒動から30年後、舞台は中国へと移る。

1981年、瀋陽市の病院院長・季永祥が、1960年代に中国でヒューマンジーを作る計画があったと言い出した。1967年にメスのチンパンジーに人間の精子で人工授精を行い、ヒューマンジーを作る計画があり、季永祥も参加したのだという。チンパンジーは妊娠したが、直後に起きた文化大革命により実験は中止され、妊娠中のチンパンジーは死亡した。

中国では宇宙飛行士や坑道の作業員など人間ができない危険な作業をヒューマンジーにやらせる計画だったらしい。また臓器移植にも使われる予定だったという。

今さらだが、チンパンジーと人間が赤ん坊をつくることは可能なのだろうか。もちろんその可能性があるからヒューマンジーは噂になるのだろうが、科学的にそれは可能なのか？

人間とチンパンジーが種として分岐したのは600万年前だと言われている。それまで、人間とチンパンジーは同じ種類のサルだったわけだ。ところが、2006年にハーバード大学医学部のデビッド・ライヒらは、人間とチンパンジーが完全に分岐したのは300万年前だと発表した。その誤差の300万年間、何があったのかと言えば、人間の祖先とチンパンジーは雑種、つまりセックスして子どもを作っていた。チンパンジーは人間と近縁種どころか血縁、ちょっと離れた親戚ぐらいの距離感であり、ヒューマンジーかチューマンかはともかくとして、混血は不可能ではなさそうなのだ。現代の技術なら人工授精も成功するのではないか。

アイデアのヒント
サルの脳に人間の遺伝子を組み込む！

2019年3月27日、中国科学院昆明動物研究所と米ノースカロライナ大学はアカゲザルの脳に人間の遺伝子を組み込み、サルの記憶力を向上させることに成功した。本物のサルと人間のハイブリッドだ。これがチンパンジーのような類人猿で行われ始めたら、人間の脳を持つサルという、スターリンの夢見た超兵士も夢ではなくなる。

イワノフもビックリの、なにやらキナ臭い話である。作品に利用する場合は、人工授精という古臭い手段ではなく、一定の遺伝子操作を行う設定の方が、出来上がるヒューマンジーの能力が担保される。自然任せでは、人間の体にサルの脳という場合も考えられるからだ。また免疫不全を回避するためにも遺伝子操作は必要だろう。

第2節 サイボーグ昆虫

▶アメリカが開発したサイボーグ昆虫

ウクライナ紛争で、ドローンが本格的に戦争に利用されるようになった。ドローンというと羽根をたくさんつけた小型のヘリコプターのような機械が思い浮かぶが、ドローンは無人戦闘機械の総称なので、船型のドローンもあれば戦車型のドローンもある。

ドローンは戦闘も行うし偵察も行う。偵察用ドローンには感度のいいカメラやセンサーを搭載したいところだが、性能を上げるとバッテリーの持続時間が短くなったり、レンズ関連の重量が増すなど、ドローンの基本機能とのトレードオフがある。

できる限り小さくできる限り高性能で、長時間、自律して稼働するドローンを考えた末に行き着いたのが昆虫である。昆虫はいわばセンサーの塊だ。昆虫をモデル化した小型ロボットの開発と並行して、直接、昆虫を使う方法も検討された。

昆虫をサイボーグ化し、自由に操作できれば、理想の偵察用ドローンになる。動物愛護団体も、昆虫をサイボーグ化する分には文句を言わない。欧米がバイオやブレインテック（脳科学）分野で中国に押され気味なのは、自由に動物実験ができないことも大きいのだ。

▶サイボーグ昆虫の作り方

2009年、MEMS（微小電気機械システム）を使って、超小型の制御ユニットを昆虫に取りつけ、コンピュータで操作する技術をマサチューセッツ工科大学のアナンタ・チャンドラカサンらの研究チームが発表した。DARPA（国防高等研究計画局）の委託を受けたもので、HI-MEMS（Hybrid Insect Micro-Electro-Mechanical Systems program：ハイブリッド昆虫MEMS計画）という。

昆虫のサイボーグ化では、制御装置と無線、電源からなるユニットを昆虫に組み込むことになる。

DARPAでは、2008年に昆虫が幼虫もしくはサナギの時に、神経と接続するユニットを埋め込む実験を行った。EMIT（Early

Metamorphosis Insertion Technology：初期変態時挿入技術）という。

昆虫の神経とワイヤーをつなぐために、いちいち超精密手術を行っていたら歩留まりが悪い。また回復も難しく、多くは死んでしまう。

昆虫はサナギの状態で内臓が液化し、再構築される。その段階でチップを埋め込むと、チップを神経系が取り込んでそのまま成虫となった。手術の必要がないのだ。

EMITを受けた蛾は、背中にバッテリーや制御装置のインターフェースとなるチップを背負った状態で成虫になる。こうして生まれたサイボーグ蛾はリモートによる翼の制御にも成功している。

一方2009年からスタートしたHI-MEMSは、成虫に制御ユニットを挿入する研究で、目標は約100メートル離れた目標に、誤差5メートル以内でサイボーグ昆虫をゴールさせることだった。チャンドラカサンらは広帯域の超小型無線機とタングステンの針を持つ４電極の神経刺激装置を開発した。電力は補聴器用の小型バッテリーが利用された。

DARPAが問題としていたのはバッテリーの駆動時間で、駆動時間が短ければ、昆虫がいかにドローンとして優れていても意味がない。バッテリーが切れたら制御を離れてどこかへ飛んで行ってしまう。

DARPAでは圧電素子を使って、昆虫が飛ぶ時の羽根の振動を電力に変え、バッテリーをチャージすることを考えた。そのためのユニットもチャンドラカサンのサイボーグ昆虫に追加された。

実験では手術がしやすく体重のある大型のカブトムシ（体長20センチもあるメガソマ・エレファスというゾウカブトムシ）が使

われ、成功したが、実際にはトンボやハエ、蛾が使われることになる。小型で航続距離が長いからだ。

むき出しのチップを背負った不格好な姿では実用には耐えられないため、ユニットの小型化に加えて、昆虫の持つ生体機能、視覚や嗅覚をそのまま利用できるような情報の出力方法も課題になる。

バッテリーの課題も、昆虫の羽根の振動以外に、昆虫の脂肪や体液を燃料電池で電力に変換したり、ニッケルの同位体を使った小型の核電池を利用するなどが考えられている。

▶サイボーグ昆虫の利用方法

DARPAは最終的には何千匹か何万匹かの昆虫からなる昆虫大隊=インセクトバタリオンズが育成され、群れ=スウォームとして敵地に侵入、大規模な偵察や攻撃を行うことを想定している。

DARPAでHI-MEMS計画のマネージャーを務めているアミット・ラルは、サイボーグ昆虫は軍事利用だけではなく、災害現場などでも活用できるとしているが、核電池を積んだサイボーグ昆虫を街中に放つことを許可する自治体はないだろう。

よりユニットが小さくなれば、それがサイボーグ昆虫なのか普通の昆虫なのかを判別することは難しくなる。

サイバー技術の法的問題を扱う電子フロンティア財団（EFF）の専門家はサイボーグ昆虫はプライバシー問題に踏み込むことを懸念する。サイボーグ昆虫による監視社会である。

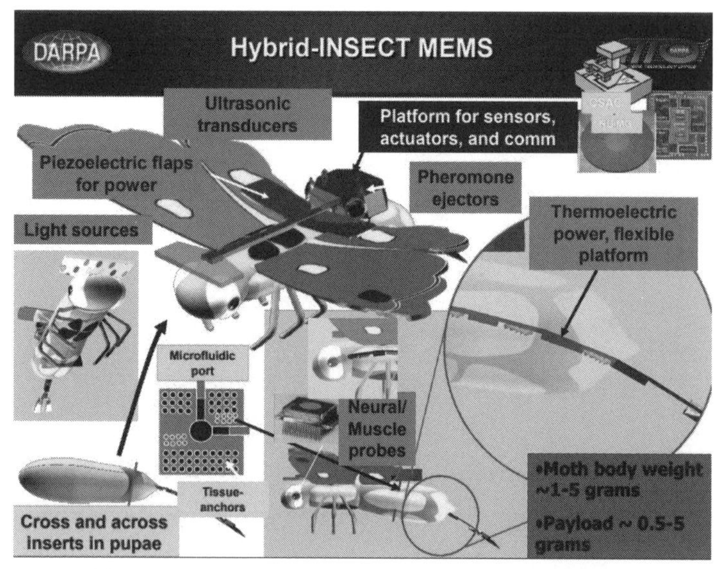

DARPAが公開した15-f-1559文書のサイボーグ昆虫のイメージ図

マサチューセッツ工科大学が発表したサイボーグ昆虫の例。カブトムシを使ったのは、サイズ以外にカッコいいから、だったそうだ。他にも蛾やトンボなどが使われた

画像引用：「Cyborg Moth Gets a New Radio」（Anantha P. Chandrakasan）

アイデアのヒント

サイボーグ生物兵器と戦う、冴えたやり方

DARPAの昆虫大隊案を、専門家は疑問視する。1990年にSF『スパロウホーク』で、遺伝子操作で巨大化させた動物や昆虫をサーボーグ化して兵器にする世界を描いたSF作家のトーマス・イーストンは言う。

「反乱軍の活動を探すために千匹の蛾が放たれたと想像してみてください。反乱軍がしなければならないのは、たき火を焚いて蛾をおびき寄せ、殺虫剤や虫取り器を使って蛾を殺すことだけです」(EETimes 2007年3月10日インタビューより引用)

身もふたもないが、インセクトバタリオンや動物兵器と戦うには、生物の習性を使えばいいわけだ。もしサイボーグ猫の兵器がでて来たら、迷わず、Ciaoちゅ〜るである。

第3節 人工培養肉

▶細胞から肉を作る

人工培養肉は生物の細胞を培養し、食用として利用しようというものだ。代替肉とは違う。代替肉は、植物性たんぱく質にうま味調味料や添加物を大量に加え、肉のような味と見かけのものを作るが、人工培養肉は本当の肉だ。

2013年にロンドンで人工培養肉で作られたハンバーガー2個の試食会が開かれた。この時、話題はその価格に集まった。ハンバーガーパテの開発費用は約3250万円と超高額だったからだ。なぜそのような値段になるのか。

生物の体の中で起きていることをシャーレの中で再現し、細胞を増やすのが人工培養技術だ。培養液というのは、人工の血液だと思えばいい。生き物の体は血液を使って栄養や酸素を運び、それを使って細胞は働く。培養肉は培養液から栄養をもらい、増殖する。

細胞を培養すると、細胞はシャーレの中で薄く広がって成長する。でき上がった薄い細胞の膜を2万枚も重ねてようやくハンバーガーのパテが2個できた。

細胞200ミリグラム＝0.2グラム＝１円玉の5分の1を培養するために必要な培養液（FBS10％を含むDMEMというタイプ）の価格が500ミリリットルあたり6000 ～ 25000円（2018年度、以下同）。もし細胞100グラムを培養しようと思えば、培養液だけで最低でも300万円以上かかる。

培養する細胞も高い。細胞の種類によって価格は変わるが、たとえば再生医療で使われる肝細胞は100グラムで4200万円もする。

そうした細胞は増やすことができても組織化できない。SF映画では培養液の中でみるみる内臓や筋肉が育っていくが、細胞があのように組織化する仕組みはまだわかっていない。細胞を増やしてもシート状にするか機能のない塊にするかしかないのだ。

日本で人工培養肉の実用化に取り組んでいるインテグリカルチャー社では、独自技術で培養タンクによる細胞の組織化に挑戦している。培養液の価格破壊に挑み、酒を醸造タンクで作るように、培養肉をタンクで培養するのが目標だが、まだ道は遠い。

ステーキを作ろうと思えば、筋細胞だけは増やせる。しかし筋細胞だけでは細胞のクリームだ。ベビーフードやゆるいパテをイメージするとほぼ正しい。

▶実用化の壁は価格と組織化

ステーキ肉にするには筋細胞をコラーゲン組織が支える複雑な構造が必要になる。筋細胞とコラーゲン細胞を混ぜて培養しても、筋肉はできない。筋細胞の塊とコラーゲンの塊ができるだけで、組織ができるには、血管や神経を通じた生化学的なコントロールが必要なのだ。

たとえば3Dプリンターを使ってステーキのコラーゲン組織を組み上げ、そこに筋細胞を定着させることはできる。怪我などで鼻や耳といった一部が欠損した場合に、その修復に使われる技術だ。医療分野では動物の臓器から細胞をはがしてコラーゲン繊維だけを残し、培養液につけて新しい細胞を定着させ、新品の臓器を作る実験やIT分野では人間の脳細胞を増やしてミニ脳（脳オルガノイドという）を作り、演算に使うといったことが進んでいる。

しかし食べ物でやるにはコストがかかり過ぎる。グラム数十万円になってしまう。

それでも夢はある。仮にコラーゲンの足場を作るコスト問題が解決したとすれば、ステーキのサイズはいくらでも調整できる。畳サイズのステーキだって夢ではない。氷漬けのマンモスから細胞を採って培養すれば、漫画に出てくるマンモスのステーキを食べることも可能だ。

アメリカではBite Labs社が、有名人の皮膚細胞からサラミをつくって販売するセレブリティミート計画を公表している。

ファンが推しの細胞を培養して食べるというのはSF的な悪夢の世界だが、いずれ現実に起こるだろう。自分の肉を増やして売るビジネスも生まれるかもしれない。

アイデアのヒント
細胞培養を工業化することは可能か？

インテグリカルチャーの社長はオタクなので、声優の髪の毛をiPS化して肝臓の細胞を作り、「君の肝臓を食べたい」というギャグをやりたいと本気とも冗談ともわからないことを言っていた。

本のタイトル通りに膵臓にしないのか？　と聞いたら膵臓は培養が難しいのだそうだ。そういう変なところだけ律儀に科学。

細胞の培養技術はさまざまな分野に応用ができる。同社では化粧品や医薬品に培養に使う成長因子を利用している。肌がプルプルになるそうである。

その延長線上にあるのが細胞の工業製品化だ。たとえばイカの色素細胞。イカが一瞬でさまざまな色に体色を変えるのは、皮膚にある色素細胞のおかげだが、これを増やして電気的に制御できれば、液晶テレビならぬイカ色素テレビができる。生臭そうであるが、それはそれで利用価値は高いだろう。

細胞を人工的に増やすということを広げれば、大抵の製品は生物の模倣であることがわかる。すべてを、自動車もコンピュータもゲーム機もスマートフォンもすべて生体パーツで作ったらどうなるか？　生体パーツをハッキングすると何が起きるのか。想像すると面白い。

第4節　人工子宮

▶人類は無精子時代に突入か

2017年、男性の精子の数が激減しているという研究結果が出され、人類滅亡の危機かと騒がれた。

2017年7月25日付けで学術誌「Human Reproduction Update」に衝撃的な論文が掲載された。北米、ヨーロッパ、オーストラリア、ニュージーランド、つまりは白人文化圏の男性の精子を分析したところ、1回の射精に含まれる精子の数が1973年から2011

年までに50パーセント以上減少していたというのだ。

さらに11月15日付けの「Human Reproduction Update」には、2014年から2019年までに公開された精子サンプルの研究結果を分析し、以前のデータに付け加えたところ、精子の総数が70年代に比べて62パーセントも減少していたことが判明との記事が掲載された。

不妊症の原因は男性が３分の１、女性が３分の１、残りは男女の組み合わせというのが医学の常識なのだそうだ。男性の精子が減れば、それはストレートに出産率の低下に結びつく。

ニュースを見ていると、世界でも日本だけが少子化に直面しているというイメージだが、出生率の低下は日本だけではない。

出産率は一般に合計特殊出生率で比較する。アメリカ合衆国中央情報局（CIA）の年次刊行物『ザ・ワールド・ファクトブック』によれば、合計特殊出生率とは「すべての女性が出産可能年齢の終わりまで生き、各年齢における所定の出生率に従って子供を産んだ場合に、女性１人あたりに生まれる子供の平均数の数値」だそうだ。合計特殊出生率が2.06～2.07以下で人口減少が始まる。

2023年にアメリカが発表した世界の合計特殊出生率ランキングは、1位がニジェールで6.73、２位がアンゴラで5.76と上位はほぼアフリカだ。100位以内に欧米の国名は1国もなく、中東とアジアからも、わずかにアフガニスタン17位（出生率4.5）、イラク45位（同3.17）、フィリピン54位（同2.77）ぐらいで、ベトナムやクエートなど数か国が続き、出生率が高そうなインドは95位（同2.07）とかろうじて100位以内に入っている。アフリカ以外は世界中で少子化が深刻化しているのだ。

日本は出生率1.39で215位とワースト集団に入っている。日本より下にはスペイン（出生率1.29）、イタリア（同1.24）、香港（同1.23）、韓国（同1.11）など12カ国しかなく、他国以上に日本の少子化が深刻なのは本当だ。

▶産まぬなら産ませて見せようテクノロジー

少子化の原因が何であれ、子どもが産まれないのであれば、科学で何とかするしかないだろう。

内閣府の直轄事業として、国立研究開発法人の科学技術振興機構が運営しているムーンショット型研究開発事業がある。スケール大きく10年単位で成果を考える基礎研究に投資する制度で、いくつかのテーマがあり、そのひとつに「「望めば誰でも安心して子供を産み育てられる社会」の実現」がある。生殖技術により不妊治療や高齢出産を可能にしようというのだ。

これは文字通りの意味で、妊娠しやすいように精子や卵子を遺伝子操作したり、子宮移植（心臓移植のように、高齢女性や事故死した女性の子宮を、子宮のトラブルで妊娠できない女性や子宮ガンなどで子宮を切除した女性に移植する）やiPS細胞による人工卵子や人工胚の製造など、現在の倫理観なら許されそうもない技術が挙げられている。

極めつけは人間以外で子どもを作る人工子宮だ。

ムーンショット型研究開発事業のレジメには、「完全なる人工子宮による生殖のex-vivo化。生物学的に男性でも妊娠できる技術」とある。ex-vivoとは生体の外という意味で、この場合、体外妊娠を指す。

ほとんどSFの領域だが、現実に日本政府が予算をつけて研究が進んでいる。

▶実用段階に入っている人工子宮

人工子宮の研究はどこまで進んでいるのか？

2017年、アメリカの胎児外科医アラン・フレイクは妊娠107日目の羊の胎児を人工的な羊水を満たしたビニールのパックに移し、28日間の生育に成功したと発表、バイオパックと名付けられた人工子宮で育つ羊の胎児とともに痛烈なインパクトを世間に与えた。

フレイクらの研究は着床から受精卵を育て上げたわけではなく、一定サイズに育った胎児をバイオパックに移し、延命させたものだ。未熟児は肺呼吸ができず、障害が残ることが多いが、バイオパックでへその緒から酸素を供給すれば、正常に育てることができる。

実験に使われた羊の胎児は無事に成長したという。同様の研究は日本でも東北大学などで行われている。

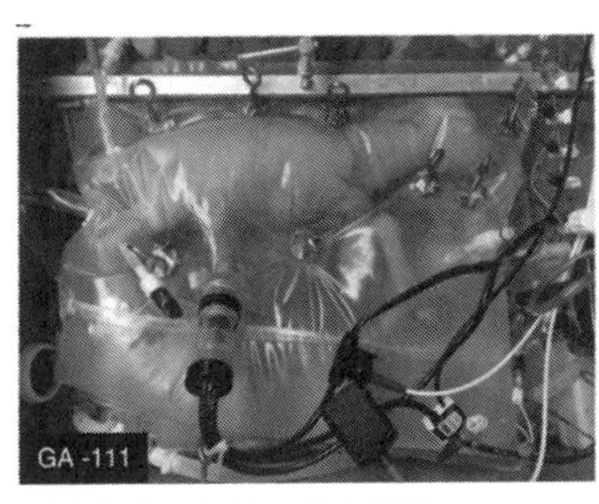

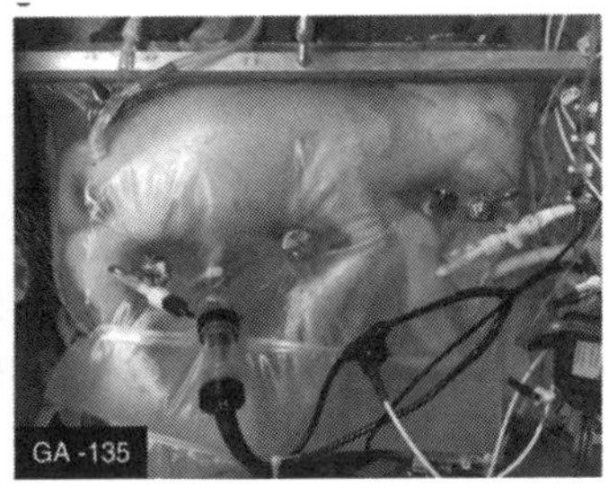

バイオパックで育つ羊の胎児

画像引用：「An extra-uterine system to physiologically support the extreme premature lamb」（Emily A. Partridge　Nature Communications　published on 23 May 2017）

▶受精卵を胎児まで成長させる

受精卵を人工子宮で育てる実験はマウスではすでに成功している。ジェイコブ・ハンナ教授らは子宮に着床したばかりの受精卵をマウスから摘出、特殊な培地の上で生育させることに成功した。うまく育てることができれば、そこから人工子宮に生育を引き継がせることは可能だろう。

人工子宮のひとつに、バイオエンジニアリング子宮がある。母体の中で子宮を人工的に作るというものだ。

3Dプリンターで生分解性ポリマー樹脂の子宮を作り、体内に埋め込む。そこに母親の子宮の細胞を増やして定着させる。時間が経つと樹脂部分は分解されてなくなり、子宮の細胞だけが残る＝生きた子宮ができるというわけだ。

人工子宮というよりも欠損部位の治療に近い。事故や病気で子宮をなくした人にとって、これは朗報だろう。

ちなみにバイオエンジニアリング子宮を開発したウェイクフォレスト再生医療研究所所長で小児外科医のアンソニー・アタラは、2003年にウサギの人工子宮から子犬を出産させている。なぜウサギから犬を産ませる必要が？　何やら不健全な匂いがする。

受精卵を胚まで成長させるシステムは中国の蘇州医用生体工学研究所が開発した。

AIが胚の状態を正確にコントロールし、胚を一定のサイズまで成長させている。現在、人間の胚の子宮外での成長は国際法で禁じられているため、実験はそこで止まっているが、理屈上は初期の胎児まで成長させることができるそうだ。

オンラインで胚の状態を観察しながら胎児への成長を見るシステムもできているという。

人工子宮はすでに実用段階にあるといってもおかしくない。これからの子どもは母親からではなく、機械から生まれるのだろうか。

アイデアのヒント
人工子宮ができた時、出産は誰のものに？

人工子宮で育てられる子どもに母親の歌声を聞かせる
画像引用：「EctoLife: The World's First Artificial Womb Facilit（https://www.youtube.com/watch?v=O2RlvJ1U7RE）」

少子化を受けて、ドイツの科学者ハシェム・アル・ガイリは人工子宮のコンセプト「エクトライフ(EctoLife)」を提案した。エクトライフ、このまま人工子宮を作ることになったらどうなるか？　というブラックユーモアだ。

エクトライフは3万人の赤ん坊を育成できる設備で、赤ん坊にはへそにつながれたチューブから成長因子や酸素などの培養液が供給される。

親はスマートフォンで受精から胎児まで成長を見守ることができ、スマートフォンから母親の声を胎児に送ることもできる。

科学者の想像力はここまで来ている。人工子宮が一般化した社会は今と何が変わるのか、何が変わらないのか？　そこからは作家の仕事だ。

第5節　人工冬眠

▶宇宙旅行と人工冬眠

映画『エイリアン』は主人公たちが人工冬眠のカプセルで目覚めるところから始まる。恒星間の宇宙旅行では必須アイテムと言っていい人工冬眠だが、ようするに何千時間も眠り続けるということだ。そんなことが人間に可能なのだろうか？

かつて人類は氷河期を生きのびるために冬眠をしていたらしい。

スペインの「シマ・デ・ロス・ウエソス（骨の穴の意）」洞窟で数十人分の人骨が発見された。骨はおよそ40万年前のもので、ネアンデルタール人の祖先にあたる。

マドリード大学のフアン・ルイス・アルスアガらが調査したところ、どの骨にも１年に数カ月間、周期的に骨の成長が著しく阻害された異常が見られた。

同じ洞窟内には洞穴グマという冬眠をするクマの骨も残っており、同様の異常が見られたことから、ネアンデルタール人の祖先は、冬眠していたと考えるのが妥当だ。氷河期の厳冬と乏しい食料で生き延びるため、彼らは洞窟の中で冬眠して春を待ったのだ。

それはあくまでネアンデルタール人の話で、現代人は違うのじゃないのか？　と思うかもしれないが、なんとロシアでは農民は冬眠（ダジャレじゃなくて）していたという。

帝政時代のロシアでは、冬の間、貧農は食べるものがほとんどなかった。そのため、彼らには冬の続く半年間、ほとんど食事もせずに一日中寝て過ごす「ロッカ」という習慣があったという。ロッカの間、彼らは暖炉のそばで寝て過ごす。そして１日に１度、起きて水を飲み、保存してあるパンを一口食べて、再び眠った。ロッカは完全な冬眠ではないが、限りなく冬眠に近い。

あまりに貧乏だと人間は冬眠してしまうのだ。

▶冬眠と睡眠はまったくの別物だった

現代でもたまに冬眠する人が見つかる。

2006年10月7日に神戸・六甲山で転落した35才男性が救出された。なんと24日間も飲食をせず、発見された時の体温はわずか22度。一般的に体温が30度以下になると低体温症になる。意識がなくなり、約5分で脳の機能が回復不能、心停止すると言われているが、特に障害も残らなかったらしい。

本人は事故翌日から記憶がなく、ずっと昏睡状態だった。

2011年12月19日から2012年2月17日までの2カ月間、スウェーデンで車ごと雪に埋もれていた45才の男性が救助された。男性は食料がまったくないまま、溶かした雪で命をつないだという。救助された時の体温は31度しかなかった。

人間にもクマやリスのような冬眠の機能があるらしい。

冬眠中の動物は、呼吸をほとんどしない。心拍数は1分間に数回まで低下、体温も下がる。限りなく死んだ状態になり、極限まで代謝を落とすのだ。それにより、数カ月間、食べ物も飲み物も必要がなくなり、ひたすらに眠る。

冬眠中の生き物では、面白いことが起きる。

まず放射線に対して異常に耐性が強くなる。冬眠中のリスの皮膚に、わざと発癌性のある物質を塗ってもガンにならないのだそうだ。細菌にも感染しにくいらしい。

病気の人を冬眠状態にしたら、案外と病気が早く治るのではないか？

何カ月も冬眠していた動物が、さっき寝たかのように、さっさと動き出せるのも妙な話だ。入院したことがあればわかるだろうが、１週間寝ていただけで、体が重くて立てなくなる。筋肉が弱っているのだ。

冬眠中のリスは腸内細菌がタンパク質を作り、クマは筋肉を増やす物質が血液中に生まれるのだという。筋肉が落ちないように、タンパク質を補給する仕組みがあるらしい。

ずっと寝ていれば、寝たきり老人のように床ずれができそうだが、クマに床ずれは起きない。血栓を作る血小板の生産が通常の55分の1まで減るからだ。また冬眠前に異常に食べるので、中には糖尿病になるクマも出そうだが、糖尿病にはならない。ちゃんと糖尿病の原因になるインスリンの異常を抑え込むタンパク質が作られるのだ。

冬眠と睡眠はまったく別物だ。冬眠中のクマの血清を人間に打ったら、筋肉量が増えたという研究もある。冬眠の秘密がわかれば、医療が変わるかもしれない。

▶冬眠する神経が発見された！

手術の際に体温を下げてダメージを小さくする超低体温法は一般に行われているが、体温を下げると血液が固まりにくくなり、出血が止まらなくなる。そこで人工冬眠を使って代謝を下げつつ、体温は下げない技術を理化学研究所・生命機能科学研究センターでは研究中だ。

冬眠のスイッチを入れる神経がマウスで見つかったのだ。2020年6月5日、筑波大学の櫻井武教授と理化学研究所の砂川玄四郎らの研究チームは、マウスの脳に休眠誘導神経＝Q神経を発見した。Q神経を薬物や超音波で刺激すると、マウスが冬眠状態になるのだそうだ。

小さい動物は敵に会うと死んだふりをするというが、あれはふりではなく、本当に仮死状態になっている。冬眠と同じなのだという。

マウスの場合、肉食動物の匂いを嗅ぐと動けなくなる。気を失うのだ。このマウスにとっての恐怖の匂いをチアゾリン類恐怖臭という。

マウスにチアゾリン類恐怖臭を嗅がせて卒倒したところで、ケージ内の酸素を減らす。酸素を減らしてマウスが普通なら平均11.7分で窒息する状態でも、卒倒中のマウスは平均231.8分も生き延びた。なんと20倍である。

マウスが冬眠するなら人間も冬眠するだろうというのが研究者の考えだ。人間にQ神経があれば、人間も冬眠できるのではないか？

白雪姫は毒リンゴを食べて眠りに落ち、ガラスの棺の中で眠り続けた。果たして人工冬眠に入った人間は、何年も何十年も経って目覚めることができるのだろうか。

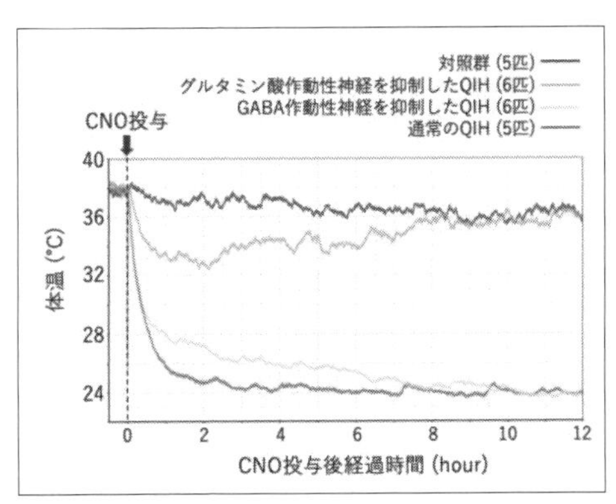

CNO＝酸化クロザピンという薬物でQ神経を刺激したマウスは、急激に体温が低下、平熱の37度からほぼ外気温に近い24度まで低下し、冬眠状態に入った

画像引用：筑波大学・理化学研究所「冬眠様状態を誘導する新規神経回路の発見」(https://www.tsukuba.ac.jp/journal/images/pdf/202006110000-2.pdf)

アイデアのヒント

恐怖！　ゾンビ犬の実験

低温状態では臓器の機能が抑制される。2006年にアメリカの

サファル蘇生研究所で、14頭の犬から血液をすべて抜き取り、代わりに18度前後のブドウ糖と生理食塩水の溶液を入れるという、ひどい実験が行われた。当たり前だが、血液を抜かれた犬は即死した。

ところがだ。死んだ犬の体を冷却、3時間後に血液を戻して心臓に電気ショックを与えると14頭のうち10頭の犬が生き返った。障害が出たのは4頭で、臨死体験どころか完全に死んだ犬がよみがえったことから、この実験は「ゾンビ犬の実験」と呼ばれている。

人工冬眠は案外とホラーと相性がいいかもしれない。

第6節 人体冷凍

▶死体を冷凍して未来で解凍

クライオニクス（cryonics）は遺体を冷凍保存し、未来において蘇生させようという技術だ。たとえばガンにかかり、現在の技術では治らないとする。そこで死体を冷凍し、治療法が確立した未来で解凍、病気を治療し、蘇生させるというのがクライオニクスの趣旨だ。

サービスを提供している会社は世界に数社ある。アメリカのアルコー延命財団がもっとも老舗で有名だが、他に西海岸でサービスを展開するトランスタイム社、ロシアのクラリオラス社や山東銀峰生命科学研究所で行われている銀豊延命計画などで、希望者はこうした会社と契約、死後に遺体が冷凍保存される。

現行法上、冷凍されているのは完全な死体であり、難病で未来に期待をかけるからと言って、生きたまま冷凍されるわけではない。死んでから遺言にのっとり、荼毘に付す代わりに冷凍タンクで遺体を保存する。

▶全身もしくは首だけを切断し、冷凍保存

死体の保存には不凍液のカクテルと液体窒素を使う。契約者が死亡するとクライオニクス会社のスタッフが急行し、埋葬を阻止する（親族がクライオニクス処理の話を理解していない場合が多いのだそうだ）。あるいは事前に連絡を受け、対象者が死亡するまでスタッフが病室で待機する。スタッフが病室に待機することを彼らは「スタンバイ」と呼ぶ。

患者が死亡するとスタッフは即座に遺体から血液や体液を吸い出し、不凍液と入れ替える。

不凍液は寒冷地で自動車のラジエータが凍りつかないように、冷却用の水に加えるもので、クライオニクスでもエチレングリコールやプロピレングリコールなど自動車用の不凍液に使われる化学薬品と同じものが使われている。

なぜ血液を抜いて不凍液と入れ替えるのかと言えば、不凍液と入れ替えないと氷で細胞が破壊されるためだ。遺体をそのまま冷凍すると、体液中の水分で氷ができるため、細胞が氷に内側から押し破られてしまうのだ。血液も凍るので血管が破れてしまう。そのままでは解凍した時に全身で大量出血が起きる。

不凍液はゆっくりと冷凍することでガラス状に変化するため、細胞を壊さない。液体窒素で冷やされた死体の体液はガラス状になった不凍液で満たされる。

血液と不凍液の入れ替えはポンプを使って行われ、その後、人体は液体窒素の入ったタンクの中で冷凍される。タンクは魔法瓶

のような真空壁を持ち、保温性に優れている。

再生には人格が宿っている脳が最重要と考えられているので、遺体は冷凍タンクに頭からさかさまに突っ込まれる。仮に何らかの事故で液体窒素が漏れたとしても、頭が容器の底にあれば、液体窒素がなくなるのは頭が最後になるからだ。

全身を冷凍するプランと首を切断し、首だけを冷凍するプランがあり、首だけの場合は、当然ながら首を切断して容器に入れることになるため、それが死体損壊にあたるのかどうか、法律のグレーゾーンだ。

料金はアルコー延命財団とトランスタイム社が1体15万ドル、クラリオラス社が1体2万8000ドルのロシア価格である。

1967年1月12日に心理学教授ジェームス・ベッドフォードの遺体が冷凍されたのが人類初のクライオニクスだとされている。2018年現在、383人の遺体（首のみの保存も含む）がクライオニクスの処理を受け、復活を待っているという。

▶クライオニクスは詐欺なのかファンタジーなのか

こうしたクライオニクスの処理を受けて、生き返った人間はいるだろうか？　まず前提として、死体を生き返らせる技術は過去にも現在にもない。そしてクライオニクスは死体を冷凍するだけであり、蘇生に関しては責任を持たない。それは未来の誰かの仕事だ。

不凍液と血液を入れ替えて細胞を破壊せずに保存するというのは、一見もっともらしいが、不凍液に使われるエチレングリコールは毒性が強い。大量に飲むと重度の腎臓障害を起こし、48時間ほどで腎不全を起こし、場合によっては死ぬこともある。仮に冷凍によって細胞が壊れないとしても、腎不全では復活は難しいのではないか。

クライオニクス会社は、遺体を冷凍するのは神経系を未来へ残すためだとしている。脳や脊髄のネットワークに意識があると彼らは言い、そうした神経ネットワークが冷凍保存されていれば、全身の蘇生は無理でも脳だけの蘇生は可能だろう、あるいは神経網だけスキャニングしてコンピュータ上に再構成し、そこで意識が目覚めるのだと説明している。

そして冷凍した遺体からクローンを作り、脳を移植するかコンピュータ上の意識をクローンの脳にダウンロードすれば、復活できるはずだという。

ここで問題は、脳をコンピュータ上に再構築したらそこに意識が生まれるのかどうかと冷凍した遺体から細胞を取り出し、クローンを作ることができるのかという2点だ。

▶死体からクローンを作ることは可能

脳をスキャンしてコンピュータ上に再構築するという話は、SFではよくテーマにされ、「アップロード」と呼ばれる。しかし現実はアップロードどころか、スキャン自体もおぼつかない。

2023年3月、イギリスのケンブリッジ大学とアメリカのジョンズ・ホプキンス大学などからなる国際研究チームが、ショウジョウバエの幼虫の神経マップを完成したと発表した。

この時点まで神経マッピングに成功したのは、線虫、ホヤの幼生、ゴカイの一種のみで、彼らの脳のニューロン数は数百しかない。これに対して、ショウジョウバエの幼虫は脳が3016 個のニューロンと 54万8000個のシナプスで構成されており、これまでマッピングされた中でもっとも複雑な脳神経だ。

人間の脳のニューロン数は100億～1000億個と言われ、そのひとつずつに約1万のシナプスが接続されている。つまりシナプスの数は軽く兆単位である。ショウジョウバエの幼虫の神経マッピングができたことはすごいことだが、それはそれとして、人間の脳のスキャンなどはるか先だということがわかるだろう。

では冷凍組織からクローンを作ることはできるのか？

2008年11月14日、独立行政法人 理化学研究所は16年間冷凍されていたマウスの細胞からクローンマウスを作ることに成功した。

シベリアの永久凍土から発見されるマンモスの死体からクローンをつくる計画が何度も立ち上がっては消えているのは、死んだ細胞からクローンを作ることが不可能だったからだ。それはまさにクライオニクスで言われている通りに、水分が凍って氷になり、細胞を破壊するためで、冷凍された細胞からクローンをつくる試みはこれまですべて失敗している。

クローンは体細胞から核を取り出し、それを卵子に移植して受精卵を作る。理化学研究所は細胞から核を取り出す際に太いピペットを使うなどして核を傷つけないようにし、移植を成功させた。

死んだ人間を長期間冷凍しておき、後からクローンを作ることは可能なようだ。その場合、生まれる子どもは自分と遺伝的には同じでも、人格は別人である。

死んで復活する、キリストのようなことは人間には当分できそうもない。

アイデアのヒント

裁判で勝利したアルコー延命財団

2009年、クライオニクスを行っているアルコー延命財団は詐欺だとした書籍『人体冷凍 不死販売財団の恐怖』が発売された。非常に雑な遺体管理や保存方法の告発を軸に、疑似科学を信奉する宗教団体だとした作者ラリー・ジョンソンをアルコー延命財団は名誉棄損で訴えた。2014年に結審、アルコー延命財団は勝訴している。

ラリー・ジョンソンの破産宣告や証言拒否が続き、裁判はグダグダだったようで、そのあたりの経緯はアルコー延命財団のサイト[※1]に詳しく記載されている。

クライオニクスが実際に可能かどうかは誰にもわからない。200年後の未来の医療がどうなっているのか、わかる人は誰もいないだろう。しかしクライオニクスのような話でも信じたくなるほど、人間の生への執着は強い。

第7節 臓器移植

▶脳は移植できるのか？

現在、移植可能な臓器は「臓器の移植に関する法律」により、「心臓、肺、肝臓、腎臓その他厚生労働省令で定める内臓及び眼球」となる。脳以外、技術的に可能であれば、ほぼすべての部位が移植の対象となると考えていいだろう。

脳、あるいは首の移植についてはさまざまな道徳的な論議と技術的な論議がある。道徳的な問題はさておき、自分の首を他人の体へ移植することは技術的に可能なのか？

神経外科医のロバート・J・ホワイトは低温手術法を開発した功績でノーベル医学賞の候補にもなった優れた医師だが、マッドサイエンティスト好きの間では、サルの頭をつなぎ替えた男として

※1 http://www.alcor.org/press/response.html

知られている。1970年、ホワイトはサルの一種であるマカクの首を挿げ替える実験を行った。血管をつなぎ、脊柱をつないで金属で固定した。実験は成功し、サルは1日半生きたが、脊髄をつなぐことはできなかったため、首から下が動くことはなかった。見かけ上、サルは体につながれたが、実際はサルは首だけで生きていたわけだ。ホワイトはインタビューに答えて、「私は魂を移植したのだ」と言っている。

▶生きている首を死んだ体と接合する

イタリア・トリノ大学の脳外科医セルジオ・カナヴェッロは、ヒト頭体吻合術（CSA）を提案している。人間の首のすげ替え手術だ。

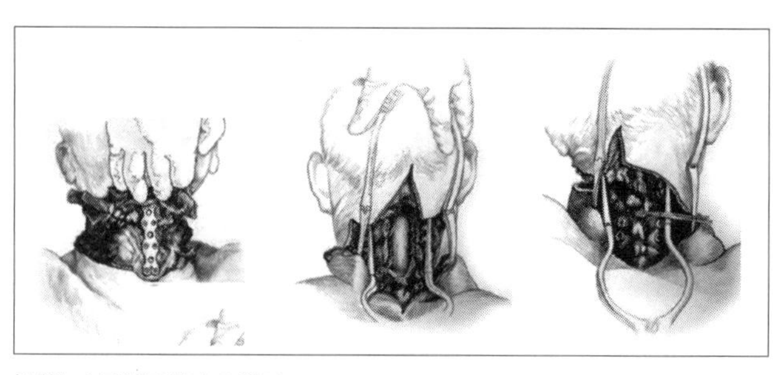

切断した頭部の接合の様子

画像引用：「First cephalosomatic anastomosis in a human model」（Xiaoping Ren、Sergio Canavero他 Surg Neurol Int online 2017 Nov 17）

2017年、カナヴェッロは中国のハルビン医科大学と共同でCSAの検証を行った。頭部の移植なので、健康な体を受け入れる健康な頭部をレシピエント（移植を受ける患者）、レシピエントが取り付けられる頭部のない体がドナー（臓器提供者）となる。

同じ体格の新鮮な男性の死体2体が用意され、5人の外科医からなる2つのチームが2つの死体に対して同時に作業を行った。18時間に及ぶ手術で、神経の温存、特に意識が戻った場合にすぐに医師と会話できるように、発声器官に関係する神経の温存方法や手術の進め方、切断後の脊髄の固定方法などいくつもの改善点が見つかり、技術的な進歩が確認できたと結論した。

頭部と体の接合で、一番問題になるのは脊髄同士の接合だ。脊髄の神経がそれほど簡単につながるなら、事故で身体不随になった人には朗報だ。

カナヴェッロはCSAでは脊髄同士をキトサン-PEG（ポリエチレングリコール）接着剤でつなぐという。

神経を接着剤で？　ポリエチレングリコールには壊れた細胞膜を瞬時に融合させ、神経のケーブルである軸索を守る働きがある。CSAでは神経融合を促進するために血液にもポリエチレングリコールが注射される。

ポリエチレングリコールを使った神経接合は、すでに外科分野で使われ始めている。指の接合でPEG療法が行われ、同じような怪我をした患者よりも回復が早かったという。これまでの治療に比べ、全般的に回復が早いのだそうだ。

ハルビン医科大学では、まだ多くの実験が必要だと考えている。マウスでの首の接合実験は1000例以上行われたが、術後に1日以上生きたマウスはいないからだ。2023年時点で、生きた人間の頭部と死体の接合はまだ行われていない。

▶記憶転移は本当なのか？

臓器移植と言えば、サスペンスやホラーでよく使われるのが、移植に伴う「記憶転移」だ。臓器、特に心臓の持ち主＝ドナーの記憶が移植された相手＝レシピエントにも見えてしまったり、ドナーの性格性向をレシピエントが獲得してしまう例が実際にあるらしい。

コロラド大学医学部精神科のミッチェル・B・リースターによると食べ物や音楽、性的嗜好、趣味などに大きな変化が起きる例があるという。

19才のベジタリアンのドナーの心臓移植を受けた29才の女性はマクドナルドで一番の稼ぎ頭だったのに、肉を食べると吐いてしまうようになり、プールで溺死した3才の女の子の心臓を受け取った9才の男の子は、異常に水を怖がるようになった。手術後からロック好きがヴァイオリンが趣味のドナーのようにクラシックを聴くようになった、レズビアンが異性愛者のドナーの心臓移植後に異性愛者に変わったなど様々な例がある。ドナーの記憶が見える例もあり、ドナーが死んだ時の状況や死の感覚を思い出した人もいる。

もしかしたら、心臓になんらかの記憶機能があるのだろうか。それがドナーからレシピエントへ物理的に移動するのだろうか。

ドナーについての情報はレシピエントには絶対に渡ることがないというのが建前だが、報道や口の軽い看護婦、ドナーの親族などから、レシピエントが知ることになったというのが一番ありえる原因で、これは生まれ変わりを検証した話でもよく出てくる。子どもが急に異国語を話したり、知らない街のことを詳細に語り始めるのは不思議に思われるが、外部の人間が調べると、案外と簡単に家庭内に情報源が見つかる例が多い。

本人が完全に架空の人格を実在すると思い込んでいる場合もあ

るだろう。家族や身近な人では真偽の判定ができない（警察が犯人を問い詰めるように、家族を扱うことは難しい）ために、半ば事実となることはよくあり、同じことは幽霊が見える子どもや予言でも頻繁に見られる。

記憶転移も同様の理由で起きると思われるが、もし本当に記憶転移が起きるとしたら、どのような生化学的な原因が考えられるのか。

▶臓器は記憶する？

細胞記憶は免疫反応に見られる細胞レベルでの記憶のことだ。

ウイルスや細菌と戦うための免疫に関する記憶は、神経ではなく細胞に記憶される。この仕組みが実は免疫だけではなく、すべての経験に及ぶのではないか？　というのが細胞記憶説だ。

細胞記憶説のうち、DNA以外の遺伝物質で記憶しているのだろうというのがエピジェネティック記憶説。後天性遺伝（p43）は、細胞の記憶と呼ぶこともでき、記憶転移はその一種ではないかという。

DNAメモリ説は心臓から染み出す液胞＝エキソソームにDNAが含まれていることを原因とする。心臓由来のDNAが本来のレシピエントの身体とは違うタンパク質を作らせるため、身心に変化を起こす。DNAではなくRNAが同様の働きをするというのがRNAメモリ説。

タンパク質が記憶媒体だとし、記憶は神経にタンパク質の形で保存されるので、心臓由来のタンパク質から記憶が転写されるというタンパク質記憶説、その亜流で狂牛病を引き起こしたプリオンがその役割だという説などがある。

心臓の神経網記憶説では、心臓には脳のように記憶できる神経網＝ヒト心臓内神経系があるという。ヒト心臓内神経系にはニューロンがあり、神経伝達物質を放出して脳のように働くため、記憶転移が起きる。

こうした説はいずれも憶測や仮説でしかなく、学者の想像である。

▶脳死と意識

現在の医学では死とは「脳死」のことだ。脳が死ぬと人間は死ぬ、だからドナーにして臓器を取り出してもいいことになっている。脳波がなければ脳が動いておらず、人工心肺装置で延命は出来ても、自分では呼吸もできず、心臓も動かない。

では脳死状態の人間は本当に死んでいるのか？　脳死したはずの脳が機能回復する例はないのか？

心肺機能が停止していた人間に心拍や自発呼吸の回復が起こり、蘇生したり生き返ったかに見える動作をすることは「ラザロ兆候（もしくは現象）」と呼ばれる。これはイエス・キリストが死後4日目のラザロをよみがえらせたという故事による。年に数例が報告されるが、あくまで心肺停止で必ずしも脳死を意味しない。

明らかな脳死判定後に生き返った例は、ほぼない。ごくまれに脳死判定後に蘇生したとされる例があるが、蘇生後に大きな障害が見られないことから、脳波測定が厳密に行われなかった疑いが大きい。

脳死の誤診があるように、脳死判定は難しい。安易な判定により、蘇生はできないにしろ、まだ生きている状態で臓器移植のドナーにされたらたまったものではない。

アイデアのヒント

ブタの意識は臓器に宿るか？

免疫が適合する脳死した遺体を待って臓器移植を行うというのは、数が少なく非効率で人道上も好ましくない。そこでヒトの内臓の遺伝子を組み込んだブタを作り、ブタの体内にヒトの臓器を作らせ、それを移植する実験が進んでいる。2022年にアメリカで遺伝子操作したブタで腎臓を作り、それを脳死状態のヒトに移植する実験が行われた。結果は良好で、拒絶反応もなかったが、患者は54時間後に死亡した。

日本では明治大学の長嶋比呂志教授らが豚を使ってヒトの膵臓を作っている。この技術が確立すれば助かる人は増える。しかし作らせる臓器が心臓の場合、記憶転移が起きるのか？　ブタの記憶が人間に転移するのか？　実に興味深い。

なお余談だが、自治医科大学先端医療技術開発センターでは臓器移植の際に葉緑素を使う実験をしている。臓器をクロレラ入りの溶液に漬けて溶液中でガス交換を行い、常温で臓器を保存しようというのだ。緑の液の中に生きた心臓や腎臓が脈動するというのは、なかなかの光景だろう。

第8節　後天性遺伝（エピジェネティックス）

▶恐怖が遺伝する？　経験が遺伝する不思議

恐怖が遺伝する……2013年12月1日、ネイチャーニューロサイエンス誌に掲載された論文「Parental olfactory experience influences behavior and neural structure in subsequent generations（親における嗅覚経験は次世代の行動と神経構造に影響する）」は衝撃的な内容だった。なんと親が体験した恐怖が精子の遺伝子を変化させ、恐怖が遺伝するというのだ。しかも子供どころか孫の世代にまでである。

エモリー大学のブライアン・ディアスとケリー・レズリーはマウスにアセトフェノン（桜の香りに近い）を嗅がせ、その度に足に電気ショックで痛みを与えた。やがてマウスはアセトフェノンを嗅いだだけで、恐怖行動を起こすようになる。

これまでの常識であれば、親に条件付けをしても、その子供に条件反射が伝わることはなかった。ところが条件付けマウスが生んだ子供にアセトフェノンを嗅がせると、恐怖行動を起こしたのだ。しかもその子、つまり最初のマウスの孫までアセトフェノンに反応したというのである。

条件反射といえば、エサの度にベルを鳴らすと、ベルの音を聞くだけで犬がヨダレを流すようになったというパブロフの実験が有名だ。エモリー大の実験に従えば、ベルの音でヨダレが出るようになった犬の子供は、生まれながらにしてベルの音を聞くとヨダレが出るということになる。そんなバカなことがあるのか？

子供だけであれば、受胎後に母親のストレス反応が胎児に影響した可能性がある。しかし孫までが生まれついて反応するのだ。今まで知られていなかった遺伝的な仕組みが生物にはあると考えるのが自然だ。

▶何かが親から子へ、子から孫へと伝わっていく？

遺伝以外の要因が細胞に影響するらしいことは、イギリスの疫学者デビット・バーカーが発見した。

第二次世界大戦末期の1944年冬、ドイツ軍に包囲されたオランダは飢餓状態に追い込まれ、２万人以上がなくなった。チューリップの球根を掘り起こして食べるほどで、当時の摂取カロリーは１日平均1000キロカロリー以下だったという。大戦末期の日本も飢餓状態だったが、それでも配給ベースで1448キロカロリー。一般的な成人男性の基礎代謝は1500 ~ 1800キロカロリーとされる。基礎代謝による消費カロリーを下回った状態が続くと人は餓死する。オランダの食糧事情がいかに過酷だったかがわかる。

食糧事情は過酷でも、赤ん坊は生まれる。母親が飢餓状態で生まれた子供は誰もが低体重だったが、以降は食糧事情も改善し、子供たちは問題なく成人になった。

50年後、奇妙なことがわかった。この飢饉の時期に生まれた子供が成長してから、糖尿病や高血圧、心筋梗塞などの生活習慣病が急増したのだ。

バーカーによると、これは胎児の時に体のシステムが低栄養状態で効率よくエネルギーを取り込むように最適化したためで、通常の食事では摂取カロリーが高すぎ、病気になってしまうらしい。

しかし幼児期の環境が成人後数十年経っても、まだ影響するというのはどういう仕組みなのか？

▶遺伝子は後天的に変化する

これまで遺伝子は変化しないと考えられてきたが、後天的に変化することがある。これが「エピジェネティックス」だ。エピはギリシャ語で「後で」「上に」といった意味。ジェネティックスは遺伝子学のこと。後天的遺伝学である。

マウスに恐怖が遺伝したという話はエピジェネティックスの分

野である。

生き物の設計図であるDNAには、不用意にスイッチが入らないように、特定の遺伝コードを読み取らせない機能がある。DNAのメチル化という。

恐怖実験で使われたオスのマウスの精子を調べると、嗅覚細胞へのメチル化が起こらなくなっていた。そのため、その子供は桜の花の匂いに対する嗅覚細胞が生まれつき発達し、匂いに敏感なマウスとして生まれたのだ。

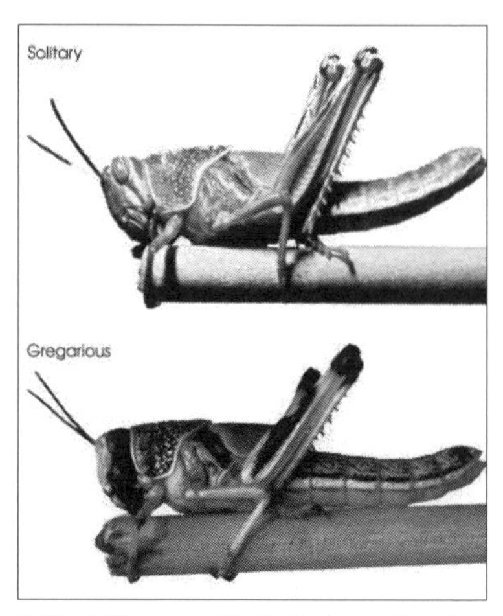

通常の状態である孤独相（上）と凶悪な姿の群生相（下）。色は緑から黒へ変わり、羽根に対して胴体が短くなる
画像引用:Wikipedia

環境が遺伝子のスイッチを入れるのではなく、環境によって、スイッチを入れさせない機能（＝メチル化）が失われるというのが遺伝子の特性らしい。

女王蜂もエピジェネティックスにより、働きバチから女王バチへと変化する。実は女王蜂も働き蜂も遺伝子は基本的に同じで、同じ幼虫だ。ところがロイヤルゼリーを与えられることで、DNAのメチル化が行われず、女王蜂へと変化する。

ロイヤルゼリーが高栄養で、だから幼虫がでかくなって女王蜂になるのではないのだ。ロイヤルゼリーがメチル化を止めて、いわば成長が止まらなくなった結果、生まれるのが女王蜂らしい。

その証拠に幼虫のDnmt3というメチル化酵素を阻害すると、高栄養とは無関係に女王蜂化するのだという。ただ体があまり大きくならないため、ローヤルゼリーの高栄養は必要らしい。

イナゴの一種、サバクトビバッタは生育密度が低い時は緑色をした普通の姿だが、数が増えて密度が高まると群生相という黒い姿の子供を産み始める。食糧が不足するために、長距離を飛べる姿に変わるのだ。そして大移動を始め、道行きにある植物をすべて食べ尽す。そして一度、群生相に変わると、エサが十分にあっても、群生相のバッタは当分の間生まれ続ける。

▶胎児リプログラミング仮説

胎児の時に環境に影響され、遺伝子の発現が変わってしまうことを「胎児リプログラミング仮説」(頭文字からDOHaD)と呼ぶ。日本でも研究会が立ち上がり、医者や文科省、厚労省も含めて研究を進めている。

最近は育児で、小さく生んで大きく育てるとよく言われるが、そんなことをするとドイツ軍に包囲されたオランダと同じことが起きる。胎児の時に低栄養状態にさらされると、インシュリンの受容体が鈍くなり、血糖値がきちんと上がらず、満腹感が得られにくくなるのだ。生まれた子どもは食べ過ぎてしまい、糖尿病になってしまう。しかもこれは子どもに限らず、孫まで影響が出る。母親の胎内にいる時に生殖細胞が出来上がるためだ。

こうした後天性遺伝は母親だけではなく父親の影響もある。

高脂肪食を与えたオスのマウスの子供を調べると、生まれつき膵臓のインシュリンを出す機能が弱い。太った父親の子どもは糖尿病になりやすいのだ。

父親が３０代半ば以上の場合、子どもが自閉症になる率が上がるという報告もある。

子宮の水が腐ると言って問題になった歌手がいたが、精子も腐ると言えば、意図が正しく伝わったかもしれない。

胎児リプログラミング仮説では体外授精もテーマだ。体外授精では精子を卵子に人工的に針状のピペットなどを使って注入する。その結果、受精卵にストレスがかかり、生まれた子供に障害が出るのではないか？　と言われている。人間のデータはまだないが、マウスでは明らかに自閉症が増える。

胎児リプログラミング仮説から人間の暴力性を捉える研究もある。

幼少期に虐待を受けると攻撃的な性格になる。これまでは精神的な傷＝トラウマで説明されてきたが、違うらしい。

幼児期に虐待された人はインターロイキン6という、炎症を起こす免疫物質が上昇する。インターロイキン6は悪玉サイトカインと呼ばれ、過剰に分泌されるとコロナの時に病状を悪化させたサイトカインストームを起こしたり、リューマチなどの自己免疫疾患を引き起こす。悪性腫瘍や歯周病も悪化させる。

インターロイキン6が増えた結果、全身の炎症が悪化、攻撃性が増すらしいのだ。エピジェネティックな変化がインターロイキン6の量の調整を効かなくしてしまい、それが攻撃的な性格につながるのだ。

▶環境が遺伝子を変化させる

エピジェネティックスは、ダーウィン以来の自然淘汰と適者生存による遺伝のメカニズムとは別モノだ。

ダーウィン学派は、遺伝子は突然変異によって書き換えられるとする。サイコロを振るようなものだ。偶然、遺伝子が組み代わり、キリンの首が伸びた。首の伸びたキリンは首の短いキリンよりも高い木の葉を食べることができるなど、生存が有利だった。だから数が増え、首の長いキリンだけが現在まで生き残った。遺伝子が書き換わるのに、個体の経験は関係がない。

これに対して、獲得形質の遺伝、ラマルクが唱えた形質遺伝はダーウィンとは考え方が違う。環境の変化により、草原の草が枯れるなどして高い木の葉を食べざる得なくなったキリンの祖先は、首を伸ばそうとし、若干だが首が伸びた。その形質が遺伝し、何世代もかけてキリンの首は伸びて現在に至ったというものだ。親の遺伝子が変化して子に受け継がれ、世代を経て強化されていくという。

エピジェネティックスはラマルクの考え方に近い。環境が遺伝子そのものに影響すると考えるからだ。ただし永久に種を変えてしまうような変化は起きない。環境の変化に生物が一時的に対応した結果だと考えられている。

あくまで遺伝的な変化は3世代程度と限定的で、ダーウィンの進化論を否定するものではないので要注意。

アイデアのヒント
自殺遺伝子とエピドラッグ

自殺遺伝子も見つかっている。自殺した人としなかった人の遺伝子を比較したところ、メチル化している部分に違いがあったのだ。自殺しなかった人ではメチル化しているDNAが、自殺した人ではメチル化されていなかった。つまり自殺遺伝子は誰でもが持っているが、通常では読み込まないようにメチル化されている。しかし環境によってメチル化が解除され、自殺遺伝子が発動するらしい。

こうしたエピジェネティックを使う薬をエピドラッグという。ガン治療などが目的だが、自殺遺伝子を発動させるエピドラッグや暴力性を引き出すエピドラッグのような悪夢も、将来まったくないとは言い切れない。さらには胎児リプログラミングにより、目的に応じた人間を設計することも……。

第9節 サイボーグ

▶男の子が大好きなサイボーグと学問のサイバネティクス

漫画なら『サイボーグ009』、アメリカのドラマなら『バイオニックジェミー』、機械と人間が融合するサイボーグは昭和の子どもたちには馴染み深かった。

サイボーグの語源であるサイバネティックスという言葉を作ったのは、アメリカの数学者ノーバート・ウィーナーだ。1948年の著書『サイバネティクス』で公になったが、これは人体と機械の融合の話ではなく、生物が環境の変化に応じて動作を変えるように、機械の制御にも環境の変化を反映させようという制御理論だ。

サイバネティクスの語源はギリシャ語のkybernetikos（操舵に優れたの意味）で、制御理論の科学がまだなかった19世紀に、フランスの物理学者アンドレ＝マリー・アンペールがこの名称を提案した。

生物が行っている体の動かし方はフィードバック方式で、外の変化に応じて動き方を変え、同じ結果が出るようにする。籠にボールを入れるという動作でも、センサーのない機械に投げ入れるという指示をしたら、それしかできない。籠の位置を動かしたら、籠のなくなった場所に延々とボールを投げ続ける。人間は籠が動けば、投げる方向を変えて、ボールが入るように調整する。

センサーを通じて情報を取り入れ、戦場でランダムに動く標的に正確に砲弾を当てるために自動的に方向を修正していく、たくさんの的から正確に当てるべき的を判別するといったことを機械だけで行う方法を、ウィーナーはサイバネティクスと呼んだ。

現在のAIの基本的な制御方法であり、鉄道や飛行機などの運行から経済までサイバネティクスは取り入れられている。

▶宇宙で人間が活躍できるためのサイボーグ

機械を生物のように動かすことから、人体と機械の接合と制御技術がサイバネティクス・オーガニズム＝サイボーグと呼ばれるようになった。サイバネティクスで制御される機械の器官という意味だ。

元々のサーボーグは、宇宙で人間が活動するには機械との融合が必要という医学者のマンフレッド・E・クラインズとネイサン・S・クラインの提案だった。長期間の宇宙滞在を可能にするように、人間に抗放射能薬を自動注入する装置や二酸化炭素の除去装置、無重力で筋肉が弱らないように電気刺激を与える装置などを体に組み込むというものだ。一般的なサイボーグのイメージとは大きく違う。

「スペース クア ナチュラ(space qua natura)」、宇宙を自然な場所として暮らす最初の人類、宇宙の原住民は、そうしたサイボーグだとクラインズらは言う。

最近では2023年のアニメ『機動戦士ガンダム 水星の魔女』が、

人間を宇宙に適応させるために機械との融合というテーマを扱っている。

▶皮膚からの電気で制御する筋電位義手

サイボーグ技術はどこまで進んでいるのか。

1つは人間と機械の接合、もう1つは人体機能の代替もしくは拡張の2点から見てみよう。

人間の体は神経で情報をやり取りしている。神経は電線のようなもので、そこには微弱な電流が流れている。腕を動かそうとすれば、どう動かすかを指示する電流が流れる。「握る」「伸ばす」「曲げる」など動きによって電流の周波数や振幅はおよそ決まっている。

事故で肘から腕を失った人でも、肘までは神経が残っているので、神経信号が来ている。ない腕を動かそうとすると肘近くの肌を流れる電流が変化する。これを表面筋電位という。

表面筋電位をセンサーで拾い上げ、機械の義手を制御するのが「筋電位義手」だ。筋電位義手は非侵襲性（体に傷をつけない）なので扱いやすいが、毎日、筋電位は変化するため、その日の腕の動き信号をコンピュータに覚えさせる必要がある。右、左、つかむ、といった腕の動作をイメージし、その時の筋電位をコンピュータに記憶させるのだ。人工知能搭載型も研究中で、過去の学習内容から類推して動くため、調整もいらず、動作の種類も15種類程度と多い。

ただし現在の義肢にはセンサーがなく、装具者には物をつかんだり触ったりする感触がない。仮にセンサーを取り付けても、それを人体に伝える手段がない。

アメリカの生物工学統合研究所のポール・D・マラスコらは

DARPA（国防高等研究計画局）の資金で、手術の必要のない、触覚のある義手を開発した。

義手を装着した腕の上部に、モーターを使って腕を押す装置＝タッチロボットを装着する。腕を失っても、腕の触覚につながっている神経が生きていれば、その神経を刺激することで触覚を得ることができるのだ。

義手には五指にセンサーがあり、どの指でつかんだかの情報をタッチロボットに送る。センサーからの信号の強弱に合わせて、タッチロボットが五指それぞれの神経を圧迫、装具者は義手の指が物をつかんでいる感触を感じ、その刺激に合わせて義手の握力を調整する。

疑似的に触覚を再現する技術は、五指の神経を圧迫する以外にも、超音波を使って皮膚の触覚神経を刺激する方法が研究されている。

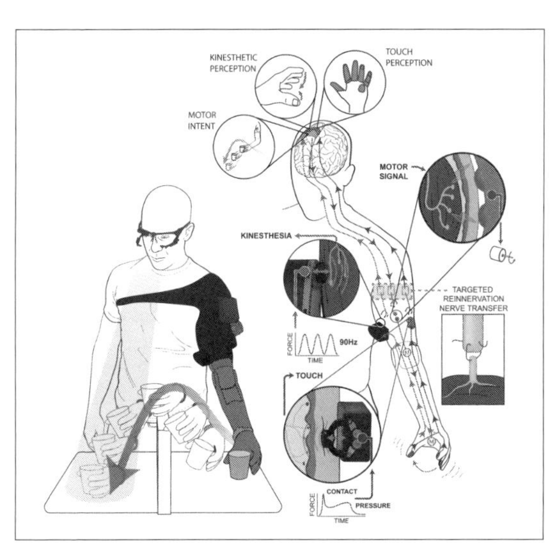

ポール・D・マラスコらが作った双方向義手のイメージ。ノーバート・ウィーナーの考えたサイバネティックス通りに、義手と装具者は相互に感覚をフィードバックしながらミッションをこなす

▶神経接合で感覚のある義手の登場

筋電位ではなく、神経に直接電極をつないだ方が精度の高い制御ができるが、義手は重く、整備も必要なので簡単に取り外せないと使いにくい。また神経は数十ミクロン単位という微小な器官であるため、そこに外部から電線を差し込むことは技術的に難しかった。しかし現在はそのための技術も整いつつある。

スウェーデンのチャルマース工科大学が義肢メーカーのインテグラム社と開発した「神経筋骨格義肢（neuromusculoskeletal prostheses)」は、腕や足の切断面に、筋肉や神経につながった神経筋電極と義肢を骨に固定するための器具を埋め込み、義肢のインターフェースとする。インテグラム社の義肢OPRAシリーズがベースとなったので、その進化版で「e-OPRA」と名付けられた。

装具者には外科手術でe-OPRAが永久に埋め込まれる。義肢はe-OPRAに接続されるが、アタッチメントではなく、骨とネジ止めされる。義肢が骨に接続されることで、アタッチメント方式特有の蒸れや圧迫といった不快感がなく、数年間つけっぱなしのユーザーもいるという。

現在は義手のみで、センサーは義手の親指部分についている。かなり感度が高く、鉛筆の先でつつくとその感触がわかるレベルだそうだ。

人間の感覚にはまだまだ及ばないが、まずは神経接続によるフィードバックが可能になったことは技術の大きな一歩だろう。

▶義手のパワーは成人レベル

義手の力は人間に及ばず、モーターを内蔵したタイプで握力は最大2キロ程度、物を運ぶ場合は指の動きをロックして、指で最大20キロ、手全体で90キロ（アイスランドのOSSUR（オズール）社の義手の場合）を支えられる。

モーターを大きくすれば出力は上がるが、バッテリーも含めて重くなる。日常的に装着して利用するには、重量は1キロ前後、できれば400～600グラム程度が望ましいため、出力は制限される。

最新の義手はAtom Limbs社が開発中の「Atom Touch」で、この義手はもっとも人間の腕に近い性能を持っている。握力はなんと32キロ近くあり、タッチセンサー以外に力、位置、速度の4種類のセンサーが計200個組み込まれ、AIが学習することでより滑らかな動きが可能になるという。筋電位タイプで手術を必要とせず、筋電位センサーを埋め込んだ専用のシャツを着て操作する。ファスナーを開ける、クレジットカードをつまむ、潰れやすい果物をつかむといった複雑な動作も可能だという。

Atom Touchは従来の義手から一気に数段階アップさせた製品だが、それでもSFに出てくるようなハイパワーの義手にはほど遠い。現在の技術では、ドアノブをねじ切るような義手は作製できないのか？

モーター以外のアクチュエーター（駆動部位）として、注目されているのが人工筋肉だ。モーターは回転してパワーを出すが、人工筋肉は本当の筋肉のように伸縮してパワーを出す。空気を利用したものや形状記憶合金などが研究されており、モーター制御よりもはるかに精緻な動きはできるものの、パワーはモーターに劣る。

SF的な人工筋肉として期待されているのが、アメリカのノーザンアリゾナ大学で研究されているポリマー性人工筋肉だ。チューブ状のポリマー繊維をバネのようにねじった形に成形したもので、油圧または空気圧でチューブ内を加圧して伸び縮みさせる。プラスチックゴムでできた極小の油圧シリンダーといったところだ。

油圧シリンダーだからパワーがあるのは当然としても、人間の筋肉と同サイズで5～10倍のパワーが出るという。義手などへの利用も考えられており、実現したら本当のバイオニックジェミーができるかもしれない。

アイデアのヒント

五感を超高精細化する技術

2020年5月20日のネイチャー誌に「半球ペロブスカイトナノワイヤーアレイ網膜を備えた生体模倣の目」という論文が掲載された。香港科技大学のチームがナノテクを使った人工眼球を試作したというもので、網膜に相当する部分は半球状のネットに、太陽電池に使われるペロブスカイトを光センサーとして利用したナノワイヤーを高密度で配置、硝子体の代わりに人間の目の硝子体液を模した電解質の溶液、眼球自体はアルミニウムの殻でそれにレンズをつけた。

光センサーは人間の視覚細胞の30倍もあり、理論上は真っ暗闇でもわずか光子を捉えて見ることができるという。SFのサイボーグのようなズーム機能こそないが、超高精細で暗闇でも見える義眼である。

昔のSFのサイボーグ技術はパワーであり、ハイスピードだったが、実際の技術は人間の能力をより精緻にする方向で進んでいるようだ。耳なら遠くの音が聞こえるよりも近くの音を細分化する機能、防弾の皮膚ではなく、触るだけで相手の身体情報が読み取れる皮膚というように。

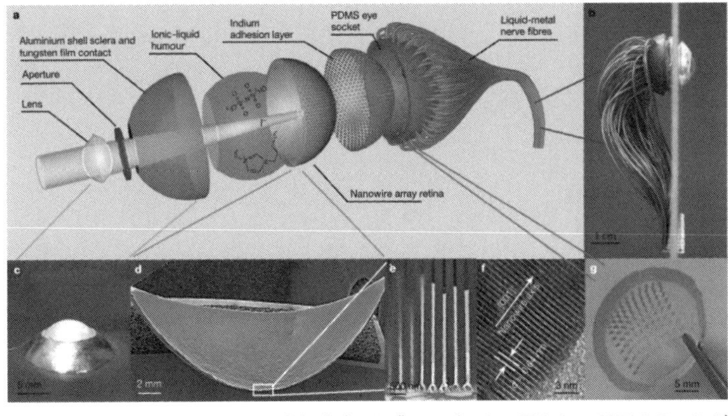

人間の視神経と接合するのはまだ先だが、まずはロボットの目として利用することが考えられている

画像引用：Nature

生物
脳
宇宙
超能力
化学
兵器
機関

第2章
脳編

次の軍事競争のステージは脳だと言われています。中国は米国と拮抗する軍事力を望んでいますが、通常兵器でも核兵器でも追いつくことはできません。しかし新しい技術分野ではどうでしょうか？　人民解放軍は「制脳権」と呼び、脳の特殊な使い方をマスターした軍人による、脳波戦争を想定しているようです。これから脳とネットワークの世界はどのようにイメージされるのか。ポストサイバーパンクの世界を探しに行きましょう。

2

第1節 ヒューマンブレインプロジェクト

▶「全脳シミュレーション」を作り出すプロジェクト

ヒューマンブレインプロジェクト（Human Brain Project＝HBP）は脳の構造を分子レベルまで解き明かし、コンピュータ上に脳のシミュレーターを作ろうという国際プロジェクトだ。

2013年10月からプロジェクトが終了した2023年9月までの10年間に、19カ国155機関が参加し、6億700万ユーロ（約900億円）が投じられたビッグサイエンスである。

人間の遺伝子をすべて読み出したヒトゲノム計画やヒッグス粒子の発見に寄与したCERNなど、人的にも物量的にも時間的にもそして成果も桁違いの研究計画のことをビッグサイエンスと呼ぶが、HBPも間違いなくビッグサイエンスである。

目的は２つ。１つは脳の精緻なシミュレーターを作り、脳疾患に関する新薬の開発を推し進めること。先進国の高齢化が進む中、アルツハイマーなど加齢に伴って発症する脳疾患用の新薬開発が急がれるが、脳が何なのか、どのように作動するのかがわからなければ、薬を作ることができない。そのために脳のシミュレーターは大きく役立つ。

脳全体をシミュレーンできる全脳シミュレーションを使えば、脳の病変がどのように変化して行くのかを正確にシミュレーションできるようになるのだ。そこでMRIの画像をベースに、脳組織の顕微鏡画像の３Dモデルを組み合わせたブレインアトラスを作成した。

しかし脳には量子効果が働いていると考えられている。脳の神経線維は数～数十ミクロンだが、それを支える微小管という組織があり、太さはわずか数十ナノスケール。そのサイズだと神経信号は量子力学の確率論に従うことになる。神経信号は確率の波となってゆらいでいるのだ。さらに脳は複雑系を持つため、初期値の鋭敏性により、神経信号の正確なシミュレーションは不可能となる。技術的にではなく、物理的にできない。

だから「全脳シミュレーション」と言ってはみても、あくまで器官や組織のかなりマクロなハードウェアのシミュレーションである。

ブレインアトラス以外にも脳に関する情報を研究者にフリーアクセスで公開する情報基盤がEBRAINSで、脳神経学の各種データやアプリ、基本モデルを患者に合わせて変更し、治療方法のシミュレーションができるバーチャル脳モデル、ニューロンのネットワークモデルなどが用意されている。

▶コンピュータと人間はまったく違う

もうひとつは次世代コンピュータの開発だ。

コンピュータと人間の脳は似ているようで、まったく違う。コンピュータは情報に応じて電子回路が変化することはない。ソフトウェアによってハードウェアの使い方は変わるが、回路自体が変化することはない。

脳の場合、刺激や環境によって神経細胞が成長し、分岐して新しい神経ネットワークを作り出す。脳にとって神経細胞というハードウェアと記憶や思考といったソフトウェアは同じものだ。神経と心は一体なのだ。

もっと違うのは情報処理の方法だ。脳の情報処理能力はスーパーコンピュータの比ではない。

2013年8月2日、日本の理化学研究所とドイツ・ユーリッヒ研究所が共同で、スーパーコンピュータ「京」を使って、世界最大の脳神経のシミュレーターの作成に成功した。HBPの一環として行われた実験で、成果はHBPにフィードバックされた。

京に搭載された約70万個のCPUを使い、17億3000万個の神経細胞が10兆4000億個のシナプスで結合された神経回路のモデルを作り、シミュレーションを行った。この神経回路を生き物の脳のサイズに換算すると、マーモセットなどの原猿類の脳に相当する。人間の脳に比較すると容量の1パーセント程度だ。

容量は1パーセントでも神経のつながり方は立体的なので、3乗で複雑化する。単純に考えても、人間の脳の神経網なら100万分の1しかマッピングできていない。

シミュレーションの結果、世界最高峰のスーパーコンピュータ（京は8162兆回の浮動小数点演算を行える）を持ってしても、生物が1秒間に興奮させる神経細胞ネットワークをシュミレーションするには40分＝2400秒が必要だった。脳の情報処理速度はスーパーコンピュータの2400倍、割り引いても３桁以上は軽く上回っている。

脳が必要とするエネルギーはとても少ない。１日400キロカロリー、電気に換算すれば20ワット電球をともす程度だ。京の消費電力は12.65989MW（2011年11月時点）。これは一般的な家庭の消費電力３万世帯分に相当するという。

スーパーコンピュータはとんでもない大飯食らいであり、それに比べて脳はきわめて効率がいい。

▶従来の1000倍の速度で動くシミュレーター

コンピュータの消費電力の低減化はHBPのテーマのひとつで、解決策としてニューロモーフィックデバイスの研究開発が行われた。

2022年に、ドイツのグラーツ工科大学とコアチップメーカーのインテル社が共同で、脳の神経を模したアルゴリズムを開発。その結果、消費電力を最大で16分の1まで抑えることに成功した。

人間には及ばないものの、神経の情報処理方式を真似するだけでエネルギー消費がこれほど減るのなら、まだまだ余地はある。

HBPで開発されたニューロモーフィックコンピュータ、SpiNNakerは1200個のボードに100万個以上のプロセッサを搭載した脳シミュレーターで、脳の機能を模倣した超並列ネットワーク処理が行える。実行速度が極めて速く、従来型コンピュータの1000倍の速度でリアルタイムにコンピュータ上に構築したバーチャルなニューロンを動かすことができる（ただしHBPのレポートによれば、それでも人間の脳全体のシミュレーションを行うには、まったく不足するのだそうだ）。

HBPで開発されたニューロモーフィック技術は、医療分野からロボティックス、AIまで非常に広い範囲で利用されており、約100台のSpinNakerシステムが、アメリカや日本、オーストラリア、ニュージーランドなどの研究室で活躍している。

▶人間はコネクトームである

脳の神経がどのようにつながり、どこで意識が生まれているのか、私たちはまだわかっていない。そのために脳神経の地図を作ろうという試みが始まっている。

脳の神経細胞は数百億個あり、神経細胞と神経細胞はシナプスというつもの接続ポイントで立体的につながっている。接続の総数は1兆にも及ぶ。この複雑な仕組みをビジュアル化し、地図を作ることはできるのだろうか。

UCLA、ワシントン大学、ミネソタ大学などの研究機関が共同で行っている「The Human Connectome Project」（略してHCP）はそんな不可能を可能にしようとしている。

コネクトームとはニューロンとシナプスからなる神経細胞の接続単位のことで、脳神経のつながり方を示すネットワークのブロックだ。

人間のコネクトームをカスタマイズした超高精細なMRI（磁気を使って、脳の断面を撮影する医療機器）でミクロン単位で撮影し、それを何百枚も重ね合わせて３次元モデルを作る。この作業を数百億個の神経細胞と１兆個の神経接続に対して行うと脳全体のコネクトームの地図ができる。

これは1年2年でできるような研究ではない。現在わかっている最大のコネクトームは、ショウジョウバエの幼虫の脳で、3016個の神経細胞が54万8000個のシナプスで接続されている。

ショウジョウバエのコネクトーム
画像引用:SCIENCE

研究チームはナノスケール単位で撮影した数千枚の脳断面の電子顕微鏡写真を合成、脳の３Dモデルを作り上げた。小規模（ショウジョウバエの幼虫の脳は塩粒ほどしかない）ながら、神経伝達の流れをシミュレーションできるようになった。
HCPのリーダーであるMITのセバスチャン・スンは数世代（！）に渡って研究を継続する必要があるだろうという。HCPは現代科学研究の中でも、かつてない規模のビッグサイエンスなのである。
人間の思考、経験、感情、記憶、それらすべての総称を心と呼ぶ。心と呼ばれるものはコネクトネーム、すなわち脳の神経ネットワークではないか？　と脳神経学者たちは考えている。経験や考え方の変化に合わせて神経ネットワークは柔軟に成長し、不要な部分を切り捨て、その人に唯一の形状を作り出す。人間は遺伝子の乗り物ではなく、自分を作り出すのは自分自身なのだ。コネクトームが解析されれば、そこに記憶があり、思考があり、その人自身がいるだろう。
スン教授はHCPが導き出す結論について、次のように述べている。それは人間とは何か？　という究極の問いに対する答えでもある。スン教授は言う。
「私とはコネクトームである」。

アイデアのヒント
意識のアップロードはおそらく不可能

HBPやHCPの研究結果を知ると、コンピュータ上に仮想脳を作り、意識をアップロードするという話は、工学的にも物理的にも不可能なのだとわかる。
コンピュータに脳を再構築したとしても、処理速度が遅すぎて話にならない。工学的に何とかしようとするならニューロモーフィックな量子コンピュータを作ることになるが、当分先の話だ。

できるかどうかさえわからない。

次に脳の量子効果だ。神経信号がゆらいでいるということは、そこから生まれる意識は量子力学的な確率が働いているゆらぎが元になっている。データとしてゆらいでいるものを移すことはできないだろう。

ハードとしての脳をバーチャルに構成できたとしても、元の人間と同じ意識は構築できない。意識は量子のゆらぎの影響を受けるので観測者問題（p110）が働き、情報＝意識が元の状態を保てずに壊れてしまう。意識を含めた脳の情報処理をシミュレーションすることはできない。

人間はコネクトームであるがゆえに、自分という意識は自分自身のオリジナルしか存在できないのだ。

第2節 脳波入力

▶脳をつないで「脳脳間通信」

人間の脳と脳をつないだら何が起きるのか？

2013年８月12日、ワシントン大学のラジェシュ・ラオとアンドレア・スコットは自分たちを被験者として、人間の脳をインターネットで接続したらどうなるか？　という初めての実験を行った。

ラオは頭に脳波センサーをかぶって脳波の送り手となる。人間が行動を起こそうとすると脳が活性化し、行動に関連づけられた脳波が発生する。コンピュータに送られた脳波は、インターネットを通じてもう一台のコンピュータへ送られる。

コンピュータにはTMSで用いられるT字型の電磁石コイルがつながっている。脳波に応じてTMSの磁界を変化さると被験者の脳には、録音テープが再生されるように磁界に対応した神経信号が流れる。

ラオの脳波がTMSを通して受け手側のスコットの脳で再生されるはず……それが彼らの予想だった。TMSはスコットの左側頭部に固定されたるが、これは左脳＝右手の運動神経を刺激するためだ。

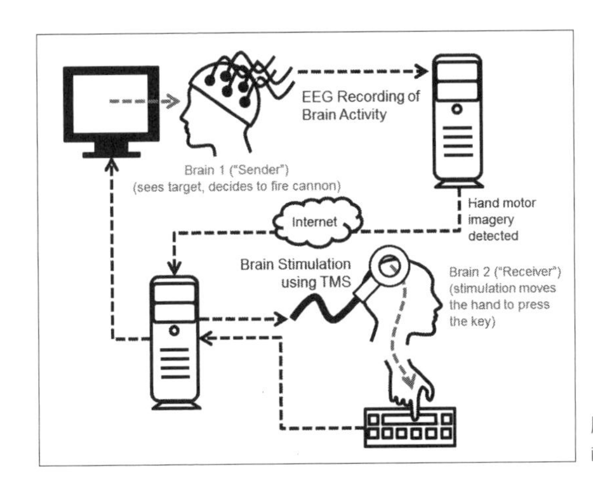

脳脳間通信
画像引用: UW NEWS

▶一方の脳がもう一方の脳に動けという

ラオとスコットは離れた場所で、同じゲーム機につながったモニターの前に座った。

テレビゲームの内容はシンプルだ。海上の海賊船が街に向けてミサイルを打ってくる。ミサイルが防空圏に入ったら、右指でキーボードのスペースキーを押すとミサイルが迎撃され、街は守られる。

被験者Aラオはモニターを見るものの、プレイはしない。ただテレビゲームの画面を見るだけだ。ラオはスペースキーを押せなどと考えるだけだ。

一方のスコットは実験開始と同時に目隠しをされ、耳栓をされた。ゲームがどうなっているのか、脳波の受け手であるスコットは知るすべがない。もしラオの脳波がスコットの脳に正確に伝わり、同期すれば、スコットはラオの考えた通りにコントローラーを操作し、ゲームをクリアできるのではないか？　だがそんなにうまくいくのか？

テレビゲームがスタートし、ラオは防空圏に入ったミサイルを打ち落そうと心の中で（スペースキーを押せ）と念じた。すると何も見えていない聞こえていないスコットがスペースキーを押したのだ。

スコットはワシントン大学のインタビューで自分の指が自分から動き出し、スペースバーを押したと言った。ラオは言う。

「私が頭で想像した動作が別の脳で実際の動作へと変換される様子を目にして、私は興奮するとともに不気味さを感じました」

▶脳をつないでコンピュータを作る？

脳と脳を結ぶ実験はBrain to Brain Interfaceと呼ばれる。

2013年2月28日、デューク大学の神経生物工学医療センターの研究者ミゲル・ニコレリスらは世界初のBTBIの実証実験に成功したと発表した。

ニコレリスらは2つのレバーとライトのついた給餌器を用意し、

・ランプがついたら水が飲めること

・ランプがついた方のレバーを押すと水が出ること

をラットに学習させた。次に２匹のラットの大脳皮質に髪の毛のおよそ100分の1の太さの電線を挿入、コンピュータを介して接続した。

一方のラットを送信者、一方のラットを受信者とし、送信者がエサの出る正しいレバーを押した時の脳波をコンピュータで記録、刺激信号として受信者側に送信する。それ以外に脳波信号は、電線を介して双方向に流れている。

送信者側のエサ箱は、エサを出す準備が整うと左右どちらかのライトがつく。送信者はエサの出るレバー＝ランプのついた方のレバーを押すとエサが食べられる。一方で受信側のエサ箱はライトが同時につくように設定された。受信者はランプがついたことでエサをもらえることはわかるが、どちらのレバーを選べばいいかがわからない。

送信者が左右どちらのレバーを選んだのか、その情報が電線を通じて受信者側に伝わるなら、受信側のラットはエサの出るレバーを正しく選べるはずだ。

実験の結果、受信者は発信者と同じレバーを約70％の確率で押し、エサを食べた。これは偶然である50％の確率よりも高い。どちらのレバーを選ぶべきかを発信者の脳波は受信者に伝えたのだ。

さらに受信者がレバーを押し間違えてエサをとれなかった時、発信者はエサを食べなかった。受信者の脳波が発信者に逆行し、エサを食べられなかったと伝えたのだ。つまり受信者と発信者の脳があたかも1つの脳であるかのように協同したのである。

このことからひとつの可能性が出てくる。脳をコンピュータに見立て、脳と脳を接続して巨大な有機コンピュータを作ることが可能ではないか？　もし脳を複数つないだスーパー脳があれば、今までのコンピュータとはまったく違うコンピュータが実現するだろう。

アイデアのヒント

双子の脳は非言語の情報を伝え合う

タチアナとクリスタ姉妹は頭部結合双生児だ。生まれた時から互いの脳がからみ合ってひとつになっているため、分離手術はできない。

この姉妹がユニークなのは、脳がガッチリからみ合っていても、それぞれが自分の意識を持っていることだ。視覚や味覚、触覚などを共有し、片方が見ている景色をもう1人も見ることができ、相手の手足を動かすこともできる。片方をくすぐれば、もう１人もくすぐったがる。

今、この姉妹に脳神経学者やコンピュータ工学者の興味が集まっている。それというのも、感覚の共通だけではなく、この２人は脳内で冗談を飛ばして相手を笑わせることができるからだ。脳はつながるのだ。

脳と脳がつながり、巨大な有機コンピュータとなった世界とはどんな未来なのか？

タチアナとクリスタ姉妹は脳の秘密を解き明かすカギだ

画像引用:「Inseparable: Ten Years Joined At The Head」(Sunday, August 26, 2018 at 9 PM on CBC-TV) https://www.cbc.ca/cbcdocspov/episodes/inseparable

第3節　スティモシーバ

▶脳を無線で操作する「スティモシーバ」

人間を無線で自由に操る。

大人向けのファンタジーのようだが、1952年代にエール大学のホセ・デルガドは、電気刺激により、脳神経を刺激すれば狙った行動や感情を操作できると考えた。

デルガドが開発したのが脳に挿すための電針とコントロール用のチップからなるスティモシーバである。デルガドは長い釘のような形をしたスティモシーバを猫やサルの脳に挿し、脳の部位ごとに電流を流してどのような反応が起きるかを観察した。そして運動皮質に挿すことで、動物を座らせたり、片足だけを伸縮させるなどいくつかの操作に成功した。だがスティモシーバの本当の目的は動物の筋肉を操作することではなかった。脳内の生化学物質の分泌を外部から無線で操ることにあった。

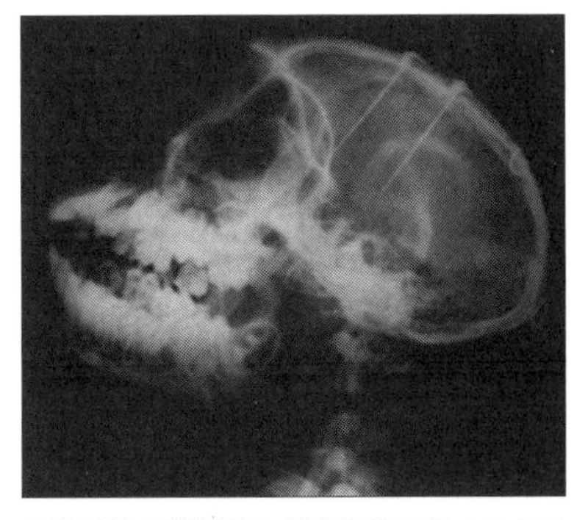

サルの脳の前頭葉と視床に埋め込まれたスティモシーバ
画像引用:「Jose Delgado's "Physical Control of the Mnd"」

▶愛を生み出す部位を見つける

スティモシーバは猫やサルから恐怖を引き出すことができた。側頭葉を刺激された動物たちは恐怖の感情に襲われ（「恐怖の幻想」とデルカドは呼んだ)、突然の恐怖に駆られて今まで一緒に遊んでいた仲間やおもちゃのぬいぐるみに向かって、毛を逆立て歯をむき出した。

報酬系と呼ばれる快楽を引き出す脳神経に埋め込むこともできた。スティモシーバの作動スイッチを動物でも押せる単純なレバーにつないだところ、動物たちは延々とレバーを押し続けた。レバーを押すと気持ちがいいから、止められないのだ。

人間ではどうか? 発作に11年間苦しんでいた女性の右側頭葉にスティモシーバを移植した。側頭葉の奥にある扁桃体が痛みを緩和することがわかっていたからだ。スティモシーバのスイッチを入れると、患者は目の前にいた男性看護師の手にキスをし、これ以上ない親愛の情で感謝を表した。スイッチを切ると、目が覚めたかのように落ち着いた状態に戻ったという。これは同様の手術を受けた患者全員に当てはまった。デガルドはスイッチ一つで患者から恋愛や性愛の感情を引き出したわけだ。

脳にスティモシーバを刺すのは、そう簡単ではないが、もしスティモシーバが頭に被るだけで同じ効果があるなら、電気的な惚れ薬となる。惚れさせたい相手にスティモシーバを装着してもらえば、相手は自分を好きになってしまうのだ。

他にも性的オーガズムに達する部位や右前頭葉皮質が気持ちのテンションに関係し、刺激されると不意に黙り込んだり、わずかにずらしたポイントの刺激では饒舌になることもわかった。言語部分の刺激では、2分間の会話で17語から88語へ言葉数が増加したという。

デルガドが行った象徴的な実験がある。闘牛場の牛にスティモシーバを埋め込んだのだ。操作しない状態の牛は、戦闘的で闘牛士に向かって突進していく。しかし博士が無線でスティモシーバを作動させると、牛は突っ込んで行こうとするものの、途中でやる気を失い、足を止めた。

▶秘密プロジェクトMKウルトラに巻き込まれる

デルガドはスティモシーバをてんかん患者や凶暴性のある精神疾患患者の治療に役立てるつもりだった。原因の部位が特定できれば、スティモシーバで不安神経症や強迫性神経症、統合失調症、てんかんなどの精神疾患を根治させることができるかもしれない。電気的に攻撃性をコントロールできれば、暴力的な人間を大人しくおだやかな人間に変えることができるだろう。

患者にスティモシーバを埋め込み、発作が起きたら、スティモシーバで快感神経を刺激して発作を抑える治療をデルガドは考えていた。

しかしスティモシーバが医療に役立つことはなかった。

陰謀論に出てくる名前としてスティモシーバを知っている人もいるだろう。悪名高きアメリカの極秘洗脳プロジェクトMKウルトラにデルガドが協力していたからだ。

MKウルトラはCIAの極秘プロジェクトだ。1950年代初頭から少なくとも1960年代後半まで、米国民を対象に極秘にマインドコントロールの実験を行ったとされる。1975年に米国議会、教会委員会と大統領委員会による調査で計画の実態が明らかにされた。

きっかけは戦後すぐに行われたペーパークリップ作戦である。これは、元ナチスの科学者をアメリカ政府が利用するプログラムであり、集められた科学者の中には拷問と洗脳を研究し、ニュルンベルク裁判中に戦犯として起訴された者もいた。

ナチスの開発した技術を利用するためにプロジェクトブルーバード（1950年設立）、続く1951年にプロジェクトアーティチョークがスタートし、研究は継続された。

朝鮮戦争で北朝鮮による米軍捕虜へのマインドコントロールが行われたことから、CIAはペーパークリップ作戦から研究されてきたマインドントロール技術を捕虜に使用したり、敵対国の指導者を自在に操ることを考えた。

こうして1953年4月13日からMKウルトラがスタートするのだが、そのやり方はあまりに荒っぽかった。

▶MKウルトラの終了とその後のスティモシーバ

CIAはいくつかの売春宿を設立、訪れた男性客にLSDを投与、マジックミラー越しに観察した。もちろん違法であり、男性客はLSDを飲まされたことを知らない。別件で募集されたボランティアには77日間連続してLSDが与えられた。

自白を強要する実験には、睡眠薬のバルビツール酸塩IVを片方の腕から注射、覚せい剤のアンフェタミンIVの点滴をもう一方の腕から注射することが行われた。被験者がバルビツールで眠り始めるとすぐに、アンフェタミンが注入され、意識が混濁した被験者は簡単に質問に答えたという。

最後は催眠術まで持ち出したMKウルトラだったが、思うような成果は上がらず、薬中毒者を量産しただけで中止される。

そんなMKウルトラで、スティモシーバもそうしたマインドコントロール技術に利用できるとして、軍から予算が与えられたのだ。

MK ULTRAプロジェクトの中止により失職したデルガドは、アメリカを出国して母国スペインでマドリード自治大学医学部の教授となり非侵襲性（手術を必要しない）のスティモシーバの研究を始める。これは現在うつ病の治療などに医療現場で利用されているTMSの先駆けの技術である。

デルガドの脳を電気刺激で治療する医療技術は、21世紀に入ってようやく日の目を見ようとしている。

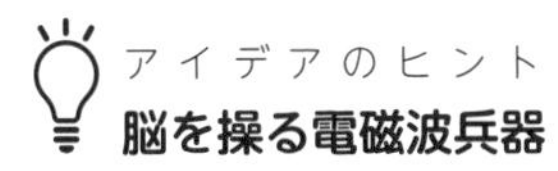

アイデアのヒント

脳を操る電磁波兵器

デルカドと時期を同じくして、CIAは新たにパンドラプロジェクトをスタートさせる。当時のソビエトが電磁波兵器（RF兵器とも呼ぶ）を開発、低周波の電磁波で広範囲の兵士を失神させるといったことが可能だと考えられたため、そうした技術の奪取と解析が計画されたのだ。

パンドラ計画により、低周波の電磁波により人間は目がかすんだり失神する以外にも、幻覚や幻聴を感じることがわかったという。

ソビエトでは電磁波兵器の技術を医療に転用し、リダマシン（Lida Machine）という名前で利用した。リダマシンは名称だけが音楽業界へ伝わり、アメリカでエレキギターのエフェクターの商品名となる。

第4節　ブレイン＝マシン　インターフェース

▶脳にチップを埋め込んで機械を操作？

医療分野では、脳にICチップを埋め込む技術が研究されている。体が不自由な人の脳にICチップを埋め込み、考えただけで機械を動かせるようにするのだ。

人間と機械を電磁的に接続する、これがBMI（ブレイン＝マシン　インターフェース）またはBCI（ブレイン＝コンピュータインターフェース）という技術である。

アメリカでは、サイバーキネティック社が脳にインプラントする専用チップとコンピュータを含む一連の装置をブレインゲートという名称で製品化した。100本の金の電極が剣山のように立っている4mm角の専用チップを脳に挿し込み、頭蓋骨に穴を開けてケーブルを外に出す。ケーブルからコンピュータへ脳の信号が送られ、ロボットアームやコンピュータのカーソルの動きに対応する。基本的には筋電位義手の操作と同じだ。

2004年6月22日、ブレインゲートが初めて人に埋め込まれた。世界初のＢＭＩを受けたマシュー・ネーゲルは、暴行事件で脊髄を切断され、首から下がまったく動かない状態だった。インプラントを受けたネーゲルは4カ月に及ぶトレーニング（モニターに映し出される脳の電位状態のグラフを見ながら、コンピュータ上のカーソルの動きと脳の電位状態を関連づける）を経て、意志の力だけでカーソルを動かすことに成功した。テレビを操作したり、テレビゲームをプレイすることもできたという。

ネーゲルのブレインゲートは健康上の懸念から1年後に外されたが、ネーゲルの後にブレインゲートをインプラントされた別の女性患者は、1000日以上、ブレインゲートを利用し、副作用を起こさなかった。

▶ブレインテックの幕開け

2013年、アメリカのオバマ大統領（当時）によってスタートしたブレイン・イニシアティブ（脳に関する理解を国家戦略として進めるプロジェクト）がスタートした。

DARPAをモデルにNIH（National Institutes of Health）がARPA-H（Advanced Research Projects Agency for Health）を組織化した。

ARPA-Hには、2023年度の概算要求が50億ドル（約6000億円）というとんでもない額が投入されている。

さらにDARPAには脳技術、いわゆるブレインテック特化機関、N3（Next-Generation Nonsurgical Neurotechnology）があり、アメリカでもっとも進んだ研究はここで行われている。

N3でやっている研究は大きく分けて6つある。

1．外部から電磁波で操作できるナノマシンを脳に注入、神経の情報をダイレクトに送信させる
2．超音波を使って脳を刺激、特定の細胞領域を活性化させる
3．脳がやり取りしている神経のデータをレーザーに変換して取り出す
4．超音波と磁場を使って脳を観測する
5．超音波と磁場を使って脳へ情報を書きこむ
6．超音波と磁場でニューロンに情報を書き加える

脳と通信できる着脱型脳神経インターフェースシステムの完成が目標なのだという。

▶イーロン・マスクの考える脳と機械の融合

電気自動車のテスラや宇宙企業スペースXを率いるイーロン・マスクが2017年に起ち上げたNeuralink社は、脳にＡＩを追加するための技術開発を目的としている。

Neuralink社を起ち上げた理由を、イーロン・マスクは人間がＡＩのペットになる未来を避けるためだと言う。

AIが現在のスピードで進化していくと、人間の脳の能力を超える特異点＝シンギュラリティが必ず起きる。

物理で特異点といえば、そこから先、物理法則が一切通用しない、人類には絶対にわからない領域を指すが、未来予想においては、幾何級数的に自己進化を始めたAIが人間の脳を越えて、人類が絶対に理解できない領域に突入することを指す。イーロン・マスクは特異点の向こうで人間はAIのペットのような地位になってしまうと脅す。

そこでコンピュータ（＝電子回路とネットワーク）と人間（＝脳の神経網）を融合させようというのが、イーロン・マスクのアイデアだ。

ブレインチップという数ミリ角のデバイスを脳に刺す。ブレインチップには通信機能があり、ネットワーク上のAIとクラウドを作る。脳とAIのクラウドコンピューティングだ。

自意識と同じ帯域で（脳とコンピュータが同じなら、情報処理は帯域ごとで行われる）クラウドと脳がつながったなら、AIの強力な計算能力や保存情報を脳が利用できるようになるだろう。フラッシュメモリのように記憶力が良く、スパコンのように頭がいい人間が生まれるのだ。

コンピュータの力をフルに使える脳を持つことで、人類は超人化する。超人となった人類はAIを利用できる立場となり、AIに支配されないとイーロン・マスクは考えているようだ。

アイデアのヒント

中国が狙う脳波戦争と制脳権

中国では、2006年にチャイナ・ブレイン・プロジェクトをスタートした。

「国家中長期科学技術発展計画（2006-2020）」には、脳科学と認知が基礎研究の8つのフロンティアテーマの1つとして挙げられている。

2018年には、北京の中国脳科学研究所と上海の復旦大学脳科学フロンティア科学センターが設立され、2021年9月、科学技術部は「2021年科学技術イノベーション 2030 年プロジェクト適用ガイドラインー脳科学と脳にヒントを得た知能研究主要プロジェクト」を発表した。

中国がブレインテックに注力するのは、非対称戦が念頭にあるからだ。アメリカと中国の軍事力を正面から比較すると、比較にもならない。しかし新しい技術の新しいパラダイムになれば、どうなるかはわからない。

たとえばドローンを使った戦争は、今までの軍事の常識は通用しない。同じように脳を使った戦争を彼らは考えている。人民解放軍はそれを「制脳権」と呼んでいる。

脳の特殊な使い方をマスターした軍人による、脳波戦争を彼らは考えているらしい。「制脳権」を手にすることが彼らのミッションなのだ。

第5節　天才を作る技術

▶脳は半分しか使われていない？

映画『レインマン』で有名になったサヴァン症候群は、右脳が異常発達した人間だ。彼らは天才的な計算能力や記憶力を発揮する。その代わりに社会性や言語能力は貧弱だ。

シドニー・オーストラリア大学のアラン・スナイダー教授は、TMS（経頭蓋磁気刺激）を左側頭部に当て、磁気により神経の興奮を鎮める＝機能を低下させることに成功した。

左脳の機能をダウンさせ、一時的に右脳だけで動く右脳人間を作ったわけだ。その結果、TMSを受けている間、被験者は非常に写実的な絵を描くことができた。サヴァン症候群の特徴に、一度聞いた曲をその場で演奏したり、まるで写真のように写実的な絵を描く芸術の才能がある。左脳の機能が低下することで、そうした芸術的な才能が右脳から引き出されたらしい。

私たちの脳は、本来の能力を抑圧しているのだ。

サヴァン症候群に見られる、電話帳を丸ごと記憶するような桁はずれの記憶力、３桁の数字の三乗を瞬時に暗算する計算力といった、天才の能力は誰の脳の中にもあるらしい。

人間は脳の10％あるいは30％しか使っていないとよく言われる。これはあくまで俗説で、脳の総重量の9割を占めるグリア細胞が、脳神経を支える足場のようなもので脳の情報処理に無関係だと考えられていたためだ。現在はグリア細胞が神経の伝達効率を上げたり、血流の制御を行っていることがわかっている。

しかしそうではなく、スナイダー教授の実験からわかるのは、実際に脳が自ら機能を抑制しているということだ。

▶右脳に隠れた天才

左脳は右脳の中の天才が飛び出さないように全力で抑えつけている。なぜなのか？

驚異的な能力を持つ真正のサヴァン症候群は、世界に50人といないらしい。だから私たちがサヴァン症候群を通じて知り得た右脳の能力は、たった50個の脳についてでしかない。しかしながら地球上には70億個の脳があるのだ。その中に、未知のどんな機能があるのか、まったくわかっていない。それに左脳→右脳のような抑圧の関係が脳の他の器官の間にないとも限らない。

これまで脳神経学者は脳の多くの謎を解き明かしてきた。脳内物質を見つけ、神経伝達の機構を分析し、器官としての脳のメカニズムは相当なところまでわかっている。しかし器官の機能はわかっても、それが統合された脳の中で起きる現象はまだまだ謎に満ちている。

▶絶対音感を生み出す薬

天才といえば、絶対音感も音楽においては天才の才能だろう。音楽教室などは絶対音感は幼少期でなければ身につかないと喧伝するし、大人になってからは絶対音感は身に着かないというのが現在の常識である。

2013年12月3日、フランスの精神知覚研究所のジュディ・ガーバイン、ハーバート大学脳科学センターのヘンシュ高尾らは、ヒストン脱アセチル化酵素阻害剤の一種、バルプロ酸ナトリウムを投与した成人が、音階を識別する能力が向上したと発表した。絶対音感が習得できる薬が発見されたということなのだ。

バルプロ酸ナトリウムはてんかん発作や躁鬱病の治療に使われ

る薬で、脳神経の興奮を抑制するガンマアミノ酪酸＝GABAの脳内濃度を高め、発作を抑える。このGABAに学習能力を高める効果があるらしい。

2007年10月、都内の私立小学校に通う6年生の小学生61名（平均年齢11.6±0.5歳、男児25名、女児36名）を対象にGABAを含有したチョコレート（GABAはアミノ酸の一種で、経口摂取が可能である）を与えたところ、計算能力を調べるクレペリン検査のスコアが有意に上がったという。

実験を行ったギャバ・ストレス研究センターによると、ギャバによってストレスが低下したことで、学習能力が高まったらしい。

つまりバルプロ酸ナトリウムには、脳内のギャバを増やすことで脳のストレスを軽減させ、絶対音感だけではなく、あらゆる学習能力を高める可能性があるのだ。ちなみにギャバは添加物以外でも、玄米やキムチ、ほうれん草、根菜類などに多く含まれ、サプリメントも販売されている。

アイデアのヒント

至高体験を生み出す神のヘルメット

カナダのローレンシアン大学の脳科学者マイケル・パーシンガーが開発した「神のヘルメット」は、バイク用のヘルメットにつけれた電磁コイルが、右大脳半球の側頭葉を弱い磁場で刺激する装置だ。このヘルメットをかぶると側頭葉にある「至高体験」を体感させる部位が刺激され、被験者の80パーセントが神に会ったかのような感覚に包まれるのだという。

残念ながらパーシンガーのこの実験は不備があり、二重盲検（＝被験者も実験者も正解がわからない状態で試験をする）ではなかったため、追試をしたところ、単なる思い込みだということがわかった。しかし、側頭葉に異常を持つてんかん患者で神に会う至高体験をする例は多い。脳には、至高体験につながる何らかの機能があると考えられる。

第6節　夢を視る

▶脳から夢を取り出す技術

夢で見ている映像を脳から取り出す技術が生まれつつある。

映画『ブレインストーム』では特殊な脳波測定器を使い、脳の中の映像をビデオを録画するように取り出す未来が描かれていた。残念ながらそこまでのことはまだ当分できそうにない。今、行われているのは暗号の解読に近い。脳の活動状態という暗号と映像を対応させようというのだ。

fMRIという脳の血流状態をリアルタイムで視覚化する装置がある。脳が活発に動くと、活動している領域の血流が増加する。fMRIは1ミリメートル単位で血流の流れを測定し、ビジュアル化するので、fMRIを使えば、感覚器官がどんな刺激を受けたら脳のどの部分がどのように活動を始めるのかがわかるのだ。

図形の四角形を見た時に脳のAという部位がわかれば、逆に脳のAが動いていたら四角形を見ているとわかるはずだ。

カルフォルニア大学バークレー校のジャック・ギャラントは、fMRIのデータから視覚情報を再構成する研究を行っている。

被験者はfMRIで脳を測定された状態でハリウッド映画の予告編を見る。fMRIに記録された脳の活動状況と映像を照らし合わせ、脳の活動と映像の辞書データベースを作成する。fMRIのデータと映像を紐づけするわけだ。

映像の形状や輪郭、動きと脳の活動を対応させるため、fMRIのデータは3次元画素に分割して処理する。脳は平面ではなく立体なので、活動している領域も立体になるためだ。同時に脳の活動状態を数千ポイントに分けて記録したデータベースも作成する。

脳の活動と映像を紐づけた辞書ができたら、次の新しい映画を被験者に見てもらう。この作業を繰り返し、ギャラントは1800万秒分の辞書データベースを構築した。

この辞書を使えば、fMRIで記録された脳の活動を元に、どんな映像を見ているかを再構築できる。映像を複数の升目に分けて、それぞれの升目のコントラストをfMRIのデータから予測、1枚の画像を再構成する。

fMRIのデータから作り出した画像は、元の画像に比べて粗く鮮明さに欠けるものの、元の画像が人の顔であれば、顔として判別できた。今後、研究が進展する中で画像の精度は上がって行くだろう。

▶脳を読み解くブレインデコーディング

京都大学大学院情報研究科の神谷之康教授は、日本におけるブレインデコーディング（脳信号の解読）の第一人者だ。

神谷はギャラントと同様の手法を使い、AIによる機械学習によって夢を映像化しようとしている。

ギャラントの場合、被験者が何を見ているかは自明だった。映画の予告編を見せていたわけだから、fMRIのデータと映像と関連付けることは可能だ。しかし夢の場合、観察者は被験者が何を見ているのかを知りえない。

2013年、神谷らは、まずfMRIでモニターした状態で被験者を入眠させた。被験者には脳波計を着けておき、脳波により睡眠状態を確認する。夢を見た時の特定の脳波が出たら、被験者を起こし、何を見ていたのかを口頭で尋ねる。夢を記録したら被験者には眠ってもらい、夢を見たら起こして夢の内容を聞くという作業を延々と繰り返した。

被験者1人につき、200回も聞き取りを行ったのだという。夢に出てくる物体（車、本など）を20のカテゴリーに分けて整理し、出現頻度を数学的に処理することで内容をデータ化した。

また起きている状態でカテゴリーに出てきた物体の映像を見せ、fMRIで測定した。夢で文字を見たと言っても、それがラテン語なのか英語なのか、どんな書体でどんな大きさの文字なのか、その正確な種類や見え方まではうまく言えない場合が多い。そこでさまざまな文字の映像を見せて脳の活動状態を記録し、夢を見ている時のfMRIのデータと突き合わせて夢の再現性を高めようとしたわけだ。

こうして作ったデータベースと夢を見ている時のfMRIのデータを照合し、神谷らは夢の再現映像を作り出した。

現在、神谷はfMRIの信号から脳内のイメージを直接合成するブレインデコーディングを行おうとしている。物を見た時の脳活動パターンをfMRIで測定、物の情報と関連付けたデータベースを作る。AIに深層ニューラルネットワークを使って、fMRIのデータから画像を合成させようというのだ。

被験者に画像データベースを見せ、その時のfMRIの波形をAIがどんどん学習していく。データセットが出来上がったところで、被験者が見ている画像をfMRIのデータからAIに予測、画像を合成させるのだ。

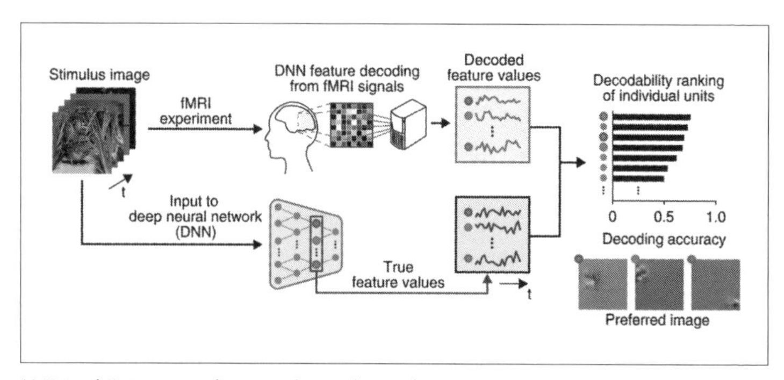

神谷らが進めているブレインデコーディングの模式図。AIのDNNによって、再現される画像の精度は徐々に上がり始めている
画像引用:Scientific Data

アイデアのヒント

ブレインレコーディングで犯罪捜査

現在、アメリカではブレインデコーディングが犯罪捜査に使えるのではないか？　と研究が進んでいる。ブレインデコーディングで脳を覗き込めば、本当のことを言っているかどうか、わかるはずだからだ。

被害者に顔写真を見せ、犯人かどうかを調べることもできる。自分では見たかどうか自信がなくても、脳は見たことに反応する。

脳の中の映像を取り出す技術が進めば、犯罪者の脳から犯罪の状況を映像として取り出したり、精神病患者の見ている世界を映像化すると言ったことが可能になるだろう。脳とAIがつながった時、人は他人の脳を覗き込むことができる。どのような倫理的な課題がそこにあるのか、今後は議論が必要だろう。

第3章
宇宙編

宇宙船が火星や金星を行き来し、宇宙海賊を宇宙パトロールが追い掛け回す未来はまだやってきそうにありませんが、宇宙についてわかっていることは毎日どんどん増えています。最新の宇宙の姿を知ることで、まだ誰も想像したことのない未来が姿を現すはずです。悪い宇宙人が攻めてくる未来やビーム砲の撃ち合いだけではない、宇宙を舞台とした新しい物語を創造しましょう。

3

第1節 宇宙の大きさとダークエネルギー

▶宇宙は膨張する

宇宙のサイズは138億光年と学校で習ったと思う。なぜなら宇宙の始まりが138億年前だからだ。

1929年に天文学者のハッブルが宇宙の星々が遠ざかっていることを発見、宇宙の始まりはビッグバンという超大爆発であり、宇宙はその時からずっと膨張していると考えられてきた。

宇宙は膨張しているが、宇宙の中の物質は、引力で互いに引き合う。それがブレーキになり、徐々に膨張速度は遅くなる。宇宙の膨張はいつか止まり、やがて収縮し始めるというのが、これまでの宇宙モデルだった。

ところが、1998年に宇宙の膨張は止まるどころか加速しているとわかったのだ。超新星の観測を精密に行ったところ、超新星の明るさが計算上の値よりも暗かった。ということは、超新星は計算上よりも遠くにあったわけだ。この事実を発見した天文物理学者のソール・パールムッターらは、2011年にノーベル賞を受賞している。

では宇宙を膨張させるエネルギーは何なのか。これが最近よく耳にするダークエネルギーである。正体不明だからダークだ。ちなみに同じダークがつくダークマターとダークエネルギーはまったくの別物である。

▶宇宙は無限の彼方へ消えていく

私たちの宇宙では光速が速度の限界なので、138億光年までしか見えない。しかし宇宙の法則は宇宙の中でしか通用しない。宇宙空間自体は光速が上限という法則の外にある。だから空間の膨張速度は光速を越えても、相対性理論とは矛盾しない。

天体現象には光速を超える例がしばしば見つかっている。

クエーサーという、中心にブラックホールかそれに近い巨大な質量を持つとされる準恒星状天体がある。その中にはほぼ光速でガスをジェット噴射するものがある。宇宙は膨張しているため、地球から見ると見かけ上、こうしたジェットは光速を超える。

1970年代に初めて超光速現象が観測されたクエーサー3C279と3C273は、実際の速度は光速の98％だが、見かけ上、光速の10倍で動いているように見えた。

現在、宇宙の観測可能なサイズは464億光年だというのが通説だ。なぜ464億光年かというと、138億光年の球が、相対性理論に従って空間が引き伸ばされ、見かけ上464億光年の球になってみえると、すごくざっくりといえばそういうことらしい。

これが観測の限界で、さらにその外側に宇宙は広がっている。宇宙全体の大きさは不明で、正確な宇宙像は決まっていない。

宇宙は膨張し、光速を越えた星々は私たちが感知不可能できない無限のどこかへと消えていく。

▶アインシュタインの宇宙項

宇宙の膨張と収縮はアインシュタインが一般相対性理論（重力に関する理論）で予言していた。アインシュタインが生きた時代、宇宙が膨張したり収縮して消滅するというのは、ありえなかった。神の作った宇宙は静的で永遠であり、天才アインシュタインを持ってしても、宇宙が変化するものだとは受け入れがたかったのだ。

しかしアインシュタインの導いた一般相対性理論を解くと、宇宙は星々の重力によって引き合い、収縮してしまう。それを防ぐためにアインシュタインは一般相対性理論に宇宙項という未知の項を付け足した。この項をマイナスにしておけば重力に対して反発し、宇宙は収縮しない。

しかし宇宙項のわずかな変化で、宇宙の収縮や膨張が導かれることがわかり、宇宙項は宇宙が静的ではなく、わずかな変化で膨張や収縮を起こす動的なものとして描くものだとわかってきた。そのため宇宙の膨張が実際に観測されるまでは、一般相対性理論は宇宙項を省いた形で利用されていた。宇宙項は静的な宇宙には邪魔だったわけだ。

一般相対性理論は重力に関する予言であり、ブラックホールのような特異点（物理法則が効かなくなる領域）も予言していた。

宇宙の膨張もブラックホールもアインシュタインの一般相対性理論から導かれる。同じひとつの式から、条件を変えて導かれる別の答えだ。ということは宇宙の膨張とブラックホールは実はつながっている可能性がある。

▶ブラックホールと宇宙の膨張

2022年、ハワイ大学のケビン・クローカーらはブラックホール同士の衝突の重力波望遠鏡（天体の出す重力の歪みを測定し、天体の姿をする装置）のデータとシミュレーション結果から、ある仮説を立てた。「cosmological coupling＝宇宙カップリング仮説」という。

ブラックホールを単純に巨大な星が潰れたものだとすると、質量は元の星の重さと同じだ。何億年も経てば、周りの星間物質や星もブラックホールの超重力が呑み込んでいくので、その分だけ重量は増える。飲み込まれた恒星の残骸からどのくらい質量が増えたのかは逆算できる。

ただし、これまでのブラックホールのモデルでは宇宙の膨張は計算されていなかった。膨張どころかいずれは縮小する古典的な宇宙を前提に作られたモデルだった。

クローカーらが宇宙の膨張を組み込んでブラックホールの衝突をシミュレーションすると、衝突前にブラックホールの質量が増えていることを発見した。これは重力波望遠鏡のデータともおおむね一致した。

ブラックホール同士がぶつかる前に質量が増えたということは、どこからか質量を吸収しないといけない。しかしブラックホールはすでに周囲の恒星や星間物質を吸い込んだ後で、周りには何も残っていない。

どこからブラックホールは質量を手に入れたのだろう？

▶ダークエネルギーとブラックホール

クローカーらは90億光年先までの約600個の銀河データを使い、太陽の10万倍以上の質量を持つ巨大質量ブラックホールをピックアップして調査した。その結果、宇宙の膨張速度が増すとブラックホールの質量は増えることがわかった。

加速する宇宙の膨張がそのまま質量に転換され、ブラックホールに集められているかのようだ。あるいは逆にブラックホールで生まれた質量が加速度となって宇宙を押し広げているようにも見える。 宇宙を膨張させているダークエネルギーとブラックホールには特別な関係があるのだ。

一般相対性理論では、質量とエネルギーはお互いに転換できる。

核爆弾が核物質をエネルギーに変えるように、物体はエネルギーになり、反対にエネルギーは物体として質量に転換できる。ダークエネルギーも質量とみなすことができるわけだ。

ダークエネルギーは宇宙空間に広がり、宇宙を押し広げている。宇宙全体のエネルギー量が一定なら、宇宙が膨張して大きくなれば、その分だけ加速は小さくなるだろう。それだけ大きな体積を外に向かって押し出しているからだ。ところが加速度はまったく変わらない。

ダークエネルギーによって空間が膨張すれば、膨張した分、ダークエネルギーは増える＝質量は増加する。これはおかしい。宇宙全体ではエネルギーは一定じゃないとおかしい。宇宙は閉じた水槽のような世界なのだから、その中で勝手に魚が増えたらおかしなことになる。

ダークエネルギーは重力とは反対の、物を引き寄せるのではなく物を弾き飛ばす力だ。負の重力である。負の重力を質量に転換すると負の質量になるだろう。負の質量というものがどういうものかわからないが、数学上はそうなる。

負の質量ということは、私たちの知っている質量、いわば正の質量とはプラスマイナスゼロの関係になるはずだ。宇宙の膨張で負の質量が増えるなら、同じだけ宇宙のどこかで正の質量が増えれば、差し引きゼロだ。

ブラックホールの質量が増えたのは、宇宙のエネルギー量を一定に保つため、宇宙の膨張で増えた負の質量＝ダークエネルギーをブラックホールの正の質量で打ち消すためである……これがクローカーらのカップリング仮説だ。

ブラックホールの巨大化と宇宙の膨張は表裏一体で、ダークエネルギーが宇宙とブラックホールの内部をつないでいる。

ブラックホールという、宇宙から見れば針の穴のようなものと宇宙全体がつながり、均衡を保っているとは、なんともスケールが大きな話である。

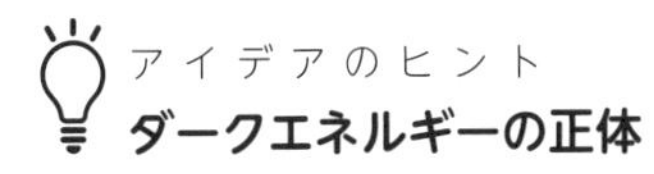
アイデアのヒント
ダークエネルギーの正体

結局、宇宙を加速させるダークエネルギーの正体はわかっていない。宇宙を収縮させる重力に対抗する力なので、「回復する重力」や「負の重力」と呼ばれるが、反重力と言えなくもない。もしそうなら、反重力が宇宙全体に均一に満ちているわけだ。

ダークエネルギーこそが夢の反重力エネルギーであり、恒星間飛行でもタイムトラベルでも何でも可能にするマジックワードだ。問題はどうすれば利用可能になるかだが、クローカーらの研究がヒントになる。ブラックホールを通じて反重力を制御する。一見正反対に見える力が同じコインの裏表だというのは、SF的な設定の醍醐味だろう。

第2節 相対性理論と量子力学

▶相対性理論と量子力学

光速で飛べる宇宙船があったとしたら？

光速に近づけば近づくほど宇宙船内部の時間の進み方は遅くなる。これは俗にウラシマ効果と呼ばれ、相対性理論で起きる有名なパラドックスだ。

宇宙船の速度が光速に近づけば近づくほど時間の流れは遅くなる。そのため、地球と宇宙船の間ではどんどん時間がズレていく。

例えば高校生の時に一方が宇宙船に乗り、一方が地球に残ったとする。別れた2人が地球で再会すると、宇宙へ行っていた人は時間の進行が遅いために10代のままで、地球に残った人は50歳といったタイムパラドックスが発生する。

量子の位置が確率でしか求めようがないという話は聞き知っているだろうか。

一般に原子以下のサイズの物質を量子と呼ぶ。量子はぼんやりと広がる確率の波として存在する。あまりに小さくて見えないからとか、計算上そう表すしかないとかではなく、本当にぼんやりとした雲のような状態なのだ。それが一定の条件（収束条件という）が決まると急に粒子になる。

量子は波であり粒子であり、その重ね合わせの状態は確率で表される。これをコペンハーゲン解釈と呼ばれ、量子とはどういうものかを説明した量子力学の基本的な考え方だ。

私たちの世界は雲のようなボンヤリしたものとそれが収束した粒子とが無数に組み合わさってできている。私たちが変わらないと信じている物質は、あやふやなつかみどころのない確率の波が、瞬間瞬間に粒になったり波に戻ったりするゆらぎの中にあるわけだ。

量子は波であり粒子なので、量子スケールの極微の世界では、量子が波となって壁をすり抜け、別の量子へと瞬時に変わり、何もない場所から量子が現れるといった、量子独特の現象＝量子効果が起きる。

同じことが私たちの世界のスケールで起きたら大騒ぎだが、量子のこうしたふるまいはナノサイズ、10億分の１メートル以下の世界で起きる現象なので、私たちとは無関係だ。

▶相対性理論と量子力学を統合する

宇宙の物理現象は相対性理論と量子力学で説明がつく。宇宙サイズの巨大なスケールは相対性理論、原子より小さなスケールは量子力学と区別して使っている。しかし本当は相対性理論と量子力学を統合してひとつの理論として扱いたい。

なぜかというと、この宇宙は極微から始まり、極大へとどんどん膨張しているからだ。

宇宙の始まりは1.62×10のマイナス35乗メートルとされている。プランク長といい、これより短いと長さとして存在しないためだ。これは完全に量子のスケールである。元々はこの宇宙は量子サイズの世界から始まったわけだ。

その後にビッグバンという大爆発が起きて、宇宙は凄まじい勢いで膨張を始めた。そして今も膨張を続けている。膨張は止まらず、最終的に宇宙は無限の彼方に消えてしまうんじゃないかと考える研究者もいる。

宇宙が極微から始まり、極大へと向かうのなら、相対性理論と量子力学はつながっていないとおかしいのだ。それがどこで分かれてしまったのか。

ただし相対性理論と量子力学が統合されると、ちょっとまずいことが起きる。量子力学では量子が生成と消滅を繰り返し、ゆらいでいる。相対性理論では時空を扱っているため、量子のように時空がゆらぐことになる。時間や距離が確率的になってしまうのだ。

相対性理論と量子力学の統合は不可能なのか？　統合のためには新しい理論が必要で、その候補が超弦理論や量子重力理論だが、まだ確定とは言い難い。

▶巨視的量子現象が意味するもの

理論物理学は、どうしても抽象的になりがちだ。100の論議より1の事実であり、実験や実際の現象が確認できれば、無駄な解釈や理論をバッサリ切って捨てることができる。

もし量子の現象が極微スケールではなく、私たちのスケールで起きていたら量子力学と相対性理論は統合されるはずだ。元々は量子力学的なスケールで始まった宇宙なのだから、量子的な性質が潜んでいてもおかしくはない。それを見つけ出せば、そこを糸口に私たちの世界をマクロからミクロまですべてひとつの理屈で説明できるかもしれない。

2020年7月1日、アメリカにあるLIGO（レーザー干渉計重力波観測所）は重さ数十センチ四方で重さ40キロもある人間サイズの鏡に量子効果が表れることを確認した。

LIGOは宇宙から飛んでくる重力波を測定する装置で、重力波望遠鏡と呼ばれている。2015年にブラックホールの衝突を確認して話題になった。

LIGOはバカでかい。長さ4キロのアームがL字型に組み合わされ、L字の根元にレーザー発振器がある。レーザー光は全長4キロのアーム内を直進するが、重力波によるアームの変化は陽子の大きさ10のマイナス19乗メートル単位だ。つまりLIGOは全長4キロのアームが陽子のサイズ以下でゆがんでも、それがキャッチできるほど超高感度なセンサーなのだ。

これまでナノスケールの世界で起きる量子のゆらぎは、あくまでナノスケールでのみ起きることで、私たちのスケールの物体、量子とは10億倍以上違う世界に影響することは皆無だと考えられてきた。ところがLIGOは陽子のサイズのゆらぎまで捉える超高感度だ。重さ40キロの反射鏡にレーザー光がぶつかった際、もし量子ゆらぎが発生しているのなら、反射光もゆらぎ、それが干渉縞を発生させるはずだ。そこで徹底的なノイズ除去を行い、測定を行ったところ、10のマイナス20乗メートルという、水素原子のゆらぎと同程度で反射鏡がゆらいでいることがわかったのだ。

今までだれも気づかなかっただけで、ナノスケールの世界だけではなく私たちのスケールの世界も、ごくわずかだが量子の性質を持っているらしい。このような私たちのスケールで起きる量子効果を巨視的量子現象と呼ぶ。

カリフォルニア工科大学とMITが運営する重力波望遠鏡LIGO
画像引用：The Virgo collaboration/CCO 1.0

▶量子効果をこちら側に持ち込むボース・アインシュタイン凝縮体

巨視的量子現象の例としては、他にボース・アインシュタイン凝縮体(Bose-Einstein condensation、略してBEC)がある。

量子のふるまいは量子ごとにバラバラだが、気体や液体を極低温まで冷却すると、量子間の距離が原子間まで近づく。すると量子の動きが連動し、あたかもひとつの量子のようにふるまうようになる。これがBECで、巨大なひとつの量子として、兆単位かそれ以上の数の量子がマスゲームや観客席のウェーブのように動くわけだ。

極低温で液体化しているヘリウム4は、超臨界流体という奇妙な状態になる。重力に逆らって器を這いのぼって外に出たり、回転させると永久に回転しつづけたり(ヘス・フェアバンク効果というカッコいい名前がついている)、普通の液体では起きないことが起きる。

これは超臨界流体が液体なら必ず持っている粘性が限りなくゼロになるためで、BECだとすると説明がつく。粘性は構成する分子や原子がバラバラに動くために生まれるが、BECでは構成する量子は巨大な一つの量子となるので、各量子はバラバラには動かない。だから粘性がない。

器を這いのぼるのは、粘性がないために超臨界流体と器の間に働く分子間力に引き寄せられるせいで、回転が止まらないのも粘性がないためだ。

2013年にはIBMがプラスチック薄膜にレーザーを照射、励起状態の原子がBECとしてふるまうことを確認した。極低温だけではなく、常温でもBECは起きるのだ。

BECの研究はまだ始まったばかりで、どのような条件で発生するのか、まだ絞り込めていない。もしかしたら分子レベルでは日常的に起きている可能性すらある。

量子力学は私たちのスケールの世界でも働いている。いずれ相対性理論も含めた宇宙を説明する理論、大理論＝ビッグセオリーと呼ばれる宇宙すべてを説明する理論が生まれるに違いない。

アイデアのヒント

量子力学で宇宙がすべて説明出来たら？

相対性論はアニメ『トップをねらえ』やジョー・ホールドマンの小説『終わりなき戦い』では、宇宙船で戦地へ行き、半年後に帰ってきたら地球では20年が経過していた、といったシーンが連続する。映画『猿の惑星』も宇宙船が不時着した猿の惑星は、実は数百年後の地球だったという話だ。

一方、量子力学はマルチバース(p100)やタイムマシンの原理説明によく使われる。ゲーム『シュタインズゲート』ではタイムマシンの原理に、映画『ハッピーデスデイ2』では主人公がループする理由に量子力学が使われた。

相対性論と量子力学を統合し、すべてが説明できるようになるとどうなるか。

量子力学で起きる奇妙な現象、物質が波になり、波が物質になる世界は、ナノスケールではなく日常のスケールでも起こることになる。

幽霊も超能力も、オカルトな現象は量子効果が日常のスケールで起こるとしたら、ほぼ説明がつく。量子力学で起きるトンネル効果や場の理論などをスケールアップして考えれば、魔法の科学的説明もつくだろう。

元物理学者でスピリチュアル作家になった保江邦夫の素領域論などが参考になる。

第3節 マルチバース論

▶マルチバースは2種類ある

宇宙がひとつではなく、無数にあるというのがマルチバース論だ。

マルチバース論には大きく2種類ある。宇宙創成に関わるマルチバース論と量子力学から導かれるマルチバース論だ。映画などではそのあたりは区別されておらず、私たちの住んでいる宇宙の隣りに別の私の住む宇宙があって、魔法や謎の科学で行き来できるのだと説明されることが多い。実際のマルチバース論は行き来できるようなものではないし、スケールが極端に大きい。

▶宇宙の始まりとマルチバース

科学も宗教や思想の影響を受ける。

ビッグバン理論の着想が、ベルギー人カトリック司祭で物理学者のジョルジュ・ルメートルから始まったのは偶然ではない。一般相対性理論から膨張する宇宙を導き、膨張するのであれば、宇宙には最初があるはずだとルメートルは考え、その最初の一点を宇宙卵と呼んだ。光あれ、と神は言ったのだ。天地創造である。

やがて宇宙の膨張を示す観測データやビッグバンの残り火と考えられる宇宙マイクロ波背景放射（ビッグバンの影響で今も宇宙全体がわずかに熱を帯びている）が観測され、ビッグバン仮説は定説になっていく。

ビッグバンは2段階にわかれている。

最初に宇宙のすべてのエネルギーが閉じ込められた無限に小さい点があった。ビッグバンが提唱された当初は、これがそのまま爆発したと考えられていたが、宇宙背景放射がどの方向でもすべて同じ温度であることがわかり、問題になった。部屋の中でさえ、天井と床では温度が違うのに、何億光年も離れた場所がまったく同じ温度というのは不自然だ。

そこで考えられたのがインフレーション理論だ。

宇宙には無限小はなく、空間として存在できる最小の長さ＝プランク長がある。約1.62×10のマイナス35乗メートルで、これより小さな長さでは物理法則が通用しない。宇宙の最初を考えれば、プランク長1.62×10のマイナス35乗メートルの空間から宇宙は始まったとするしかない。

その1点が一気に膨張＝インフレーションした。プランク長が1センチほどになるぐらい、といっても小さすぎてわかりにくいが、同じ比率なら原子核が太陽～地球間ほどの球形に膨張するぐらいの急速な膨張だ。時間にして10のマイナス36秒でそのサイズまで膨張すれば、熱は均一に広がるのだという。宇宙背景放射が均一に広がるこの宇宙が出来上がるわけだ。

インフレーションが起きてから、初めて原子や分子や光や時間といった、私たちの宇宙をつくるすべてのものが生まれ、それが光速で広がり始める。ここからがビッグバンだ。

何もないところから、まず最初にエネルギーと空間のみが爆発的に広がるインフレーションが起き、その後で宇宙卵、宇宙のすべてが詰め込まれた空間が大爆発＝ビッグバンを起こして宇宙は広がり始めるのだ。

▶宇宙は無数に生まれるが、確認できない

問題はインフレーションである。インフレーションが起きた時に私たちの宇宙以外に他の宇宙も生まれ、それが今も続いている可能性があるらしい。インフレーションの前はプランク長という量子力学の世界なので、ゆらいでいる。量子力学でいう確率の状態だ。そのため、インフレーションの際に宇宙がほかの宇宙に無数に分岐した可能性があるのだ。

この時に分岐した宇宙は私たちとはまったく別の宇宙で、自分と同じ人間がいるということはない。理論上、無数の宇宙が生まれたと考えられるという、学問的な話である。もちろん実際に別の宇宙があるのかもしれないが、別の時空間にあるので、絶対に確認できない。

宇宙論から派生したマルチバース論は、宇宙はたくさんあるけれど、どの宇宙も今の私たちの宇宙とは一切関係ないというものばかりだ。もう一人の自分と出会う、SF映画に出てくるマルチバースは、量子力学のいうマルチバースを指している。

▶未来は無限の宇宙に分岐していく

量子力学では、量子がぼんやりした雲のような確率の状態で存在し、収束条件が決まると一瞬で実体化する。コペンハーゲン解釈という古典的な理解で、これは今も大きくは変わっていない。これが宇宙でも起きているんじゃないかというのが「多世界解釈」で、1957年にヒュー・エヴェレットが提唱した。この宇宙にあるものはすべて量子でできているのだから、量子の世界がミクロに

しか影響しないのはおかしい、マクロにも効いているが、私たちがわからないだけだという。

量子力学が効いているなら、宇宙は今もこの瞬間にも確率的に分岐していき、無限に広がるというのが多世界解釈だ。今日の昼に中華を食べたら、中華ではなくハンバーガーを食べた世界や昼飯を抜いた世界などにも分岐すると考える。スパイダーマンのマルチバースはこちらのマルチバースだ。

多世界解釈は思考実験の類いで、数学的にはありえても実際に無限の世界が山積みされていくわけではない。しかし「もしも～だったら」の好奇心を刺激する。

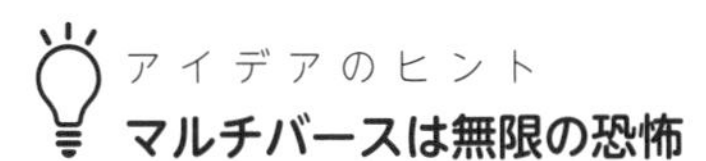

アイデアのヒント

マルチバースは無限の恐怖

映画『スパイダーマン』シリーズや映画『エブリシング・エブリウェア・オール・アット・ワンス』などマルチバースを扱った作品が増えている。

マルチバースはタイムパラドックスとよく似ている。異なる次元の自分と自分が会うのも、過去や未来の自分と会うのも、自分が自分と出会うという点では変わらない。

マルチバースの無限の怖さは、森見登美彦の『四畳半神話大系』がコミカルながらもよく表している。マルチバースの本質は無限なのだ。

マルチバースの無限の恐怖は、ホラーとしてまだ開拓の余地があるのではないか。

第4節 定常宇宙論

▶定常宇宙論は静的な宇宙像とは違う

宇宙はビッグバンから始まったというのは、必ずしも決定事項ではない。ビッグバンという名前も、ビッグバンに否定的だった天文学者のフレッド・ホイルが、ラジオ番組で「宇宙がでっかい爆発＝ビッグバンで始まった？」とバカにしたことから広まったのだ。

フレッド・ホイルは宇宙は永遠不変じゃないと計算が合わないと言った天文学者である。

ビッグバンも感覚的に理解するのは非常に難しい。宇宙が膨張しているというのは、地球が回っているよりももっと感覚から遠いだろう。しかしビッグバンを否定したフレッド・ホイルの考える宇宙も、ビッグバン並みに理解しがたい。

宇宙は静的であり、始まりも終わりもなく、永遠であるというのが20世紀初頭までの宇宙像だった。これは科学というよりも宗教の範疇で、神が作った宇宙が膨れたり縮んだりするというのは納得しがたいという、感情論である。

しかしその後、ハッブルによって宇宙が膨張している事実が観測され、宇宙は条件によって膨張したり縮んだりするものだということになり、ビッグバン理論が登場した。

静的宇宙論に固執したフレッド・ホイルらが、ビッグバンに対抗して考えたのが定常宇宙論だ。

ハッブルの観測事実を踏まえ、宇宙は膨張する。膨張すると宇宙の密度が薄くなってしまい、宇宙は永遠に変わらない存在ではなくなる。そこで定常宇宙論では、宇宙は膨張するが、密度が常に一定になるように物質が生成され、均衡が保たれるとした。

しかしどこから物質が来るのか？　フレッド・ホイルは重力が物質に転換するとしたが、論拠に乏しい。

さらに定常宇宙論では宇宙背景放射を説明できない。永遠に変わらない宇宙が熱くなる理由はないが、ビッグバン理論では最初は直径1センチの燃える宇宙卵だったので、その余熱が宇宙に残っているのだ。

アイデアのヒント

人間原理の応用

フレッド・ホイルの立ち位置は、徹底して生命にある。

生命が誕生するのに必要な炭素を宇宙が生み出すまでに100億年では足りないというのがフレッド・ホイルの言い分だ。1兆年あれば生命はできる、だからビッグバン理論では間違っているという。

人間が生まれたのは、太陽と地球が遠からず近からず適度な距離で、大気があり海がありといった生命誕生の条件がそろっていたためで、それは偶然ではなく、人間が生まれるために宇宙がそう作られたのだというのが人間原理という考え方だ。定常宇宙論も人間原理の一種ではある。

結論から原因を決めつける方法は物語の設定としては使い勝手が良く、男女の出会いだってビッグバンの時から決まっていたと言えるわけで、そこに量子力学の不確定性を組み込んで三角関係みたいな、壮大だが小さいのかわからない話もできるだろう。

第5節　量子重力理論と時間

▶時間は素粒子か？

時間が確率という奇妙な世界が量子重力理論だ。

量子重力理論は複雑だが、もっともインパクトが強いのは「時間はない」と結論したことだろう。「時間はない」とはどういう意味なのか？

時間をどんどん分割する。1秒を100万分の1に、1億分の1に分けても、それは時間だろう。時間は無限に分けられるのではないだろうか。無限分の1の時間があっても、直感的にはそれはありだ。しかし科学は「違う」という。数学では時間は無限に分割できるが、物理の世界、現実のこの宇宙ではそれは不可能なのだという。

最小の時間はプランク時間と呼ばれ、10マイナス44乗秒と導かれるのだそうだ。10マイナス44乗秒以下では時間は存在しない。

時間がプランク時間という量子だとする。時間量子＝タイムクオンタムだ。エネルギーから量子が実体化して粒子になる時、同時に時間も発生する。粒子が再びエネルギーの確率の波に変われば、時間もまた確率となる。

量子がどのタイミングでどこで実体化するかは私たちの知るすべはない。場所とエネルギーを同時に測定できないのが量子の性質なのだ。

ぼんやりとした雲のような確率の波のどこかでエネルギーが収束し、粒子に変わる。では時間は？　量子では場所とエネルギーがゆらいでいた。時間量子の世界では、過去と未来と現在がゆらぐはずだ。量子の性質を時間が持つというのだから、そうでなければおかしい。

究極の最小時間では、過去＝原因も未来＝結果もなく、ただすべてがゆらぐという奇妙なことが起きているのだ。

▶量子重力理論の世界

量子重力理論では、量子同士がスピンネットワークという巨大なネットワークを作っていると考える。連結した量子のネットは輪＝ループになり、そのループが無数に組み合わさって構造体を作るが、これらは量子なので、決まった値でしか収束しない。目には見えないが、理屈の上では構造体は泡、それも幾何学的な形を泡を作り、それが連なったものが空間を埋め尽くす。これがスピンフォーム＝スピンの泡だ。

量子レベルの時空間は量子が互いに関係しあい、織りなすカーペットのようなもので、ネットワークに過去も未来もない。
量子という糸同士が近づいたすべてのポイントで時空間が編まれ始める。編み始めも編み終わりもない。

極微の世界には時間はないのだ。しかし私たちが生きるマクロの世界にはあきらかに時間がある。どこで時間は生まれるのか。

▶エントロピー／反エントロピーと時間

熱力学にはエントロピーという考え方がある。

熱いお湯は放っておけば、冷めた水へと変わる。不可逆性や不規則性を含む、特殊な状態を表す概念であるエントロピーが増大する。私たちはそれを当然だと思うが、世界の根元が量子であり、ゆらぎであるならそれは当然ではない。すべてが確率なので、物理法則さえも確率なのだ。

私たちはたまたまエントロピーが増えていく世界に生きているが、これが宇宙の隅々まで通用するかといえば、そうではない。エントロピーが減っていく世界に量子が収束した世界もありえる。

私たちの世界は熱力学第二法則、エントロピーは増大して絶対に減少しない世界で生きているため、エントロピーの方向が時間の方向を決めている。エントロピーが少ない方が過去で、エントロピーが多い方が未来だ。量子重力理論では、エントロピーの増大が時間の正体なのだ。

アイデアのヒント
時間はあるのかないのか

量子重力理論はわかるようなわからないようなハードルの高い理論で、その中でもわからないのが時間の捉え方だ。映画『TENET』はまさに量子重力理論の考え方をベースに、時間をエントロピーで表現していたが、あの映画も十分に難解だ。

タイムマシンを考える時は、これからは量子重力理論を外すわけにはいかず、扱いが難しいところである。

第6節 ブラックホールの情報問題

▶ブラックホールは蒸発する？

ブラックホールが星が潰れてできる超重力の点だということはご存じだろう。

ブラックホールにはよくわからない点が非常に多いが、そのひとつに情報問題がある。

宇宙の始まりには物質もなく物理法則もなく空間もなかったらしい。

何もなかったわけだが、何もないところから宇宙が生まれるのは変だ。ちゃんと何かはあった。何があったのかと言えば、真空のエネルギー（ゼロポイントエネルギーとも呼ぶ）という真空自体に隠されたエネルギーだ。

真空には、何もないように見えてエネルギーが満ちている。

ブラックホールの超重力は周囲の空間から真空のエネルギーを実体化させる。何もないところから光が生まれるのだ。核爆発では、物質が光に変わるが、ブラックホールの周囲では重力が光を生み出す（車いすの天体物理学者、ホーキング博士が発見したのでホーキング輻射という）。ブラックホールはブラックではなく、明るく光っているのだ。

無＝真空から有＝光は生まれても、無を有に変えるためにエネルギーは必要だ。それがブラックホールの超重力だ。ブラックホールは光を生み出し、その分だけエネルギーを失う。

エネルギーは使えばなくなる。何千億年後かはともかく、光を出し続けたブラックホールはいつか蒸発してなくなる。

ブラックホールの蒸発は、水が蒸発すると蒸気になるのは違い、ブラックホールが吸い込んで来たものも含めて一切合切がこの宇宙から消滅することを意味する。これを情報問題といい、どんなに小さなものでも宇宙から消えてしまうと困ったことになる。宇宙が閉じた世界ではなく、謎の異次元宇宙とつながっていることになるからだ。

それは困るのだが、計算上、ブラックホールは蒸発して消えてしまう。

▶ブラックホールは宇宙を記録する

情報問題はそもそも発生しないという研究もある。

理化学研究所の横倉祐貴上級研究員らは、ブラックホールに吸い込まれた物質は、殻のように事象の地平を覆い尽くし、情報は失われないと発表した。

ブラックホールにある事象の地平線（ここから先は物理法則が通用せず、向こう側がどうなっているのか、一切関知できないという境界線）では、重力が無限大になるため、相対性理論に従い、時間の進み方も無限に遅くなる。ブラックホールは何もかもを吸い込むが、事象の地平で時間が無限に引き延ばされるため、吸い込んだ物体は止まってしまう。ギリギリで落下できないのだ。

ブラックホールに吸い込まれたすべての物質は超圧縮されて、表面に殻となって保存されるらしい。膨張する宇宙の変移も同様に殻に記録されるはずで、そうなるとブラックホールはいわば宇宙の記憶媒体で、年輪のように宇宙の変化を刻み続ける装置ということになる。

▶ブラックホールは観測者か？

量子力学には観測者問題という、いまだに論議しているテーマがある。量子のスケールではすべてのものは波になったり粒子になったりとゆらいでいる。波を粒子へ瞬時に変えるのが観測者の存在で、誰かが見ていると（人間ではなく観測装置でもいい）波は粒子になる、放っておくと波のままだ。

一般的には観測に伴う操作が量子に影響を与えるために、その瞬間に波が粒子になると考えられている。対象との距離を測ろうとすれば、レーザーや超音波を照射する必要があるし、写真を撮るには光の反射が必要になる。量子に影響を与えずに観測はできないというのが、一般的な観測問題だが、研究者の中には観測するという行為自体が影響を与えるという人もいる。さらに観測という行為が、観測される前の量子の状態を変えるというタイムマシンのような説もある。たとえば米国チャップマン大学のアハラノフは、量子は原因と結果の関係を変えることができると主張している。

なぜそんなことが起きるのか、量子は観測者がいることがなぜわかるのか、いまだに解決されていない。しかし現象としてたしかに起きる。

宇宙にも観測者問題は適応できるのではないか？　宇宙が量子力学的にゆらいでおらず、安定して消えないのは、ブラックホールという観察者がいるからではないか？　という話がブラックホールを情報の記録装置とすると出てくる。

シカゴ大学のデイン・ダニエルソンらはブラックホールが、ソフトヘアという情報の殻とはまた異なる方法で宇宙の情報を記録、ゆらぎを収束させるとしている。

ブラックホールが観測者なら、あの黒い穴の中に宇宙の情報を蓄えながら、じっと我々を観察していることになる。

アイデアのヒント
ブラックホールは宇宙の眼

ブラックホールは存在が文学的だ。ブラックホールは地獄だというSF映画『イベントホライズン』もあった。

ブラックホールに関して新しい知見が、情報の保存装置説だ。重力波でそんなにうまく事象の地平線に記録できるのか、読み出しはできるのか謎だが、アイデアは面白い。重力は無限遠に届くので、地球やそこに住む私たちのこともどこかのブラックホールに記録されているかもしれない。

すべてが記録されているというアカシックレコード（宇宙の過去から未来のすべてが記録されているというオカルトのアイテム。予言者はアカシックレコードを読み取る技術者なのだ）はブラックホールのことだったのか？　ブラックホールを記憶媒体として利用する宇宙スケールのコンピュータを考えると、案外、すべてはCGと同じく仮想的な存在だとするシミュレーション仮説も真実味を増す。

第7節　量子もつれ

▶量子はテレポーテーションするのか？

量子テレポーテーションのことを耳にしたことがあるだろうか。量子は２つの反対方向のスピンからなる。これを量子もつれ（エンタングルメント）という。理論上、エンタングルメントの関係にある２つの量子は、どれだけの距離を離しても、片方を反対方向に向けたら片方も逆方向に回転する。何光年だろうが関係ない。リアルタイムで変化する。情報が空間を越えてテレポーテーションしたかのようなので、量子テレポーテーションと呼ぶ。

名前から誤解されやすいが、超能力でいうテレポーテーションとはまったく違う。すべての物体は量子からできているので、送りたい物体の量子状態は受け手側の量子に瞬時に反映される。ここまではたしかに超光速だが、これは一種の暗号で、送り手から手元にある物体の量子状態がこうですよという情報をもらわないと読み解けないのだ。その情報のやり取りは光速以下でしか行えない。たしかに量子もつれはリアルタイムで宇宙のどこでも起きるが、それが何なのかを読み解くためには送り手が受け手に量子状態の情報を送らないといけないのだ。そうしないと量子状態が確率のままで収束しない、つまり物体にならない。

テレポーテーションは起きるが、それを実体化させるには元の量子状態の情報が必要で、そのカギとなる情報を送るには光速以下の手段しか使えない、瞬間移動はしても物体を元に戻すカギは瞬間移動できないのだ。

しかしペンローズの宇宙なら、量子テレポーテーションは起きて当たり前である。なぜなら時空間は量子であり、時間も空間もないからだ。量子の世界では無限大の広さとスピンの無限小の穴（スピンの軸は数学上は1次元なのだ）は同じだ。違うように見えるのは、私たちが３次元で生きているからで、４次元の量子時空連続体には距離も時間も見せかけのコト、現象であって物質ではない。

アイデアのヒント

量子テレポーテーションは相対性理論と矛盾？

量子テレポーテーションは光速を超えるのか？　という問いは、超えるが超えても意味がないが答えだ。量子状態を確率から実体へと収束させるカギがないと、何が何やらわからない（エントロピーが最大、つまりどんな値でもありという状態）ので、意味がないのだ。

実際のところ、何が何やらでもいいので超光速で量子テレポーテーションは起きているかといえば、まだ数キロ程度の実験しか成功していないので、わからない。もしかしたら突然、カオス状態の量子が発見され、それが数百年後に光速通信で届いた量子状態の式に合わせて解くと宇宙人が実体化するなどということもあるかも、ではある。

第8節 時間結晶

▶対称性が破れると時間は結晶になる

2016年10月4日、メリーランド大学のクリス・モンローらは、時間結晶（＝time crystal）という奇妙な物理現象を作り出した。

時間結晶とは、2004年にノーベル物理学賞を受賞したフランク・ウィルチェックが2012年に提唱した概念で、その名前の通り、時間から出来上がった結晶のことを指す。

時間が結晶化するとはどういうことなのか？

まず前提として、物理学の見方では結晶自体がとても奇妙だということがある。

塩水でも砂糖水でも何でもいい、溶液の温度を下げていくと、ある瞬間から溶液中に結晶が生まれ始める。私たちはこれを当たり前のことと思っているが、物理学で考えれば、これは当たり前ではない。

物理法則は原子１個から星雲まで、宇宙にあるあらゆるものにあまねく働きかける。そこに例外はない。溶液を冷却した場合も同じだ。溶液のすべての部分で同時に結晶ができ始め、固体にならなければならないはずなのだ。しかし現実はそうではない。溶液を冷却していくと、突然、溶液の一部分だけが結晶化し、それが成長を始めるのだ。

物理学では、こうした数式上起こらないはずの不均衡が一方的に起きることを、「対称性の破れ」と呼ぶ。結晶は空間の対称性の破れなのだ。

対称性の破れとして捉えた結晶は、化学の結晶とはずいぶんと違う。物理における結晶とは、一定の構造が周期的に組み合わさったものを指す。四角なり三角なりの基本図形が繰り返され、最終的に空間を埋め尽くすものが結晶だ。

時間結晶というと、時間が宝石のように美しく固まったものをイメージするが、あくまで結晶とは物理現象を言葉で表しただけであって、均一の空間の中で、その一部分が規則的に一定のパターンを繰り返し始め、パターンが成長したものが結晶だ。

物理数学では、時間も次元の１つとして数え、世界は４次元からなるとする。そして時間にも空間と同じ物理法則が働く。だから時間も物理法則に従っているわけだが、では結晶が空間の対称性を破ったように、時間の対称性も破ることができるのか？　時間が対称性を破れば、それは空間が対称性を破った時に結晶化するように、時間が結晶化することになる。

▶グルグルと回る時間結晶

時間が結晶化した場合、私たちの目には何が見えるのか？

結晶のように、周期性を持って時間が成長していくはずだ。もちろん時間は目に見えない。では何が見えるかと言えば、時間の代わりに、時間の成長に合わせて運動する物体である。

クリス・モンローらはイッテルビウム（原子番号70の元素）を

リング状に配置し、レーザーを照射することで、量子が波の状態で輪になってつながる状態（これをアンダーソン局在という）を作り出した。イッテルビウムの原子でできたリングは、レーザーの波長に合わせて振動し、波がぐるぐるとリング状に回転している状態になる。

その状態でリングを極超低温へと冷却する。温度が下がれば分子運動は抑えられ、やがて静止する。リングの運動は止まってしまうはずだ。しかしそうはならなかった。理論上、運動が止まるはずの温度でもリングの回転は止まらなかったのだ。

数学上、時間はプラスもマイナスも取り得る。過去にも未来にも時間は流れるのだ。私たちの生きているマクロの世界では、時間は過去から未来へと一方向にしか流れていない。しかし量子の世界では違う。まさに物理数学通りに、時間は負の方向（過去から未来へと流れる時間を正の方向とすれば、その逆方向、未来から過去へと向かう）へも流れる。

イッテルビウムのリングは量子の世界にあるため、時空間は同じものとして扱われる。そのため、低温で溶液中に結晶が発生するように、極低温で時間の対称性が破れて、負の方向へ時間が結晶化したのだ。結晶が成長す

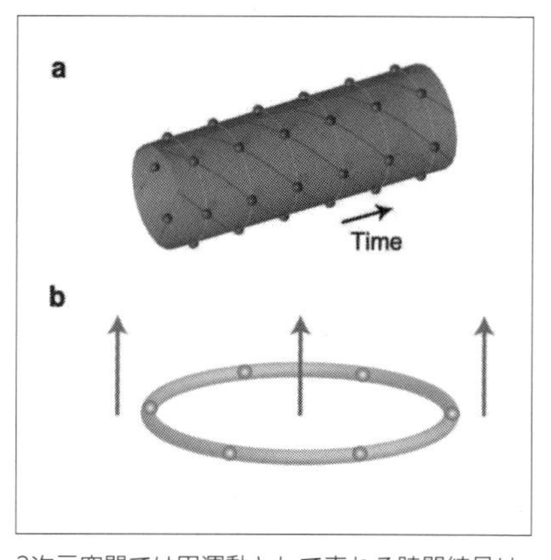

3次元空間では円運動として表れる時間結晶は、4次元でらせん運動をしていると考えられる
画像引用：「Space-Time Crystals of Trapped Ions」(Tongcang Li他Phys. Rev. Lett. 109, 163001 - Published 15 October 2012)

る間、止まるはずのリングは止まらず、リングの運動は結晶の成長を３次元で表し続けた。

結晶は4次元上で成長するので目には見えないが、その影が3次元に投影され、リングの運動として表れたのだ。4次元世界では、らせん状に結晶が伸びていることになる。

時間結晶は４次元に展開する。リングの運動は、その構造が3次元に投影された影であり、断面である。

アイデアのヒント
時間は回転である

結晶は魔術的だ。水晶や宝石を魔術師がアイテムにするのは、魔術だけではなく物理的にも意味がある。螺旋運動が四次元に展開した時間結晶なら、3次元にあるらせん、DNAの二重らせんのようなものは高次元で解釈するとどうなるのか。回転とは何なのか。このテーマで物語を作っている人は少ないと思う。

第9節　準結晶

▶空間の向こうの準結晶

準結晶の発見で2011年ノーベル化学賞を受賞したダニエル・シェヒトマンが、従来とはまったく違う結晶構造を発見したのは1982年のこと。あまりに常識外れの構造に、当時は笑いものになっていたという。

結晶は単位となる構造が周期的に現れ、大きな結晶を作り、最後は空間を隙間なく埋めるものでなくてはならない。回転対称性がないと結晶とは呼べない。だから結晶の取り得る形は、結晶が何もない状態（それも空間を埋め尽くしていると考える)、直線(空間が2分割されるだけ)、3角形、4角形、6角形の5種類しかない。5角形や7角形で結晶を作ろうとしても、空間に隙間ができてしまうのだ。

物理学者であり、数学者でもあるロジャー・ペンローズは逆に5角形や7角形で空間を埋める方法はないか？　と考えた。なぜ5種類の図形しか空間を埋められないのかといえば、図形を平行移動させて埋めようとするからだ。別のパターン、たとえば回転させて埋めたらどうか？それがペンローズタイルという図形であり、平行移動ではないパターンで平面を埋める解決方法だった。

ペンローズタイルの例
画像引用:Wikipedia

▶絶対に焦げ付かないフライパンの正体

準結晶は、このペンローズタイルのパターンとよく似たパターンで５角形などの形状が配置されている。ユニークなことに、準結晶に秩序はあるが、実はパターン＝周期性はない。複雑系で知られるフラクタル図形（同じ形の相似の組み合わせで極大から極小まで図形を描画するもの）と同じく、小さい形と大きな形が入れ子構造に組み合わさってできている。だから結晶の定義からは離れてしまうため、準結晶と呼ばれるわけだ。

準結晶は固体とアモルファス（結晶構造を持たない固体。ガラスなど）に続く第３の固体の状態で特殊な性質を持っている。その１つが他の化学物質とほとんど反応しないこと。このため、すでに一部では実用化され、家庭用品にも使われている。

焦げ付かないフライパンや電気カミソリの刃だ。テフロンと同じく、他の物質と反応しないため、摩擦が小さくなるのだ。

そしてこの準結晶が、高次元の構造が3次元に投影された影だという。

５次元宇宙論の論客である理論物理学者リサ・ランドールは自著『ワープする宇宙　５次元時空の謎を解く』の中で準結晶に触れ、次のように述べている。

「……その根本的な秩序は余剰次元でしか解明されない。(中略）この奇妙な物質の分子の並びを説明する最もエレガントな方法は、これを高次元の結晶構造の射影—三次元の影のようなもの—と見ることである」(同書)。

(a)

(b)

マグネシウム合金から作られた準結晶の例

画像引用：「Mg-Based Quasicrystals」(Zhifeng Wang and Weimin Zhao　New Features on Magnesium Alloys 10 November 2011 Published: 11 July 2012)

▶フライパンの向こうの４次元空間

周期性がないように見える準結晶だが、リサ・ランドールのように高次元構造の断面が３次元に現われたのが準結晶と考えると見方が変わる。

「その並びは高次元空間での対称性をうちに秘めているのである。三次元ではまったく不可解に見えた配列も、高次元世界では秩序のとれた構造になる」（同書）

そして食材がこびりつかない、恐ろしく摩擦力が弱い準結晶の構造の秘密は、「準結晶でコーティングされたフライパンは、そのコーティングのなかの高次元結晶の射影と、もっとありふれた通常の三次元の食材の構造的な違い」（同書）を利用している。文字通りに次元が違うために、食材とフライパンの原子配列がまったく異なり、互いが干渉しないのだ。

フライパンの向こう側に異次元空間が広がり、フライパンの裏側には目に見えない高次元構造物がぶら下がっている……そう言われても、すんなり納得できるものではない。

フライパンの底のコーティングが異次元空間の断面だとして、それはどういうものなのか？　向こう側にあるらしい異次元空間は概念ではなく、本当に存在するのか？

▶準結晶は異次元で回転する

準結晶が異次元に本体を持つとすると、見えない４次元空間では準結晶につながる４次元構造物はぐるぐると回転し、振動している。時間結晶（p114）のリングが振動していたのと同じである。４次元構造物が３次元平面を通過するとそこに影として３次元構造が現われる。つまり準結晶が本当に高次元が作る３次元の影であるなら、準結晶は振動していなければならず、そこに周期性がなければならない。

2000年に東京大学の枝川圭一らはアルミニウム、銅、コバルトから作られた合金の準結晶を850℃に加熱、その様子を高分解能透過型電子顕微鏡で観察した。その結果、「3次元構造が部分的に一変し，再び元に戻るという「揺らぎ」あるいは「振動」が、数10秒から数分間の不規則な周期で繰り返しているのが観察された」（論文「結晶学からみた4次元体の3次元体への投影」より）。

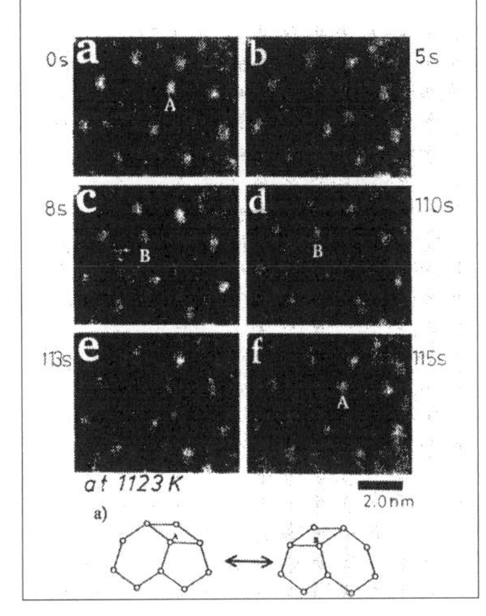

電子顕微鏡下で、加熱し液化した金属の中で結晶構造が回転、A点が周期的に表れる。結晶本体が液面の向こうに4次元展開しているのだ
画像引用：「High Resolution Transmission Electron Microscopy Observation of Thermally Fluctuating Phasons in Decagonal Al-Cu-Co」（Keiichi Edagawa他　Phys. Rev. Lett. 85, 1674 – Published 21 August 2000）

観察していると、およそ115秒で最初に見えていた構造が消えて別の構造が現われ、再び元の構造に戻ったのだ。115秒周期で、高次元空間の構造は振動しているらしい。

準結晶に結晶の持つ周期性はない。しかし準結晶が4次元なり5次元なりの高次元の影であるなら、高次元では結晶構造＝周期性を持つはずである。

準結晶を加熱すると高次元の周期性が姿を表し、準結晶の構造が周期性を持って変化すると予想されていた。枝川らの実験はそれを実証したことになる。

高次元空間はフライパンの向こうにあるのだ。

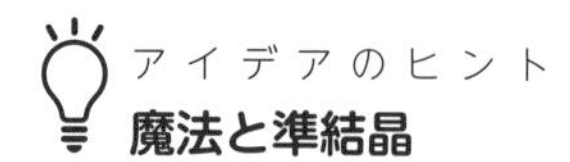

アイデアのヒント
魔法と準結晶

数学上でしかない別次元が、本当に観測されるというのが準結晶の面白さだ。

準結晶に関するテキストに面白いものがあった。占いに使う水晶玉をペンローズ図形で解釈したものだが、こうある。

「無限に大きいこの世の準結晶は、あの世では巧みに折り畳まれて水晶玉の中に納まっている。この世の無限域の情報が、あの世では有限域に凝縮されていて、解読能力のある者が見れば、準結晶構造の性質がわかる」(「準結晶の結晶学」小川泰)

水晶の中には、無限がある！　準結晶が魔術師の使う図形の五芒星なのは偶然なのか？　準結晶は魔術と現実の橋渡しになりそうだ。

第10節　ダークマターとダークエネルギー

▶宇宙にあふれるダークマター

ダークマターは何物にも干渉しないが存在する宇宙の物質で、文字通りに見えないからダークな物質＝マターだ。

宇宙は銀河系がバラバラと適当に散っているのではなく、銀河系が集まって銀河団を作ったり、銀河団がさらに集まって大きな構造を作ったりしている。銀河系が集まっている場所と何もない場所が泡のようになっていて（銀河系の集まっているのが泡の表面、何もないのが泡の中だ）、銀河系が集まった場所を作り出しているのがブラックホールとダークマターらしい。

さらに銀河系の集団は全体として巨大な銀河団となり、私たちの銀河系を含むラニアケア超銀河団（直径およそ1億光年、なんと10万個の銀河系が集まっている）は一方向に向かってゆっくり動いている。ラニアケア超銀河団を引っ張っている超重力の正体はいまだわからず、グレートアトラクターと呼ばれている。このグレートアトラクターを作っているのは、もしかしたら目に見えない重力源のダークマターかもしれない。

銀河系の回転速度や重力レンズ効果（星のような大質量で空間が曲がり、レンズのように星の後ろのものが見える効果）が予想値よりも大きいのもダークマターのせいだと考えられている。見えないが質量のある何かが宇宙に大量にあるのだ。

宇宙にはたくさんの銀河や星があり、互いに引き合っている。この引き合う力は宇宙の膨張にブレーキをかけ、収縮させようとしているが、宇宙の膨張は遅くなるどころかどんどん速くなっている。重力がブレーキなら、アクセルを踏んでいる何かがあるのだ。それがダークエネルギーで、重力とは真逆に働く。

ダークという名前からよく間違えられるが、ダークマターとダークエネルギーは無関係。ダークマターはまだ未確認の素粒子だと考えられ、ダークエネルギーの正体は完全に謎だ。

なお宇宙の物質の27パーセントをダークマター、68パーセントがをダークエネルギー、5パーセントが見える物質だと言われている。ダークエネルギーはエネルギーなので、物質というのも変だが、物質換算で、と考えて欲しい。一般相対性理論では、質量はエネルギー、エネルギーは質量なのだ。

アイデアのヒント
重力とのダークな関係

ダークマターにしてもダークエネルギーにしても、UFOや幽霊の説明に使えそうで使いにくいのは、私たちの見える世界と重力以外ではまったく干渉しないからだ。逆に言えば、重力はダークマターやダークエネルギーの本質でもある。重力の扱い方がアイデアにつながりそうだ。

第11節 EMドライブとワープ航法

▶電磁推進装置EMドライブ

星間航行も可能になるという新しい推進エンジンがEMドライブである。EMはエレクトロマグネティック、電磁の意味だ。EMドライブを直訳すれば、電磁推進になる。EMドライブは電磁力を使って宇宙船を飛ばす。

2010年ごろから一部で話題になっていたが、あまりにも奇妙な装置であり、多くの科学者はそれが詐欺の一種か、あるいは単純な測定ミスだと考えていた。

EMドライブは電子レンジにタジン鍋をくっつけたような装置で、既存の燃焼系エンジンやモーターとは似ても似つかない形をしている。

マグネトロン（電子レンジの中身である）から電磁波を伝える導波管を金属製のタジン鍋＝ロート型をした銅製のチューブに接

続する。導波管はマグネトロンで発生した電磁波を収束させ、対象に対して効率よく浴びせる、砲身のようなものだ。電子レンジを分解するとそれが庫内に向かって口を開けているのがわかる。

EMドライブの場合、通常の電子レンジでは庫内に向かうこの導波管がロートに接続される。

ロートの中身は空っぽで、上下は密閉されている。ロート型の金属製空き箱だ。そこに電磁レンジと同じくマグネトロンから電磁波を流すと……ロートが動き出す！（推力が小さいため、今のところ圧力の変化が測定されているだけで、ロートは動かない)。

ロケットは大量の水素と酸素を爆発させ、高速で排出されるガスの反作用で飛ぶ。推進剤（燃料のことだが、ガソリンエンジンと違って推力を得るためのものなので、推進剤と呼ぶ）を排出するからロケットは動くのだ。ニュートンの第二法則、作用反作用の法則だ。

しかしEMドライブは密閉された箱だ。そこから何かが放出されるわけではない。ではなぜ動くのか？

▶本当に動くのか？　怪しいEMドライブ

EMドライブの発明者ロジャー・シャワーは、EMドライブは電磁波の放射圧を利用しているという。ロートの広い口と狭い口の間で電磁波が反射し、電磁波には放射圧があるため、フタを内側から押す。広い口にかかる圧力の方が大きいため、広い口の方向へと推力が発生する。

放射圧と聞くと電磁波が物体を押すイメージがある。しかし電磁波の放射圧は物体を押す力ではない。電磁波によって物体に電流が流れ、中学生の時に習ったフレミング左手の法則に従って、親指の方向に物体が自分から動き始めるのだ。これはローレンツ力という。外から力がかかるのではなく、電磁波がエネルギーとなって物体自体が動くのだ。

EMドライブが広い方の口と狭い方の口が互いに反対方向に動き出し、その力の差で広い口に向かって動き出すという理屈は一見正しい。しかし電磁波が容器の底面以外に一切働かないならわかるが、そうでなければ容器全体でローレンツ力は発生する。側面の面積の方が底面より広いので、側面で発生するローレンツ力が容器の動きを止めてしまうのではないか。

EMドライブは本当に動くのか？

ロジャー・シャワーが発明した、電磁力で推進する（という触れ込みの）EMドライブ。永久機関クラスの怪しさ満点

画像引用: Roger ShawyerHP

▶夢を語るのは構わないが……？

そんな意見をよそに、ロジャー・シャワーは意気盛んだ。

シャワーは2001年にイギリスに Satellite Propulsion Research

Ltd＝SPR社を設立、イギリス政府の支援プログラムから25万ポンド（約5000万円）を得て、EMドライブエンジンを試作している。それによると、850Wの入力電力で16mNの出力を得たという。

科学雑誌によるとこれはピーナツを動かす程度の推力で、誤差として処理されるほど小さい。しかしシャワーはこれでEMドライブにより推力が発生したのだとした。

さらにシャワーは現在人工衛星の推進力に使われているイオンエンジンとEMドライブエンジンを比較し、同じ電力で3.5倍の推力を持ち、10倍もの期間で稼働可能、さらに重さは10分の1と試算した。

もし実用化すればロケット用途はもとより、地上交通機関にも革命が起きるとシャワーは言う。EMドライブを使えば、浮上する車ができるという。液体窒素を使った冷却システムと垂直方向に推力を発生させるEMドライブエンジン、水平方向へ動かす補助エンジンを積んだ、空飛ぶ車だ。映画『ブレードランナー』に登場するスピナーのような、車輪も翼も不要の乗り物である。

▶NASAがEMドライブに協力？

NASAで次世代技術開発を行うエンジニアチーム、イーグルワークスはEMドライブの研究を行っている。2014年7月、同チームでジョンソン宇宙センター所属のハロルド・ホワイトらは、EMドライブを真空チャンバーにセットした。そして真空状態で推進力が得られるかどうかを実験し、第50回AIAA/ASME/SAE/ASEE合同推進会議（いずれも宇宙開発に関係する団体）でその成果を発表した。

EMドライブは重力圏を突破した後でも、発電できる限り、加速することができる。だからたとえば太陽の周回軌道に乗り、何年もかけて光速の数％まで加速し、軌道から離脱、星間飛行を行うといったことも夢ではない。

原理上、EMドライブは宇宙船の打ち上げコストを100分の1にし、さらに圧倒的な推力を得ることができる。

理論値通りに、1kWあたり500 ~ 1000Nの推力が得られれば、その速度は月まで４時間、もっとも近い恒星のアルファケンタウリまで1ミリGの微小な加速を行いながら光速の9.4％まで加速、およそ92年で到達する。

1kWあたり0.4ニュートンの現在のシステムでも、2MWの原子力発電装置があれば、火星まで70日で到着するとホワイトは言う。

ハロルド・ホワイトが考えた、星間宇宙船「IXSエンタープライズ」。エンタープライズの名はスタートレック由来である
画像引用：NASA

▶ワープ航法も研究しているNASA

EMドライブのような怪しいものをNASAが真剣に扱うのは、ワープ航法の研究をしているからだ。ワープ航法のような超現実

的な宇宙航法の研究のひとつとしてEMドライブも取り上げられたということだ。

メキシコ人物理学者ミゲル・アルクビエレは、1994年に“負の質量”という概念を持ち込んだ物理学者で、一部の空想的なアイデアを持つ学者たちの間で人気が高い。NASAのイーグルワークス研究所がワープ航法の研究を始めたのは、アルクビエレの考えたアルクビエレ・ドライブが数式上で破たんしておらず、理論上、実用化可能だからだ。

重力波は文字どおりの空間を伝わる光速の波だ。これを人工的に起こし、サーフィンのようにその波に乗れば、宇宙船は光速で移動する。

空間自体の膨張と収縮には相対性理論が適用されない。相対性理論＝光が絶対的な速度で君臨する宇宙は、あくまで宇宙の内側での話であり、空間それ自体には適用できない。宇宙が超光速で膨張している理由だが、これを宇宙航法に利用しようという。

重力波は空間の歪みなので、特異点を発生させれば、その速度は空間の膨張速度となり、超光速になる。つまり、ワープすることができるのだ。

アルクビエレ・ドライブは宇宙船の前でビッグクランチ＝空間の収縮、船の後ろでビッグバンを起こし、それで生まれる超光速の空間の歪みに乗って、サーフィンのように宇宙をドライブする。

ただ実際に作ろうとすれば、負の質量を使って、空間を切り出す（伸縮する空間とともに宇宙船がバラバラにならないように、宇宙船の周りの空間をシャボン玉のように切り取り、超空間の影響を受けないようにする）必要があるのだそうだ。そしてビッグバンと同じレベル（学者によってはその10億倍）のエネルギーがないとアルクビエレ・ドライブは実現せず、超空間を使った超光速航行はありないのだという。

理論的には可能でも、限りなく不可能なワープ航法である。

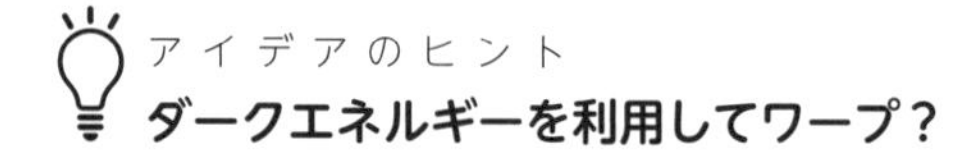

アルクビエレ・ドライブの負の質量は、ダークエネルギーのことだ。ダークエネルギーを使えば、ワープ航法は可能になるのだろうか？

私たちはさまざまなテクノロジーを現実にしてきた。いまだ現実になっていないのは、テレポーテーションや空中浮揚、超光速といった重力に関係する技術と不老不死ぐらいだ。

重力で何ができるのか？　想像の翼を広げて、物理学者が思いつきもしない世界を考え出そう。私たちは重力のくびきを離れて、もっと自由になれるはずだ。

第12節　超光速

▶あの頃、光は速かった

光の速度は変わらない。

アインシュタインは真空中の光の速度は変わらないとした。この制限は絶対真理というべきもので、恒星間飛行が不可能＝宇宙人は地球へ来ない理由でもある。光の速度を超えるには、空間を曲げるワープ航法や光の速度に制限のない別の空間を通るなどの抜け道が必要だった。

ところが宇宙創成期の光は現在よりもはるかに速かったという説がある。

ポルトガルの理論物理学者、ジョアオ・マゲイジョは宇宙の初期には光の速度が毎秒30万キロよりも速かったと主張しているのだ。

▶インフレーションで説明されるビッグバン

宇宙マイクロ波背景放射という、宇宙には宇宙ができた時の熱が残っているが、この温度は宇宙の全方向で均一だ。完全に均一に宇宙ができたとは考えられず、熱＝電磁波が広がって均一になったと考えるべきだが、それには宇宙は大きすぎ、光速でも宇宙の膨張に間に合わない。

だったら熱が均一に伝わるには宇宙を小さくすればいい。それがインフレーション理論という現在の宇宙論の主流をなす考え方で、宇宙の始まりとなる小さな点が急激に膨張＝インフレーションをして火球となり、その中で宇宙に分布する熱が均等になったとする。その小さな球が爆発＝ビッグバンが起きて、現在の宇宙になったのだ。熱はインフレーション宇宙の中に均一に広がった後なので、その後のビッグバンでも、宇宙背景放射は均一だ。

▶インフレーションは不要？

しかしインフレーション理論は宇宙背景放射が均一だと説明するための理屈である。本当にあったのかはわからない。もしかしたら、インフレーションはなかったかもしれない。

ジョアオ・マゲイジョはインフレーションを想定しなくても、光が今よりはるかに速ければ、宇宙全体の熱は均一化すると考えた。温度が数兆度だった宇宙の誕生の時は、光の速度は基本的に無限だったという。

熱は電磁波で伝えられ、電磁波は光だ。単純化して考えれば、超光速で広がる空間（空間の膨張は相対性理論の制約を受けないので、光速を越える）に瞬時に熱を均一に伝えるのは、光の速度が空間の膨張と同じく超光速なら可能になるだろう。

やがて宇宙の膨張につれて宇宙に物質が生まれ、密度は濃くなり、ガラスや水の中で光の速度が減速するように、光の速度は現在の速度で安定したという。これが光速変動理論（VSL理論）だ。

▶ユニークな光速変動理論

光速変動理論に基づく宇宙は、現在のインフレーション理論を否定するため、自動的にビッグバン理論も否定することになる。

光速変動理論はビッグバン理論では説明できない、宇宙誕生初期に起きた銀河系誕生が説明できる。

ビッグバン理論では巨大な銀河や銀河団の形成には10億年以上かかるとされているが、ジェームズ・ウェッブ宇宙望遠鏡はそれよりも古い銀河系（宇宙誕生から3億5000万年後に形成されたGLASS-z12などすでに同時期の銀河系は4個見つかっている）を次々に発見している。一方、光速変動理論では、もっとも古い銀河系の形成は宇宙誕生からわずか約37万年後だとしている。ジェームズ・ウェッブ宇宙望遠鏡の観測結果は、ビッグバン理論は間違いで、光速変動理論の正しさを証明しつつあるようだ。

光の速度は宇宙の膨張速度でもあるので、光速変動理論に従うと宇宙の年齢も変わってくる。これまでは138億年前に宇宙が生まれたとされているが、光の速度は昔にさかのぼるほど速くなるため、遠くに見えている宇宙の端が実際にはもっと近いことになる。光速変動理論では、宇宙の年齢は133億6000万年だ。

また宇宙マイクロ波背景放射もビッグバンの熱の残りではなく(光速変動理論はインフレーションを否定するため、インフレーションの後にビッグバンが起きたとする現在の宇宙モデルは成立しないのだ)、恒星からの放射線の吸収と再放出、宇宙塵などによるものだとされる。

アイデアのヒント

光速変動理論と超光速

光速変動理論は宇宙の始まりで、まだ時間も空間もできていない、すべてが混とんとした世界での理論だ。現在の宇宙法則が安定した世界の話ではない。しかしもし宇宙初期の超光速が世界を、現在の世界でも成立させることができれば、超光速の宇宙旅行が可能になるのでは？

光速変動理論はあくまで宇宙論であるのだが、それを踏まえて超光速を想像することは新しい恒星間飛行のアイデアになるだろう。

第13節 テラフォーミング

▶人間が住める環境に惑星を改造する

他の惑星の気候を改変し、人間の居住が可能な星に作り替えるという壮大な技術がテラフォーミングだ。1942年に書かれたSF小説『衝突軌道』（ジャック・ウィリアムソン）がテラフォーミングという単語を使った最初だと言われている。

SFが始まりだけにスケールも突拍子がないものが多く、月に彗星をぶつけて水を確保する、金星の軌道上に巨大なレンズを配置して太陽光を防いで気温を下げる、さらに巨大な気球都市を作り、そこから金星に大気組成を変えるガスを散布して呼吸可能な大気に変える、惑星全体を殻で覆い、密閉した状態にしてテラフォーミングを行う「シェルワールド」(2009年に米国エネルギー省のエンジニアが発案した）などさまざまなアイデアが出されている。

テラフォーミングはNASAなどの公的な宇宙機関も検討しており、SF作家のファンタジーを越えて未来的な宇宙開発の一手段として認知されている。1976年にNASAは「火星の居住可能性について」というドキュメントでテラフォーミングの可能性について触れている。

▶テラフォーミングは3段階

テラフォーミングには次の3段階が想定されている。

第1段階：パラテラフォーミング→惑星を改造する前段階として、大規模な移住施設を建設、閉鎖系で人間が暮らす。実験農場や森林などを施設内に作り、長期的な運用を行う。

第2段階：部分的テラフォーミング→施設外でも防護服なしで人間は地表を歩ける環境まで、惑星を改変する。地球上の非常に過酷な場所（南極や砂漠など）と同程度の改変をイメージするといいだろう。

第3段階：完全なテラフォーミング→地球とまったく同じ快適な環境を再現するまで改変を行う

テラフォーミングは実現するとしてもはるか未来の話だが、気候変動が進む中で、地球のテラフォーミングを行う必要が出てくるかもしれない。

▶火星をテラフォーミングする

火星を例にとると、問題になるのは大気だ。火星の大気は極めて薄く、地球の大気の1パーセントほどしかない。

また地球は磁気によって、強力な電磁波や放射線から地球の生命圏を守っているが、火星は磁気がない。むき出しの火星には、宇宙レベルの放射線が降り注いでいる。

火星には極があり、二酸化炭素がドライアイスとなって凍りついている。そこで極を溶かし、二酸化炭素を大気とした気流圏を作る。極の氷を溶かすには極に隕石を落とす。隕石はアンモニアやメタンの氷で、木星の衛星ガニメデや土星の衛星タイタンなどで調達、火星へぶつける。アンモニアは水素と窒素に分解され、メタンはそのまま温暖化ガスとなる。

隕石の落下が乱暴なら、軌道上に巨大鏡を設置、太陽光で極の氷を溶かす案や火星の衛星であるフォボスとダイモスを分解して黒いチリにして火星に撒き、地表の太陽光の反射を抑える（アルベド低減という）案もある。

やがて温暖化が起きて大気が増えれば、気温も上がり、火星の地下にあるという氷も溶け、川や海となる。

酸素を作るために、大量の藻やコケが必要になるだろう。数万年をかけて火星は徐々に人間が生活可能な空間へと変わっていく。

アイデアのヒント
ゴキブリ人間の星

漫画『テラフォーマーズ』は、極の氷を溶かすのにゴキブリを使うというアイデアを元にしていた。ゴキブリは黒いのでアルベド低減に使うという、とんでもない発想だ。ゴキブリ以外でアルベド低減に使ってインパクトのあるものはなかなか思いつかないが、挑戦する価値はある。

第14節 スペースコロニー

▶スペースコロニーは理想国家だった

アニメ『機動戦士ガンダム』で日本人が知ることになった宇宙都市計画で、元々は70年代のカウンターカルチャーが下敷きになっている。

『機動戦士ガンダム』の映画版『逆襲のシャア』では、地球環境が汚染されたので人間は宇宙で暮らそうというのがテーマだが、まさにその通りのことを70年代の科学者たちは考えていた。

1969年にプリンストン大学のジェラード＝オニールが発表したスペースコロニーは、直径6.4キロ、全長32キロの巨大なシリンダーの中に山と海と町を作り、人工国家を建設するという途方もないものだった。月と地球と太陽の引力が釣り合うラグランジェポイントに建設、恒久的な宇宙植民地とするのである。

当時の世情を反映し、スペースコロニーは理想的な自由国家になるはずだった。世界は権力者と腐敗した官僚主義によって核戦争への道をまっしぐらに進み、科学は人間の幸福ではなく殺し合いの道具を作るための技術だとみんなが信じていた時代だ。

政治的主張を持つ集団は独自のスペースコロニーを持ち、そこに住めば、わざわざ他の集団ともめごとを起こす必要もない。地球の警察機構が思想弾圧を行うこともない。

▶スペースコロニーは実現するのか

オニールのスペースコロニーは多くの賛同者を集め、大いに盛り上がり、宇宙にユートピアを作るというアイデアから人類は生命を改変できる、地球を改変できる、宇宙を改変できると作家や科学者たちのアイデアは沸騰した。この時期のSFは異常に面白いが、それは社会的な熱気があったためだ。

生命改変技術としてのサイバネティクスや生命情報のコンピュータへのアップロード、クライオニクスなる人体冷凍技術、ナノテクノロジー、人間が人間を越えるトランスヒューマニズム、科学技術によって不老不死の実現した社会の社会通念を考えるエクストロピアニズム、恒星を丸ごと金属の球体で覆い、エネルギーを完全に利用するダイソン球といった未来技術のアイデアは、この時期に一気に噴き出した。

1970年代のアメリカ西海岸で起きた、この未来技術ブームがなければ、アニメ『新世紀エヴァンゲリオン』も漫画『攻殻機動隊』もなかっただろう。

スペースコロニーを技術的に可能か、金銭的に可能かという点から論じる以前に、人間は閉鎖環境で生きて行けるのか？　という問題がある。スペースコロニーは絶対真空に浮かぶ筒であり、その世界は太陽光以外、完全に外界と断絶する。熱の出入り以外は外と何も出入りがない。それはある意味では小さな地球なのだ。地球もまた熱以外に宇宙との出入りはほぼない（隕石や人工衛星、太陽フレアを数に入れなければ）。

スペースコロニーのような閉鎖環境を作ることは非常に難しい。宇宙ステーションなり計画されている月面基地なりは閉じてはいない。地球からの物資を受け入れ、地上からのサポートがある。

これを完全に閉鎖系として独立させると、想像以上のトラブルが発生する。

▶完全閉鎖系施設バイオスフィア2の悲劇

テキサスの石油王エドワード・バスが資金提供を行い、アリゾナ州オラクルに作られたバイオスフィア2は、総面積1万3千平方メートル（1.2ヘクタール）にもなる完全密閉された巨大な温室だ。砂漠から湿地、農地といった各種の環境に4000種類の動植物が放たれ、コンピュータ管理された空調、太陽電池を使った電力供給（一部は外部に依存）といった、一種の超小型スペースコロニーが作られたのだ。なぜ名前がバイオスフィア2なのかといえば、バイオスフィア1は地球を指すからである。

バイオスフィア2は狭い。1.2ヘクタールのスペースは広大に見えて、生態圏からすれば狭すぎる。何年もかけて行われる水の循環は1～2週間に短縮されるが、中にいる生物は地球のサイクルで生きている。そこには齟齬があり、それは予期せぬトラブルを引き起こした。

1991年9月に8人の男女が施設に入り、バイオスフィア2は外部からロックされた。この中で2年間、自給自足しながら閉鎖系の生物環境について実験と観察を行う予定だった。

完全に閉鎖され、コントロールされているはずの環境で、最初に植物が枯れ始めた。日照時間が足りなかったのだ。地球であれば、日照時間の足りない土地があっても、他に問題がなければ、作物を輸入するなりすればいいが、バイオスフィア2ではそうはいかない。植物の生育不足はそのまま8人の飢えにつながった。

蟻とゴキブリが異常に繁殖し、受粉を行うはずだった蜂が全滅、予定していた野菜の収穫に失敗する。

閉鎖系であるため、ダニのような害虫が出ても殺虫剤が使えないことも拍車をかけた。殺虫剤や除草剤を使えば、その含まれた水を数日後には飲むことになるからだ。石鹸やシャンプーなども使えず、あらゆる化学物質が極力排除された。あまりにリソースが小さすぎるため、わずかな環境の変化が大きな変化になって人間に害を与えるためだ。

2年間が終わって出てきた時、全員、体重が9 ~ 23キロも減っていたそうだ。さつまいも、稲、小麦 脱穀、豆、バナナなどを食べ、早々に牛が死んでしまったために肉も牛乳もなく、砂糖も採れず、タンパク質は卵ぐらいしかない、ほぼ完全なヴィーガンでしかもカロリー不足という状態が2年間も続いたのだ。やせて当たり前である。最終的に食料も外部から持ち込まれ、彼らは飢え死を免れた。

最後には酸素まで足りなくなった。施設内の酸素は空気のおよそ20パーセントだったが、93年には14.2%まで下がった。これは日照時間が短く植物の酸素生産量が不十分だったせいこともあるが、一番の原因は建材に使われたコンクリートが酸素を吸着するという、設計時に見落としていたことが起きたためだった。実験継続のため、酸素が注入されたが、いかに閉鎖環境を構築し維持することが困難かがわかる。

環境が悪化し、飢えが常態化するとストレスは高まる。一般の観光施設としても開放されていたため、8人は常に観光客の目にさらされ、動物園の動物のようだった。やがて8人は２つの派閥に分かれていがみ合い、険悪な状態が続いたという。なんとか2年間の実験は終了したが、わかったことは宇宙に恒久的に住むことは恐ろしく困難で犠牲を伴うだろうということだった。どれだけ計算し、準備しても自然は軽々とそれを裏切る。

現在も同施設は運営中で、環境問題の研究拠点として機能しており、月や火星での居住実験もこの施設で行われた。

アイデアのヒント
70年代の手つかずの鉱脈

バイオスフィア2の失敗は、閉鎖環境でのトラブルを描写する上で参考になるだろう。ゴキブリが一匹、宇宙船の中を走れば、それが崩壊の始まりなのだ。

70年代SFや技術は多くの作品に影響を与えたが、まだ使われていないネタはたくさんある。オニールはスペースコロニーを建設するための資源は月から調達し、リニアモーターカーの化け物のようなマスドライバーという装置で月の重力を振り切って建設現場に送り込むことを考えたが、それはそのまま兵器になる。マスドライバーを使えば、何万トンもの岩を地球に落下させることが可能だ。

彗星に乗って移動する宇宙旅行や土星の輪の環境を保全するためのエコロジー運動、ブラックホールの養殖など使えそうなネタはたくさんある。

温故知新、昔の科学技術を調べることをお勧めする。

第15節 パンスペルミア説

▶生命はどこで生まれたのか？

生命が原始地球で生まれたと言ったのは旧ソ連の生化学者オパーリンだ。メタンや水素、アンモニアなど主成分の原始地球の大気と落雷が化学反応を起こし、無機物から有機物が生まれたとした。ミラーらはオパーリンの説を実験で検証、フラスコの中で原始地球の大気を再現、アミノ酸を合成することに成功した。

ところが原始地球の大気組成は当時考えられていたようなものではなく、有毒な火山ガスと窒素や二酸化炭素が主成分で酸性度が高く、とても生命が生まれるようなものではないことがわかってきた。

では生命はどうやって生まれたのか？

現在、主流の考えは海底の熱水噴出孔で生まれたというものだ。およそ400度で海底から噴出するガスには水素、メタン、アンモニアが含まれ、噴煙が燃料電池となって電気も発生している。当初考えられていた原始地球の条件が深海には揃っているのだ。

しかしアミノ酸が合成されたとして、そこから生命まで至るにはあまりにも道は遠い。本当に地球で生命は生まれたのか？　もっと地球よりはるかに長い時間存在している星あるいは何か別の仕組みによって生命は生まれ、地球に来たのではないか？　これをパンスペルミア説（宇宙汎種説）という。宇宙のどこかで生まれた生命のタネが宇宙中にまかれているという考え方だ。

▶ハレー彗星は大腸菌の塊だった？

1986年、ハレー彗星が地球に接近した。ハレー彗星は約76年ごとに太陽系に現れる巨大な彗星だ。

欧州の探査衛星ジオットは、近距離で彗星の核を撮影することに成功した。

それまで彗星の核は「汚れた雪玉」と考えられていた。巨大な岩の周りをメタンもしくは水が氷となって覆い尽くし、そこに宇宙の塵が吸い付いて汚れていると考えられた。雪玉に土がつくと白と黒のまだら模様や灰色になるが、あの姿を科学者は想像していたのだ。

しかしジオットが送ってきた画像は、その想像を裏切るものだった。彗星の核は真っ黒だったのだ。ハレー彗星の核は全長16キロもある細長い岩石で、その表面は真っ黒だった。

黒いとはどういうことなのか？　ただの汚れで真っ黒にはならない。科学者の中で有機物の可能性を疑う意見が出た。石炭のように有機物が高温高圧で変成し、核の表面を覆っているのではないかというのだ。ということは太陽系外で有機物が生成されたことになる。

実際に有機物かどうか、スペクトル解析が行われた。彗星の発光の波長を分析し、何が燃えているのか、成分を特定するわけだ。地球上のどんな物質の光が一致するかで、表面の黒い物質が何か特定できる。意外な結果が出た。

▶宇宙から生命は降ってくるのか？

ハレー彗星のスペクトルをと合致したのは大腸菌だった。ハレー彗星の表面を覆い尽くしている黒い物質は焦げた大腸菌だったのである。

あまりに突拍子もない話に、専門誌で論文が発表されたものの、ほぼ世界の天文学者や生化学者が黙殺して現在に至っている。たしかに彗星が大腸菌に覆われているというのは、受け入れがたい。どこで大腸菌が生まれ、どういう経緯で彗星の上で層をなすほど繁殖したのか、想像もつかない。

宇宙には生命が生まれる未知のメカニズムがあり、生命は彗星に乗って宇宙を旅し、惑星へと広がっていく。パンスペルミア説を提唱したフレッド・ホイルはインフルエンザなどウイルスの定期的な流行には、彗星が関わっていると主張した。彗星がウイルスを運び、地球近くでばらまかれたウイルスが空から降ってくるのだという。

フレッド・ホイルの主張がそのまま認められたわけではないが(特にインフルエンザの話はトンデモ説だ)、パンスペルミア説に賛同する科学者は少なからずいる。

日本でもJAXAが2016年に国際宇宙ステーションの日本棟で「たんぽぽ計画」を行った。地球に降り注ぐ宇宙塵の中に、アミノ酸のような有機物が含まれていないか、捕集パネルを使って収集しようというものだ。宇宙から地球に降り注ぐ宇宙塵は年間2万～6万トンもあり、中にはアミノ酸が見つかることもある。

同時に地球上の微生物を持ち込み、宇宙空間の真空と放射線にさらして生存率がどう変わるかも試験が行われた。絶対真空で極低温、放射線にまみれた宇宙空間でウイルスや細菌が生存できなければ、パンスペルミア説は前提から成立しない。

たんぽぽ計画は2024年現在も進行中で、ユニットを改良しつつ試料収集を続けているが、今のところ、まだ有意なほどの量のアミノ酸もウイルスも見つかっていない。

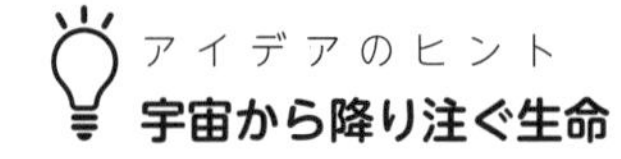

アイデアのヒント

宇宙から降り注ぐ生命

宇宙から生命のタネが降り注ぐというテーマは、映画『エイリアン』の続編『プロメテウス』やアニメ『伝説巨人イデオン』のラストで使われた。

パンスペルミア説というかフレッド・ホイルのおかしなところは、パンスペルミア説を前提に宇宙を考えるところだ。細菌やウイルスが宇宙を数百年単位で旅するには、休眠状態になった彼ら微生物が変成しないために無酸素・極低温が必要で、高濃度放射線が他の生物との接触を防ぐ、だから宇宙は真空で極低温で放射線だらけだというのだ。

またフレッド・ホイルはビッグバンも否定した定常宇宙論者だが、それはたかが138億年で生命は生まれないから、である。

なんという独善。作家の想像力など科学者の前では素人同然のような気がする。

第4章

超能力編

これまで科学と超能力や幽霊といったオカルトは対立するものでした。物語でも脳改造や遺伝子組み換えといったふわっとした設定があるだけで、あとは暴走する能力者に科学者が右往左往するというのがお約束です。そしてだいたい皆殺しにされます。オカルトの前ではモブ扱いの科学でしたが、期せずして新しい知見が増え、オカルトも科学の対象になりつつあります。いつまでも科学はモブじゃないぞ、なのです。

4

第1節 テレパシーと科学

▶脳と脳をネットでつなぐ「ブレインネット」

言葉や身振りではなく、脳から直接相手の脳へ意志を伝えるのがテレパシーだ。相手が考えていることを読み取ったり、自分の考えを伝えたり、超能力の代表のような能力である。

p66で紹介したように、すでに脳をコンピュータ経由でつなぎ、意志を送る実験は成功している。別の例を挙げよう。

2018年9月23日、コーネル大学のリクシー・ユアン、アンドレア・スコットらは脳波計とTMSを組み合わせた装置を使い、3人の被験者の脳と脳を電気的に接続、単純ながら意志の伝達に成功した。

3人のうち、2人が送信者、1人が受信者となる。送信者はテレビ画面に映るテトリスのようなゲームを見ながら、落ちてくるブロックを回転させるように"念じる"。送信者の脳波は受信者のTMSに送られ、受信者の脳を磁気で刺激する。磁気によって誘導電流が発生し、受信の脳に電流が流れる。電流が流れると受信者の目の中では閃光（眼閃といい、電気が脳に流れると視界が明るくなる）が見えるので、見えたら、コントローラーを操作してブロックを回転させる。

これでゲームをプレイできたのだそうだ。テレパシーと呼ぶには大げさだが、ケーブル経由で脳波を送ることには成功したわけだ。

脳と脳とをコンピュータを介してつなぐ技術は、その名の通り、「ブレインネット」（脳間通信網）と呼ばれ、脳波計とTMSを使った非侵襲性の分野で国際的な研究が進んでいる。

ブレインネットはあくまで従来の通信技術の範疇にある。つまり製品化できる。いずれはWi-Fiのヘッドセットをかぶれば、同じヘッドセットをかぶった相手に、思っただけでメッセージを送ることも可能になるかもしれない。それはテレパシーにしか見えないだろう。

マサチューセッツ工科大学が開発を進める「AlterEgo」は、あごの動きをキャッチしてコンピュータを操作する新しいデバイスだ。人間はしゃべらなくても、しゃべろうと思っただけで口の筋肉にわずかな電流が流れる。その電流をデバイスでキャッチし、コンピュータへ送る。キーボードの代わりにあごの筋肉電流で入力するわけだ。

骨伝導スピーカもセットされており、コンピュータからのレスポンスを音声データで伝えることができる。そこでチェスをしながら、相手の打つ駒の位置をコンピュータに伝えるとコンピュータから次の手が音声で送られるなどということもできる。

声も出さず、手も動かさずにコンピュータを操作する様子は、コンピュータをテレパシーで操作し、コンピュータに支援されているようにしか見えない。

コンピュータを使ったテレパシー的なデバイスは、今の社会に共通する未来のイメージだ。

しかし本来のテレパシーは意志と意志が呼び合う、人間の隠された能力であり、コンピュータを介した新しい通信技術ではない。

私の中に潜む未知の能力。それが超能力であり、そこにロマンがある。

▶テレパシーは科学で説明できるのか？

今まで超能力は、科学の世界で真剣に研究されて来なかった。

旧ソ連では核戦争で通信が遮断（高層圏で核爆発が起きると、強力な電磁波が地上に降り注ぎ、通信網から電気系統まで破壊されることがわかっている）されても、戦争を継続できるようにテレパシーが研究されていた。

日本でも70年代にソニーが超能力研究のための研究所を作った。将来、電気自動車が登場した時にソニーは自動車への参入を考えていた。もしかしたら運転手の脳に電磁波が悪影響を及ぼし、交通事故を起こすかもしれないと懸念したソニーは、脳と電磁波の研究を開始した。だから目的は電磁波の脳への影響だったのだが、やがて研究対象は脳から超能力へと移って行く（詳しくはｐ265）。

科学者も超能力、特にテレパシーには興味があるのだ。ではテレパシーは科学で理屈をつけることができるのだろうか？

超能力というと一瞬で遠くへ移動するテレポートや意志だけで物を動かす念力、どこに何があるのかを見通す透視、次に起きることがわかる予知あたりだろう。仏教では神通力＝超能力が６種類あるとされ、神足通＝テレポーテーション、天眼通＝透視、天耳通＝すべての音を聞き分ける、他心通＝テレパシー、宿命通＝前世を知る、漏尽通＝煩悩を滅する能力と言われている。

こうした力は科学的にありえるのだろうか。テレポーテーションにしても予知にしても、とても物理で説明できるとは思えない。

▶科学的に説明をするということ

まず大前提として、宇宙の法則は絶対であり、宇宙の法則を曲げる力はありえないことを納得しておく。今、人類が見つけている4つの力、強い力、弱い力、電磁力、重力以外に宇宙に力はないとされる。だから超能力も、この4つの力の応用だ。

強い力は原子核を安定させる力、弱い力はクオークという素粒子間で働く力なので、この２つは量子力学的な範囲でしか働かない。超能力とは縁遠い。

重力と電磁波は、どちらも遠くまで届くので超能力の説明になりえるが、重力はまだ正体がよくわかっていない。わからないものでわからないものは説明できない。

残るのは電磁波だ。脳は脳波という電磁波を出しているので、超能力が電磁波によるものというのはわかりやすい。

超能力が電磁波だとすると透視やテレポーテーションに理屈をつけるのは非常に難しい。念力に至っては、不可能だ。電磁波で物を動かすことになるからだ。

スマートフォンを使うと周りのものが動くか？　という話である。光にもほんの少し圧力があるので物を動かすことはできるが、その力はあまりに小さい。スプーンが曲がるどころか針も転がせない。

ダークエネルギーはどうなんだという人もいるだろう。宇宙を膨張させている謎の力をダークエネルギーと呼び、いまだに正体がわかっていない。もしかしてダークエネルギーで超能力は説明がつくのではないか？

仮に超能力がダークエネルギーを使うのだとしても、これも重力と同じで、わからないことをわからないものでは説明できない。

▶人工テレパシー「フレイ効果」

脳から発する脳波＝電磁波を使って超能力が起きるとすれば、超能力の中ではテレパシーがもっともありえる。コンピュータを介さない脳間通信がありかなしかを考えればいいわけだ。それなら説明ができそうだ。

「マイクロ波聴覚効果」または発見者の名前から「フレイ効果」という現象がある。

第二次世界大戦中、レーダーアンテナのそばに立っていた操作員たちが「ジッ」という音や「カチッ」という音、「ブーン」という音などを聞いたという報告から、高周波＝マイクロ波が聴覚になんらかの影響を与えるだろうことが予想された。そこで実験が行われ、200MHzから3000MHz のレーダー送信機の周波数が、送信機のアンテナを囲むレドームから100フィート以上離れた被験者に聴覚反応を引き起こしたことが確認された。

1961年、アメリカの神経科学者アラン・H・フレイがこの現象を「マイクロ波聴覚効果」と名付け、仮説を立てた。マイクロ波が浴びると脳が5 ~ 10度ほど急速に加熱され、その結果、体液が膨張して衝撃波が生まれる。衝撃波は頭蓋骨を伝わり、耳の中の蝸牛で音として聞こえるのだという。

以降、フレイ効果として知られるようになったマイクロ波聴覚効果は、兵器への利用が検討される。2003年、米軍は「MEDUSA」(Mob Excess Deterrent using Silent Audio)の開発をスタートさせた。

MEDUSAは群衆を相手にする兵器だ。マイクロ波を群衆に照射する。電磁波を浴びた群衆の頭の中にフレイ効果によって衝撃波が発生、声が聞こえるのだ。マイクロ波に声を載せて送り、人間の頭の中をスピーカ代わりにして再生させるわけだ。

MEDUSAを使えば、デモをしている集団に向けて「解散しろ」「停まれ」などのメッセージを送ることができる。マイクロ波は方向と範囲を絞り込めるので、何百人もいる人間のうち、数人だけに正確にメッセージを送ることもできた。周りには何も聞こえないが、マイクロ波を照射された人間だけ、頭の中で声が聞こえるわけだ。

これはまさにテレパシーではないか？

▶テレパシーと脳波は関係している

実は脳波＝テレパシーのアイデアは、フレイ効果よりはるか前、脳波が見つかった当時からすでにある。

1925年、イタリアの精神科医カッツァマリは送信機と受信機の間に被験者を置き、被験者が鮮明なイメージや情動的なことを思い出すと、受信機にパチパチとノイズが入ることを発見したと発表した。

カッツァマリは人間が強い精神活動を行うと脳から数十～数百MHｚの電磁波が放射され、それがテレパシーの正体であると主張、論文はフランス語、ドイツ語、英語に翻訳され、学界の話題になったという。

カッツァマリの説は、フレイ効果とは逆に、人間の脳波が通信機のノイズとなるという理屈だ。

ドイツ人医師のハンス・バーガーは1929年に世界で初めて脳波に関する論文を学会で発表した。脳波のことをEEG（electroencephalogram）と名付け、脳波がアルファ波やベータ波といった周波数成分からできていることを発見したのはバーガーである。

バーガーが脳波の研究を始めるきっかけになったのは、テレパシーを体験したからだった。

1890年代初頭、当時は軍人だったバーガーは馬が転んで大砲運搬中の車両に轢き殺されそうになった。その日、遠方にいる姉からバーガーに電報が届く。胸騒ぎがしたので、父親に頼んで電報を打ったというのだ。

バーガーは非常に驚き、脳は非常時に強い電磁波を放出、通信機のように働き、別の脳へ刺激を伝えるのでないかと考えたのだ。しかし研究を進めるにつれて、脳波があまりに弱く、とても通信には使えないことに気がつき、脳波でテレパシーを説明することをあきらめる。

果たして人間の脳波が通信機で扱う周波数帯のレベルまで高まることがあるのだろうか？　脳波と通信用の高周波では出力の桁が違う。数倍ならともかく、数万倍も増幅しなければ、脳波を高周波に載せることはできない。

増幅装置がなければ不可能だろう。逆に言えば、増幅器があれば、脳波をWi-Fiの電波のように飛ばすこともできる。

もしそんな増幅装置が人間の器官にあれば、テレパシーは一気に現実のものとなる。

▶ハートとハートは共鳴する

心臓は脳波を増幅するかもしれない。

ハートマス研究所のローリー・マクラティは、心電図で計る心臓の電圧が脳波よりも60倍も高く、さらに心臓で発生する磁場は脳の磁場よりも5000倍強く（ただし東北大学の研究では心磁場は10-10 ~ 10-12T、脳磁場は10-12 ~ 10-15Tなので100 ~ 1000倍）、超電導量子干渉装置という超高感度の磁力計を使えば、体から1 ~ 1.5メートル離れても測定できるらしい(McCraty et al1998)。

心臓の電位変化（心拍誘発電位という）は脳波とリンクを示し、他者と同期するという。磁場は弱いため、接触した方が同期が起きやすく、被験者同士の手が触れあった状態では心拍数と脳波がほぼ同期した。また夫婦の就寝時の心拍数も同期しているという。

机の上にバラバラに動くメトロノームを何台も並べておくと、いつの間にか同じリズムですべてのメトロノームが動き出す。これは周波数の引き込み現象で知られ、面白いことに違うリズムの運動は、やがて同じリズムに揃っていくのだ。引き込み現象は心臓や脳でも起きていることがわかる。

心臓は脳波を増幅する装置かもしれないが、1.5メートル先までしか届かないのであれば、テレパシーを説明するには説明としては弱い。ハンス・バーガーのお姉さんが感じ取った弟の危機は、心臓の増幅ぐらいでは説明できない。ただし心臓による同期はグルーヴ、人が集まると熱気が伝染して大きなうねりになる理由の説明になるだろう。

フェスやコンサートに行かないと味わえない、グルーヴの感覚

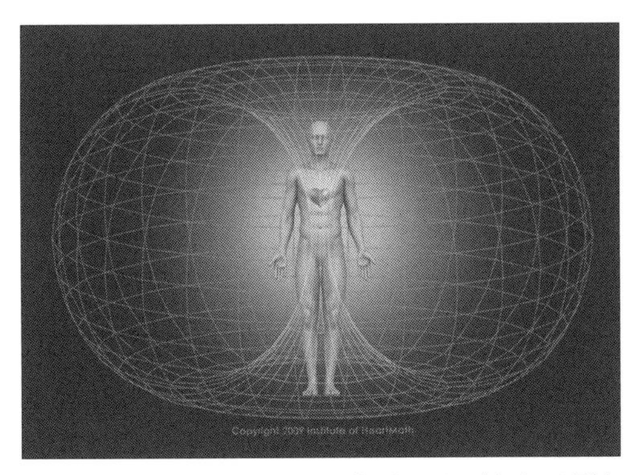

心臓の磁場は直径3メートルほどのドーナツ状（この形をトーラスという）で体を覆っているという
画像引用：HeartMath Institute

は思い込みではない。生理現象として物理的に起きている。互いの磁気フィールドが引き込み現象で同期し、何万人ものの観客の脳波が大きな一つの波になるのだ。

電磁波でテレパシーの説明らしきものは組み立てられるが、さすがに超能力、そのものズバリを説明するには電磁波では力不足のようだ。

アイデアのヒント

閉じ込められた意識を読む

作家・夢枕獏の人気作品にサイコダイバー・シリーズがある。相手の心の中に潜って、隠された情報を探し出すサイコダイバーという超能力者の話だ。

p75で紹介したBCIを使って、植物状態の患者の意思を読み取るという、サイコダイバーを地で行く研究がある。

カナダの西オンタリオ大学脳心理研究所のロリーナ・ナシ博士は、自動車事故で脳を損傷し、12年間も植物状態にある患者にfMRIを装着、意識の有無を調べた。すると患者に言葉をかけるとfMRIの活性化領域が変わるため、意識があることがわかったのだ。さらにイエス／ノーで答えられる問題「あなたの名前はスティーブンですか？」「ここはスーパーマーケットですか？」などにも、患者は脳の活性化で返事をした。

意識はあるが一切の体の反応がない状態を閉じ込め症候群という。恐ろしい状況だが、今後、こうした人たちの脳波から言葉なども読み取れるようになれば、医療も人の命のあり方も大きく変わっていくだろう。

第2節 未来予知

▶宇宙はデジタルな虚像

ホログラフィック宇宙論は、量子にプランク長があることから始まっている。プランク長という1.62×10のマイナス35乗メートルより小さな世界では物理法則が通用しない。つまり私たちの世界はプランク長のマス目が集まってできたデジタル空間だと言えなくもない。

ホログラム画像を見たことがあると思う。平面の板の中に虹色の立体3D映像が浮かんで見える。2次元に記録されたデータに光が当たり、元の3D映像を再現しているのだが、あれが宇宙全体で起きているのではないかというのがホログラフィック宇宙論だ。この世界は2次元の膜に記録されていて、レーザーで平面の写真から立体映像＝ホログラムを再生するように、3次元に投影されているのだという。

2次元にプランク長のドットで世界の情報が書き込まれ、それが起ち上がっているのがこの世界なのだ。

▶4.8秒先の未来を私たちは予知している

ホログラフィック宇宙論から未来予知が説明できる。

米・純粋知性科学研究所のディーン・ラディン博士らが2014年に発表した論文「Predicting the unpredictable: critical analysis and practical implications of predictive anticipatory activity（予測不可能な予測；予測活動の重要な分析と実際的な意味）」によれば、人間は4.8秒先の未来を予測できるらしい。

脳波計や心拍計、皮膚電気活動測予想活動（PAA）計などの生理的変化を測定する機器をつけて、スクリーンにさまざまな45枚の写真を表示し、反応を調べた。各写真は3秒間ずつ表示され、その後、10秒間空白を設けることで写真間の影響がないように配慮した。写真の中には非常に刺激的な写真が混ぜられていたのだが、その写真が表示される4.8秒前に生理活動値は上昇し、まだ写真を見てもいないのに見た時と同じレベルの数値を記録したのだ。

未来が漏れている？

ディーン博士らの研究結果を説明するように求められた物理学者は、この現象について、ホログラフィック宇宙論から３次元に投影される前に２次元の情報を私たちは読み取っているのではないか？　とした。2次元から3次元への再生にかかる4.8秒だけ早く、私たちの脳は２次元から情報を取り込んでいるのだ。

▶エントロピーは逆転し時間は逆行する

2019年３月、モスクワ物理工科大学、イリノイ州のアルゴンヌ国立研究所、スイス連邦工科大学などの研究チームは量子コンピュータを使って、エントロピーを減少させることに成功した。

エントロピーは時間に比例して増大する。逆転はしない。それが時間の正体だと量子重力理論ではいう。しかし増大しないどころか減少させる例外がある。生命だ。生命は無秩序から秩序を生み、エントロピーを逆行させる。時間が逆行しないのは、熱サイクルで見た場合、増大したエントロピーを熱で放出しているからだ。

生物は熱を放出するが、生物をプログラム化したものなら、熱を放出しない。もしそんなプログラムを量子コンピュー上で走らせたら、エントロピーが減少し、量子情報は未来から過去へと逆転するのか？

量子コンピュータは０と１のビットではなく、０と１と重ね合わせの３つの情報単位＝キュービットを使う。最初はきちんとキュービットを整列させておき、研究チームはそこに生物のプログラム（自然界の遺伝子集団をモデル化したもの）を走らせた。キュービットは乱雑さを増し、カオス状態になったが、ある時点から秩序を持ち始め、キュービットは最初の状態へ戻ったのだ。

エントロピーが逆転したと言えるわけで、自然界ではこうしたことは起こらない。

この実験でプログラム＝情報だけなら熱エントロピーを増大させないことがわかった。エントロピーの増大＝未来、エントロピーの減少＝過去なら、エントロピーが逆転し、減少したということは、理屈上では時間は逆行したことになる。

未来予知は可能なのだろうか？

アイデアのヒント

予知とエントロピーとホログラフィック宇宙

生物の秩序がエントロピーを減らし、未来が過去を決定する。だとしたら、人間という生物の意識（情報だけであり、熱エントロピーを増大させない）だけなら、エントロピーを逆転させ、結果から原因を決定できるのか？　時空の情報が二次元に記録されているなら、エントロピーの減少は何を意味するのか？

未来予知と科学を結び付けることは不可能ではない。

第3節 幽霊の正体

▶幽霊の正体は枯れ尾花ではなく？

古今東西、幽霊にまつわる話は数限りない。あまりに数が多いので、幽霊がいるかいないかよりも、いるのだと考えた方がすっきりする。都心のタヌキみたいなもので、新宿のビル街にもタヌキはいるのだ。しかし実際に新宿でタヌキを見たという人は少ない。

条件が揃えば、幽霊は万人が見てしまうものなのだろう。ただその条件がまったくわからないから、ほとんどの人が幽霊を見ない。巣穴が見つかれば、ビル街でもタヌキを見ることは簡単だが、巣穴が見つからないからタヌキがどこにいるのかわからない。

イギリス・コベントリー大学のビク・タンディーは、医療機器メーカーの研究室で働いている時、奇妙な体験をした。ある日の夜、タンディーは寒いのになぜか汗が出て、憂鬱で、ひどく不快な気分に襲われた。そこでコーヒーを飲みに行って一息入れ、デスクに戻ってから再び仕事に取り掛かろうとした時のことだった。

「ゆっくりと左側に人影が現れた。それは視界の周辺にあり不明瞭だったが、彼が期待する通りに動いた。幽霊は灰色で、音も立てなかった」（2009年の論文「A Ghost in the Machine」より）

振り向くと幽霊は消え、彼はその時点でようやく自身が総毛立っているのに気づいたという。

その翌日、タンディーは研究室で趣味のフェンシングのサーベルを手入れしている時、ふと金属片が振動していることに気がついた。モノには、それぞれ共有する振動（共有振動数）が決まっている。耳には聞こえないが、研究室には金属片と共振する振動数の音が響いているのだとタンディーは気がついた。そして、新しく購入した洗浄機のファンが振動し、19Hzという耳には聞こえない低い音が出ていることを見つけ出した。まったく聞こえない低周波が、人間に影響を及ぼして自分の不快感や幽霊のような幻覚につながった？

そう考えたタンディーは、19Hz前後の低周波を聞いた人間は幽霊を見るという仮説を立てた。

▶低周波が見せる幻覚

NASAの研究によると、目の共鳴周波数は18Hzだという。つまり、18Hzの低周波で目が振動し、視神経にノイズを発生させる可能性がある。また、全身に共鳴が起きると過呼吸が引き起こされ、交感神経が活性化して体温が上昇する。そのために緊張と不安感が増し、それによって交感神経がさらに興奮して過呼吸になり、というサイクルができてしまう。

タンディーは、洗浄機のファンの発する低周波により過呼吸に陥り、不安で不快な状態に陥っていた。そして椅子に座った位置がちょうど18Hzとなり、視神経が刺激され幽霊が見えたのだと考えた。

「起き上がって物体を見ようと振り返った時、このピークエネルギーのゾーンからわずかに低いエネルギーのゾーンへと身体がずれて、幽霊は消えたのだ」（同上）

洗浄機のファンの取り付けをやり直すことで、タンディーの感じていた不快感は消えた。

タンディーが幽霊の原因は低周波だとする説を発表すると、全国から問い合わせが殺到した。その後、タンディーは幽霊が出ると言われる場所を巡っては低周波が出ているかどうかを調べ始めた。すると、どの幽霊スポットでも19Hz以下の低周波を測定することができたという。おかげでタンディーは有名人になり、新聞に「ゴーストバスター」（幽霊退治人）と書かれるようになったそうだ。

▶幽霊を見る部屋

タンディーの研究を踏まえ、懐疑主義者で疑似科学バスターのクリストファー・フレンチと建築家のウスマン・ハクは、被験者に人工的に幽霊を見せる実験を行うために幽霊の出る部屋を作った。

タンディーは低周波の音が幽霊を見せるとしたが、電磁波の異常で幽霊を見るという説もある。

脳に電気刺激を与えると被験者は「時間の歪み」や既視感、存在感、体外への「投影」などの超常感覚を体験する。脳に幽霊を幻視する機能があり、それを電気的に刺激することは可能らしい。もしかしたら幽霊の出る場所では磁気の異常が起きており、脳が刺激されるのかもしれない。

フレンチらの作った部屋は直径3メートルの円筒形で、壁に低周波の音と電磁波を発生させる装置が組み込まれた。

部屋に被験者が入ると、誰もがゾクゾクする不快な感じを覚え、体外離脱や何かがいる気配を感じた人もいた。実に94パーセントの人が「何かを感じた」のだ。タンディーの仮説は正しかった。

▶電車の前に現れる子ども

低周波と異常磁場が脳にある超常感覚を感じさせる部位を刺激し、幻覚を見せるというのは、とてもシンプルな説明だ。客観的な幽霊はおらず、見た人の主観にしか幽霊はいない。物理的に幽霊はいないが、脳の中に幽霊はいる。脳を刺激されれば、誰でも幽霊を見る。

では次の場合はどう説明すればいいのか？

2016年、都営大江戸線の新御徒町駅構内で、子どもが線路内に立ち入ったとアナウンスが流れて運行が遅延した。その後、子どもの姿は確認されず、監視カメラの映像にも記録がなかったため運行は再開した。2015年には、東海道線茅ヶ崎駅の線路内に一人で遊んでいる子どもの姿をホームにいた複数の客と運転士が発見、電車の運行を停止して駅員と駆け付けた警察官が子どもを捜索するも見つからず、監視カメラにも子どもの映像記録はなかった。

鉄道や駅ではさまざまな機械が動いているため、ちょうど18～19Hzの低周波が出ていてもおかしくない。幽霊が出るという地下鉄の駅で、タンディーが周波数を測定したところ、幽霊を見たという位置は19Hzの低周波にさらされていたという。しかし奇妙なのは、全員が子どもを見ていることだ。

低周波による幻覚なら、なにも子どもである必要はないだろう。長い髪の女を見た、白い影を見た、そういう証言があって当たり前である。全員が子どもの幻覚を見るなんて、全員が同じ夢を見るくらいありえない。

ここで逆のことを考えてみる。幽霊は実在するが、通常の意識状態では見えない。低周波や電磁波で脳が刺激された時、普段、脳がキャッチできなかった幽霊をキャッチするようになる。

顕微鏡を使って初めて微生物が見えるように、低周波を浴びると脳が幽霊を見る状態に変わると考える。話としてはこの方が面白いと思うのだが、どうだろうか。

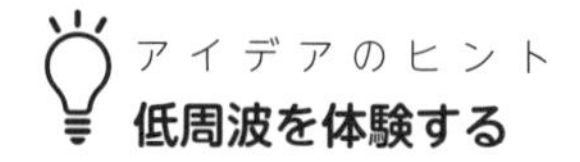

低周波を体験する

19Hzの低周波は、スマホのアプリで簡単に再生できる。私は「周波数ジェネレーター」という無料アプリをダウンロードし、18Hz（幽霊が見たかったので）をかけっぱなしにしてみた。音量を最大にして、スマホを机の横に置いておく。すると1時間ほどして、本当に調子が悪くなってきた。胸がムカムカして、息が苦しい。不快感だ。不安はないが、気持ちが悪い。一度切って、数日後にまたやってを３～４回繰り返したが、同じ感覚だ。どうやら、低周波が人を気持ち悪くさせるのは本当のようだ。

何回かやってみて、幽霊は見えないし、気分は悪いしで止めてしまった。何か見えれば俄然やる気も湧いてくるというものだが、きっとコツがあるのだろう。

第4節　体外離脱

▶臨死体験をする人たち

『臨死体験　9つの証拠』（著ジェフリー・ロング、ポール・ペリー／監修　矢作直樹　ブックマン社）は、医学博士のジェフリー・ロングが1300例の臨死体験者の体験談をもとに、臨死体験の真実に迫ったベストセラーだ。

1998年8月30日にロングはNDREF（Near Death Experience Research Foundation）※1を立ち上げ、臨死体験をしたネットユーザーの体験談の収集を開始した。同書はサイトで集められた証言をベースとして、臨死体験とは何か？　その先に死後の世界

※1　http://www.nderf.org/

はあるのかどうかにまで踏み込んでいる。

臨死体験は、文字通りの意味であれば、死に際して一部の人間に起きる特殊な体験である。死に瀕した人間が走馬灯のように人生を回顧し、手術中の自分の体を天井から見下し、川の向こうから自分を呼ぶ声を聞く。誰もが一度や二度は聞いたことがあるだろう、死んで蘇った人たちの体験だ。

多少の差異はあっても、そこにはよく似たパターンが見受けられるという。ロングは613人の体験談をもとに、12項目に分けて整理した。同書によれば、

1. 体外離脱体験
2. 知覚が鋭敏になる
3. 強烈な感情、多くの場合、ポジティブな感情が芽生える
4. トンネルに入る、あるいは通り抜ける
5. 神秘的あるいは強烈な光に遭遇する
6. 神秘的な存在あるいは亡くなった身内や友人など、他者に遭遇する
7. 時間や空間の変化を感じる
8. 人生回顧（ライフ・レビュー）が起きる
9. この世のものではない（『天国のような』）世界に遭遇する
10. 特別な知識に出会い、習得する
11. 境界や限界に到達する
12. 自発的あるいは非自発的に、肉体に帰還する

雑誌などに載っている臨死体験の話は、たしかにこのパターンに合致する。死に際して、脳の中で未知の反応が起きる可能性は極めて高い。

苦痛を和らげるために大量の脳内物質が分泌され、肉体的な死

の訪れとともに、脳が幻覚を見るのではないか？　一般的な医学者はそう考えている。医学上の死が正確な意味での死を捉えきれておらず、脳波ががあまりに弱く測定できないだけで、脳の活動は微弱ながら続いていて、つまり患者はまだ生きていて最後の夢を見ているのではないか？

臨死体験の中でも体外離脱は特に奇妙だ。手術中の自分を自分が見ている、ベッドで寝ている自分を親族が取り囲んで泣いているのを天井から見ている、などが起きるという。夢というよりも現実の体験のようだ。その後、体を抜け出した自分はあの世へと飛んでいく。

体外離脱をしたという話は、幽霊を見た、宇宙人と会ったというオカルトのレベルで語られる。それはありえざる現象だ。しかしロングによれば、臨死体験者の75.4％が体外離脱を経験したという。

死と同時に肉体から精神だけが離れる、いわゆる体外離脱が起きるのはなぜか？　同書の中で体外離脱の体験者は言う。

「目覚めたまま仰向けに横たわっていると、突然、天井から自分を見下していた」

「気がつくと、私は川の三〇メートルほど上空に浮かんでいて、岩の間に引っかかったゴムボートを見下していた」(同書)

ロングは臨死体験は脳内物質が見せる幻などではなく、本当に起きているのだという。つまり死後の世界があり、臨死体験者は死者が体験するように死後の世界を体験し、蘇生したというのだ。その根拠として、呼吸と心拍が停止した完全に意識不明の状態で、意識を持つことはできないことを挙げる。心拍と呼吸が停止すると10～30秒で脳波も停止する。脳が動いていないのに、なぜ意識があるのか？

全身麻酔下でも心拍停止と同時に臨死体験が起きている。つまり意識の主体は肉体ではなく、別の何か（魂と呼んでもいい）ではないのか？　盲目の人も臨死体験では、情景を見るのだという。「すべてがくっきりと鮮明だった。私は眼鏡なしでは法的に盲目だが、（中略）医師の行為がはっきり見えた」（同書）

普段なら思い出しもしない詳細な部分まで、死という鮮烈な体験によって思い出すのだという学者もいる。しかし単なる記憶で、視覚を失った人が視覚映像を見ることが説明できるのか？

肉体の死とともに意識は肉体を離れ、あの世へと移動する。その過程で人生のすべてを振り返り、身内の死者あるいは天使などの超越者のガイドで宇宙の真実を教えられる。それは世界と自分との合一であり、美しく明るい世界だという。そして向こう側へと渡る川の手前やトンネルの終点で、先に亡くなった親族から、戻るようにと言われる。

▶魂が体を抜け出す体外離脱

体外離脱は臨死体験の時に起きるだけではなく、日常で行う人がいる。寝ていて気が付いたら天井あたりから寝ている自分を自分が見ていることに気が付く、というパターンが多い。魂が体から抜けて、外を漂うのだ。そのまま魂があちら側へ行ってしまうと臨死体験、こちら側に留まると体外離脱、そういうものらしい

昔から死んだら魂が体から抜け出るというが、体外離脱の場合、生きているのに意識が体から抜け出てしまう。つまりは体外離脱中の人間は、生きているのに死んでいる、死んでいるのに生きている。

人間は意識が自分の体の外にあると感じることはできるらしい。

ゴムの手の錯覚＝rubber hand illusionと呼ばれる実験がある。テーブルの上に仕切りとゴムの手を用意する。被験者はテーブルに座り、手をテーブルの上に置く。手の隣りに仕切りを置いて、被験者から自分の手が見えないように隠す。そして目の前にゴムでできた偽物の手を置くわけだ。被験者からはゴムの手しか見えない。そうしておいて、被験者の手とゴムの手を同時に筆でなぞる。

しばらく繰り返すと何が起きるかというと“ゴムの手がくすぐったくなる”。

自分の手が刺激されていて、でも自分の手は見えない。代りにオモチャのゴムの手が目の前にあり、その上を筆がなでている。するとゴムの手があたかも自分の手のような錯覚が起きるというのだ。つまり意識する場所が“体の外”に動いたのだ。

しかもオックスフォード大学の研究チームによると、ゴムの手の錯覚が起きると、被験者の手の温度が下がる。意識が外に動くと残された身体側の機能が低下するのである。まるで魂が抜けて体の機能が下がったかのように。

ゴムの手の錯覚をさらに進めて、体全体で行ったらどうなるのか？　つまりマネキンのような等身大の人形を用意し、自分の体と人形の体を同時に撫ぜたら何が起きるのか？

スイスのカロリンスカ研究所の神経科チームはボディスワッピング＝肉体交換の実験を行なった。被験者とほぼ同じ体型のマネキンを用意、被験者とマネキンにカメラとモニタがセットになったヘルメットをかぶせる。ヘルメット同士をつなぐと被験者からは、マネキン側からの映像が見える。つまり正面に立っている自

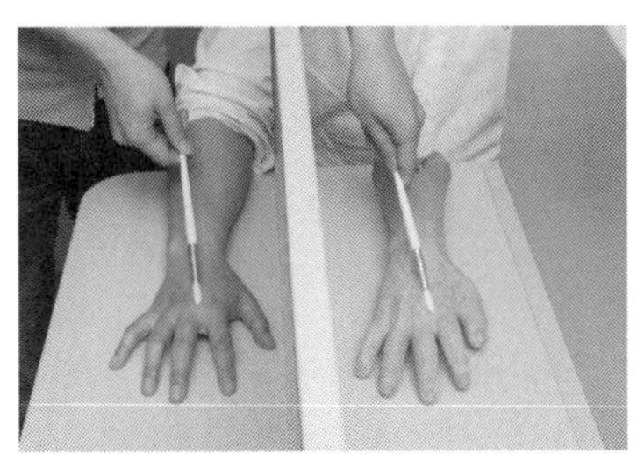

ゴムの手の実験。人は簡単にマネキンの手を自分の手と錯覚する
著者撮影

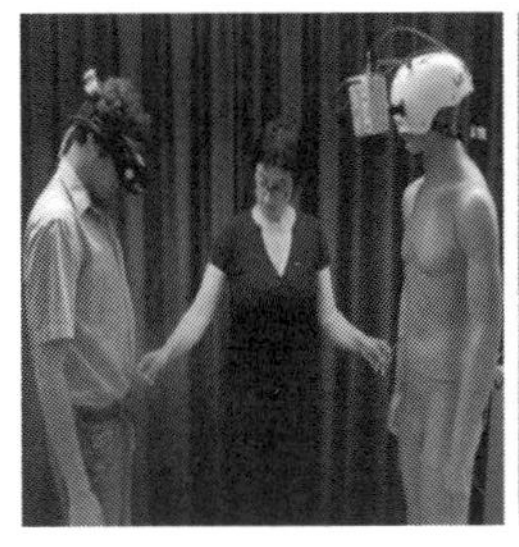

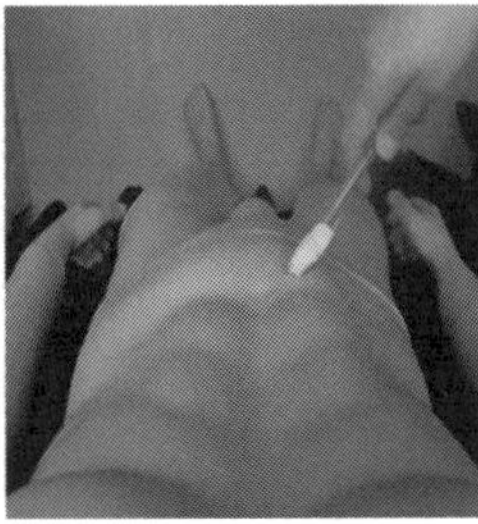

カロリンスカ研究所で行われたボディスワッピングの実験。人体全体の入れ替わりは容易に起きる。他人の体を自分の体のように錯覚できるのだ
画像引用：PLOS ONE

分だ。

マネキンの視界が自分の視界となり、マネキンと自分の視界が入れ替わる。次にゴムの手の実験と同じように、マネキンと被験者の体を同時に筆でサワサワするとする。

被験者はマネキンの体をくすぐったく感じた。被験者が自分の体とマネキンの体を十二分に勘違いしたところで、次にマネキンの腹の上でナイフを滑らせ、その腹に傷をつけた。

どうなったか？　ナイフがマネキンを傷つけた瞬間、被験者の脳波は跳ね上がった。マネキンの腹を切られた被験者は（痛い！）と感じたのだ。

天井から寝ている自分が見えるかどうかはともかく、意識というのは五感の情報に頼る曖昧なもので、十分な想像力さえあれば、人には寝ていながら天井で物を考えることができる。そこに意識

の主体があると強く思えば、意識はそこへ“移動する”。ここまでは人間にある機能だと科学が証明した。

▶脱サラくんとジャミラの世界

体外離脱の経験者によれば、体外離脱を始めると自由に好きな場所へ行き、好きなことができるようになるという。体外離脱が趣味の会社員が書いた本『体外離脱するサラリーマン ヘミシンクで“誰でもできる”不思議体験』によると、

「体外離脱してしばらくすると、僕はラーメン屋にいました（中略）麺はツルツルシコシコの中細の縮れ麺。スープは醤油味で、こってり豚骨とさっぱり魚介のダブルスープ

「あなたは会社の顔なんだから、もっと美人になりなさい」と、その女性の肩に手を置き、女優のような、ハーフ系の美女に変身させてあげました。（中略）その、美人になった受付嬢が、「美しくなった私を、もっと見て…」と、いきなり服を脱ぎだし、大勢のギャラリーがいる前で、なんと全裸になって」

これは……ただの夢ではないのか？

体外離脱サラリーマン、略して脱サラくんによると「五感ははっきりしているし、ものすごくリアルな世界」で「普通の夢と違い、その中で自由に行動もできます」とのことだ。

脱サラくんが体外離脱に成功したのはヘミシンクというCDを聞いてからだ。

ロバート・モンローの開発したヘミシンクは特定の周波数の音をいくつも重ね合わせることで脳をまんべんなく刺激し、体外離脱などスピリチュアルな体験に必要な脳波を引き出すという。目的別にCDがあり、脱サラくんが最初に挑戦したのは『体外への

旅』。聞いていると体外離脱が起こりやすくなるらしい。

ベーシックなものとして『ゲートウェイ・エクスペリエンス』シリーズ1～6巻がおススメだそうだ。ゲートウェイ＝入り口が何の入り口かというと潜在意識である。モンローによると意識はバームクーヘンのように層状になっていて、化石を掘り出すように意識の奥の自分の知らない自分に会うことで、より充実した人生を送ることができるらしい。

脱サラくんによれば、個々人にガイドというのがいて、それと話しながら前世を探るのだが、そのガイドは「金髪のロングヘアが美しい人魚」や「真っ黒なボンデージスーツに身を包み、ナイスバディ」の女王様のような女や「馴れ馴れしい宇宙人コンビ」「ウルトラ怪獣のジャミラ」などさまざまである。

このジャミラ、「よくお金がなくて困っている状態のことを、"首が回らない"っていうだろ？　でも僕には最初から回す首がないからね～」などと言う。しかもジャミラは「なぜ世の中には、お金に恵まれない人と、そうでない人がいるか分かるかな？」などとナポレオンヒルみたいなことを長々と説教する……やっぱり夢では？

▶これが体外離脱？　ヘミシンク体験

『体外への旅』CDは6枚組み。1枚目には長々と説明があり、2枚目でリラックスの基本を習得、3～5枚目で意識の動かし方を学び、6枚目で離脱する。

CDを聞けば離脱するかというとそう簡単ではなく、CDはあくまでサポートだ。最初に横になって体を深くリラックスさせ、自分の体があるのかないのかわからない夢うつつの状態にする。次に意識を眉間から30センチほど上空に設定、そこから1m、2mと高くする。そのまま意識をグーッと90度動かし、頭の真上2mに移動させる。そこでバイブレーションを探る。バイブレーションが見つかったら、体に引き込み、体全体を高速で振動させるとやがて意識が肉体から浮き上がり、突然反転して体全体が中空に浮くのだという。

当初1週間はまったく意識が動かせず、苦労したが、その翌週から天井辺りに意識を持って行くという感じはわかるようになった。人間の想像力は凄い。そしてその次の週である。6枚目のCDを聞きながら意識を動かしていくと、寝ている自分から自分の首をまたいで立つ自分の影のようなものへ意識が動き、再び寝ている自分へ意識が戻り、今度は天井から見下ろしている自分へと意識が飛ぶという奇妙な感覚に襲われた。

自分の体と影の間をヒュンヒュンと意識が行き来する。そのうちに体からまさに抜け出るとしか言いようのない感覚が上半身に起きた。これがモンローのいう、バイブレーションらしかった。

細かな携帯電話のバイブ機能みたいな動きを想像していたが、バイブレーションというよりうねりである。体の中を波打つようにうねりが移動していく。そのスピードがだんだん速くなり、体の中が温かくなっていく。

そして不意に手が抜け出た。自分の腕は布団の中にあるはずだが、あきらかにそこより上の位置に自分の右手が感じられる。指を動かすと動く。

腕につられるように肩と足が抜け始め、体全体が浮き上がりかけたところで我に返った。ビュンと体に引き戻された。

体外離脱の一番最初の段階、手が抜けることを体験したのである。非常に驚いた。新鮮で未体験の肉体感覚だった。

▶体外離脱を疑似体験する～SR＝代替現実とは？

理化学研究所脳科学総合研究センター適応知性研究チームのチームリーダー、藤井直敬が開発したSR＝代替現実システムは、ヘッドマウントディスプレイに映る映像を操作することで、被験者の時空間の感覚を操作するものだ。それは体外離脱や悟りの疑似体験であり、脳が把握する現実がいかにあやふやなものかを体験できる装置である。

SRはボディスワッピングの装置と基本は同じだ。ただし見える映像を時間的に操作する。

ヘッドマウントディスプレイに映る映像が1週間前のものでも、見ている被験者にはわからない。人が現れ、挨拶されれば、挨拶を返す。しかし実際にはそこに人はいない。

握手しましょうと手を差し出され、握手しようとしても手は虚空をつかむ。

そうした過去の映像と現在の映像を切り替えながら映すと、被験者は現実がどうなっているのかわからなくなる。脳が混乱したところでゾンビが襲ってくる映像を見る。そんなことはないと普通なら判断できるが、現実感が失われているため、現実かもしれないと錯覚する。ゾンビが被験者に触れたタイミングで、実際に肩に触れられたら……悲鳴を上げる。

最後にカメラを切り換え、被験者の姿を映す。つまり自分でSRを体験している自分を眺めるのだ。体外離脱の疑似体験である。

SRでこの体験をすると、ゴムの手の実験でマネキンの手に自分の手の感覚が移動したように、意識がカメラ側に移動する。

意識はカメラ側にあり、自分の体が自分には見えている。そんな体外離脱の時に見えるだろう風景を見ると、身体感覚がおかしくなる。意識が体の外に抜け出てしまうのだ。今、自分の体はどこにあるのか？

幻覚と現実は本人には区別できない。体外離脱を始めとする臨死体験は脳の中で起こる現象であり、本人とっては絶対的な現実である。

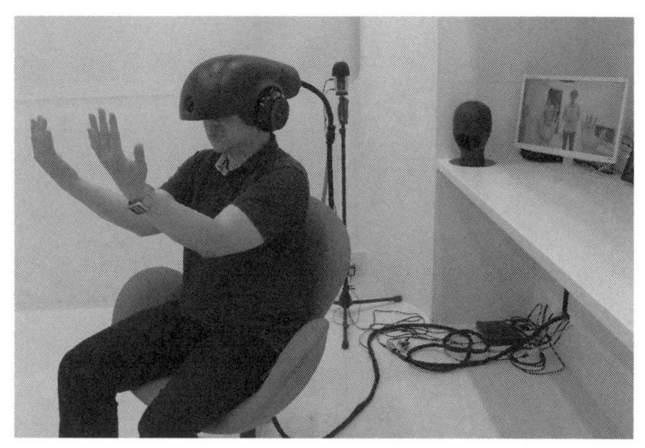

SR体験中の筆者。ヘルメットに現実ではない映像が映し出されると、容易に人の感覚は狂う

画像引用：別冊週刊大衆

アイデアのヒント

VRは体外離脱の装置になるか？

SRを体験してわかったのは、VRで言う没入感や映画などの物語にのめり込む感覚と体外離脱は基本的に同じだということだ。異世界転生の物語が人気なのは、物語の構造にSRが現実を仮想化する仕組みと同じ働きがあり、没入感覚がより強いからかもしれ

ない。

現実だと思っていることは主観に過ぎない。体外離脱を考えることは主観とは何か、自分にとっての現実とは何かを考えることである。

第5節　霊視

▶霊感は超自然的な現象を実現する能力

多くの人にとって超能力は縁遠い。テレビ番組以外で超能力者と会うことはまずない。しかし超能力も角度を変えれば、意外と身近になる。

超能力ではなく霊能力ならどうだろう。霊能者なら、占いの館のような場所に行けば会える。

タロット占いや四柱推命といった古典的な占いに混じって、霊感占いや霊視をするという人が必ずいる。

占いの世界では、霊感は五感ではなく第六感であり、自分の霊が感じる他の霊＝死者の魂を通して、他人が知りえない秘密やこれからの運命を知る技術とされる。霊視は相手の霊を見たり、霊から情報を受け取る。霊感は霊の力を借りる受動的な能力、霊視は自分から相手の霊的なものを見聞きする能動的な能力らしい。

ちなみに消費者庁による霊感の定義は「除霊、災いの除去や運勢の改善など、超自然的な現象を実現する能力」を指し、その他に「合理的に実証することが困難な特別な能力」としては超能力が相当するとある。

霊が関係すると霊能力、人間だけで使う力が超能力という感じだろうか。

▶肉体と魂の二元論

科学では、心とは脳の中で起きる生化学反応と電気信号の結果だが、呪術や宗教では、肉体という器に霊という意志が乗って初めて人間となるとする。肉体と霊（＝魂・心）は別々なのだ。だから宗教では、死ぬと肉体から魂が抜け出るといった考え方をする。

霊能や霊視は肉体ではなく魂を使って行う心の技術であり、本来は科学が扱うものではない。科学が扱うのはあくまで物質であり、心は扱わないからだ。心理学は科学ではなく、社会学や文学の範囲である。大学の学部がどう構成されているかを見ればわかるが、理系の学部に心理学部や心理学科を置いている大学はない。

霊能力を科学で説明するというのは矛盾であり、説明以前ともいえる。

だが、意外な方向から霊能力が解明されるかもしれない。

シックス・センス（第六感）とは、基本的に、五感（視覚、聴覚、触覚、味覚、嗅覚）以外のもので五感を超えるものを指しており、直感、霊感、超感覚的知覚（ESP）や予知能力などを総称したものだ。

そして第六感の正体とは磁気を感じる能力ではないか？　と科学者が言うのである。

▶脳は磁界の変化を感じる

2019年、カルフォルニア工科大学のコニー・ウォンは、磁気的に完全に遮断された部屋を作った。電磁的に遮断された箱や部屋をファラデーケージや電磁波シールドルームと呼ぶが、まさにそれである。

ウォンの部屋も外部からの電磁気はすべて遮断したが、内部には高磁場を発生させるコイルが格子状に設置されており、360度どこにでも方向の違う磁界を発生させることができた。その部屋の中央に脳波計のヘッドセットを着けた被験者が座った。

ウォンらは、人間にも鳥のように磁気を感知する機能があるという仮説を実験で証明しようとしたのだ。

被験者は目を閉じて北を向いて座る。座っている間、磁界の方向は上下角と左右角に動かされ、被験者は脳波の変化を記録された。人間に磁気を感知する能力がなければ、磁界の向きを変えても脳波に変化は出ないはずである。しかし実験の結果、個人差はあるものの、磁界を回転運動させた時に明らかに脳波、特にアルファ波に変化が現れた。

人間は磁気を探知できるのだ。

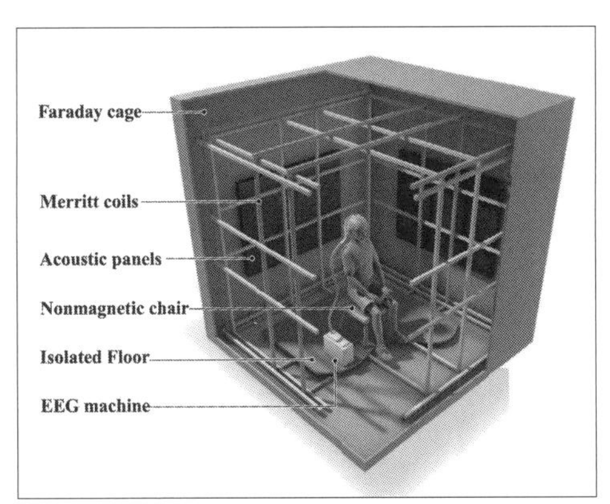

ウォンらが作ったファラデーケージ。地磁気も遮断し、部屋で発生する磁気のみで被験者の脳が反応するかどうかが調べられた
画像引用：California Institute of Technology

▶人は磁気を見ることができる？

鳥類は網膜で捉える磁気感覚に頼って移動するという説は、1970年代後半、すでに物理学者のクラウス・シュルテンにより報告されていた。

渡り鳥やミツバチが磁気を感じている、サメが電気を感じるロレンチーニ器官を持っていることはよく知られている。

犬も磁気を感じるらしい。ドイツとチェコの研究チームは、2年間にわたって37品種の犬の1893回の排便と5582回の排尿を記録した結果、「犬は南北の軸に沿って排泄する」ことを発見した。頭から尻尾までが南北になる位置を探して排便するのだ。

犬を飼っていると、排便の時に腰を落とした姿勢でヨタヨタと回転することを知っているだろう。あれは体の向きを南北に調整しているらしい。彼らは地磁気を感じ、トイレをする。なぜかはわからない。

この磁気感覚は、人間の網膜にもある、クリプトクロムという特殊なタンパク質の働きを利用して得られるそうだ。光感受タンパク質であるクリプトクロムは日光を浴びた時に、体内時計を調節する機能に関わっている（だから網膜にある）。そのタンパク質が光だけではなく磁気にも応答し、活性度が高い。そのため鳥類は、磁気を視覚としてとらえていると考えられている。

クリプトクロムがあれば、磁気を見ることができる。だとすれば、人間のクリプトクロムも磁気をキャッチし、磁気を視覚化しているのか？

マサチューセッツ大学医学部のローレン・フォーリーらは、遺伝子操作でショウジョウバエの網膜にヒト由来のクリプトクロムを作らせ、ショウジョウバエで磁気センサーとして機能することを確認した。

ショウジョウバエは磁気の変化に敏感で、エサを与えて訓練をすると、コイルで発生させた磁気を探知、コイルに目がけて飛んでいくようになる。人間のクリプトクロム遺伝子を組み込んだショウジョウバエは、コイルに向かって飛び、クリプトクロムができないように操作したされたショウジョウバエはその場に留まった。

人間のクリプトクロムは磁気に対して反応するのだ。

▶霊能者は磁気を見る？

霊視をする人に会った人はわかると思うが、彼らは相談者の頭上や肩のあたりを見ながら話をする。そして家族が何人いる、亡くなった人がいる、と当ててくる。

ある霊能者に何を見ているのかを聞いたら、霊やその人に関係する情報が相手の頭上に薄ぼんやりと見えるとのことだった。

人間は不要になった能力は退化する。最近は親知らずが生えてこない人が増えているという。近代人は古代人ほどあごの骨が発達しないため、元々退化の過程で生えてくるのが遅かった親知らずが、とうとう生えなくなったわけだ。いずれ奥歯そのものがなくなるかもしれない。

磁気を見る能力も親知らずのように不要だから、退化したのか、あるいは脳が使わないようにブロックしているのだろうか。そしてまれに先祖返りで磁気に敏感に反応する人が生まれ、幽霊などの怪異を見るのだろうか。

磁気が見えるということは、脳波が見えるということだ。霊能者が相手に質問を投げかければ、その答えを相手は思い浮かべる。

家族が何人？　と聞かれれば、家族の顔や数字を思い出す。思い出した情報は脳波として出力され、霊能者はその脳波を見て家族構成を当ててしまう。

その解像度が高い、ボンヤリした磁気の情報からより精度の高い情報を読み取れる人、あるいはより的確な質問で情報のクオリティを上げる人が腕の立つ霊能者かもしれない。

だからといって、霊能者が失せ物を探したり、人を捜し出す透視能力や来年いい人が現れますといった予知能力は、磁気では説明できないのだが……。

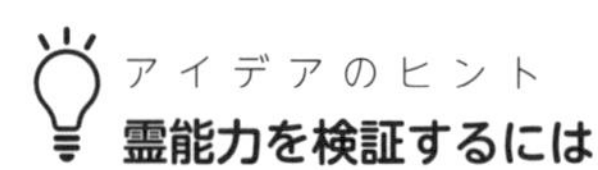

アイデアのヒント

霊能力を検証するには？

幽霊も磁気的なものだとすれば、幽霊の出る場所にはネズミを電磁波で撃退するというペストカッターでも置いておけば、お祓いできるのではないか。塩でお祓いは殺菌の意味だから、ファブリーズしても一緒と同じ理屈だ。

本当に霊能者が磁気が見えるかどうか、廃品処理場で大型マグネットのスイッチを入れたか入れないかを見破ってもらいたいが、絶対に協力してくれないだろうと思う。人間は脳波の周波数帯しか見えないと言われればそれまでであり、こうした検証は難しい。

第6節　サイコメトリー

▶水は記憶するのかしないのか

触れた相手や物体の情報を読み取るサイコメトリー。ドラマのネタとしてもよく使われる。サイコメトリーが実際にあるとしたら、過去は何に記録されているのかが疑問だ。幽霊にしても、死んだ人の情報が何に記憶され、呼び出されるのか。

空間に霊の情報を記録する性質があるというのは、ブラックホールの構造が問題になり、量子コンピュータが動いている21世紀に、あまりにも不見識だろう。

よく言われるのが水だ。お菊さんが捨てられた井戸から毎夜化けて出る話のように、幽霊と水辺は相性がいい。人間も7割は水だ。水には人間の記憶や霊的なものを記録する機能がある？

情報は記録媒体を変化させ、変化を固定することで記録される。記録媒体に構造ができるわけだ。音は空気を波打たせて伝わるが、空気には何も残らない。空気は構造を持たないからだ。水面に声を当てれば、さざ波が立ち、波紋が起きる。しかし波はすぐに消え、どこにも残らない。水を媒体に声を記録しようとすれば、氷に変えるしかない。水面の波紋を瞬時に凍らせれば、レコードのように音は記録されるだろう。しかし水は液体なので、どんな音楽を聞かせようとそこに音の記録は残らない。

水には構造がない、だから情報が記録できる物理的な機能がない。記録する以前に水には何も記録できない。

しかし液体である水にも構造があるとしたら、話は別である。構造を持てば、情報を記録することができる。水に何かが記録されることは絶対にないとは言えなくなる。

▶水は構造がある？

ワシントン大学生物工学科教授のジェラルド・H・ポラックは水から氷へ変わる途中に排除層という新しい水の相があると言っ

ている。

表面張力は、水が水滴を作ったり、コップの水があふれる直前、ギリギリで丸く盛り上がって安定させる力だ。水の分子は互いに引き合っているが、表面の水分子は外に引き合う水分子がいない。表面張力が起きるのは水の一番外側の分子が内側にいるよりも強く互いに引き合った結果だ。水滴が丸いのはできる限り表面を小さくし、引き合う力を小さくしたいためである。

表面張力のように水同士が横つながりで引き合う膜は、水の内と外だけではなく、水と物体が触れる境界面に現れ、層を作っているとポラックは言う。表面張力は表面の一層だけの構造ではなく、地層のような分厚い構造を持つ。厚さはおよそ0.1ミリで、水分子がおよそ10万層の構造を持つという。この構造をポラックは排除層と名付けた。これは非常に重要なポイントだ。水が液体のままで構造を持つのだ。

水は電気的に中性だが、排除層はマイナスの電荷を持つ。また光にも反応し、光を当てると排除層が厚くなるという。

排除層は水の分子運動にも深く関わっている。ブラウン運動はご存じだろう。1827年、ロバート・ブラウンが水の中の花粉がデタラメに激しく動く様子を顕微鏡で観察し、ブラウン運動と名付けた。

ブラウン運動には熱運動だけでは説明のつかないことが起きる。光を当てるとブラウン運動が弱くなり、塩を加えるとブラウン運動が激しくなるのだ。

これは光を当てることで排除層が厚くなり、水分子の動きが鈍くなる（排除層はハチミツのように粘度が高い）ためであり、塩を加えると排除層が薄くなるためだと考えられる。

▶水は記憶媒体になりえる？

排除層は六角形に結合した水分子がシート状に広がったものだとポラックは考えている。排除層はお湯を沸かす時にも見ることができる。光の当て具合でお湯の表面には網の目のような構造が生まれるが、あれが排除層だ。

水が排除層のような構造を持ち、しかも電荷を帯び、光＝電磁波で構造が変化するとすれば、水による記憶がまったくないとも言い切れない。

もちろんこれは飛躍し過ぎで、砂鉄は磁気を帯びて結合したり離れたりするから、砂鉄は意識を記録できると言っているようなものだ。

砂鉄は意識を記憶はしないが、磁性体としてハードディスクに使われ、コンピュータのデータを記憶したり、電車の切符の裏に塗られて入退場や料金を記録する。水の排除層も何か別の形で利用できるかもしれない。

アイデアのヒント

ポリウォーターをめぐる騒動

奇妙な性質の水があるという発見は今になって始まったことではない。1966年、ソ連の物理化学者ボリス・デリャーギンがポリウォーターを発見したと論文を書いた。ポリウォーターは特殊な状態の水で、細いガラス管を通した水は性質が変わり、分子結合が変化して非常に安定した物質となると言われた。しかし調査の結果、ガラス管に付着した不純物のせいだと判明、一気に世間の熱は冷めた。

当時はポリウォーターが一滴でも水に混じると、すべての水がポリウォーターに変わり、ゲル状になって飲めなくなり、地球の生物は全滅すると言われた。このアイデアで書かれたSFが『猫のゆりかご』（カート・ヴァネガット著）である。排除層の話もヒット作のネタになるかもしれない。

第7節 オーラ

▶オーラなのか？「キルリアン写真」の正体

オーラとは人体から放出されているという不可視の霊的エネルギーだが、見える人もいるそうだ。オーラを見て運不運などを占うオーラ占いもある。また宗教家のように異常にオーラが強い人物は、背後が光って見えるとも言われる。

人間が発光しているのは本当だ。バイオフォトン（生体光子）といい、ミトコンドリアのエネルギー代謝過程で発光が起きるらしい。光るとはいえ、完全な暗室で光増感管を使って、辛うじてわかる程度の非常に微弱な光である。だからバイオフォトンはオーラとは関係がない。

オーラは本当にあるのか？

70年代に雑誌をにぎわせたキルリアン写真は被写体に高電圧をかけ、その発光で写真を感光させる技法だ。電圧をかけられた被写体からは、コロナ放電という細い髪の毛状の放電が起こり、あたかも光を発しているかのように見える。そのため、長らくオーラが撮影されたと言われてきた。

UCLA心理学部教授だったセルマ・モスはオーラの研究からキルリアン写真の存在を知り、旧ソ連に渡るとキルリアン写真について西側の学者として初めて詳細な研究を行った。当時、東側ではテレパシーや念力を扱う超心理学の研究が盛んに行われており、キルリアン写真もその一環で研究されていると考えられた。

ファントムリーフ現象もわかっており、キルリアン写真が生体エネルギーを記録していると確信したモスは帰国後にキルリアン撮影機を再現する。日本でもモスの一般向け著作『生体エネルギーを求めて　キルリアン写真の謎』（日本教文社）が端緒となってキルリアン写真が知られるようになった。

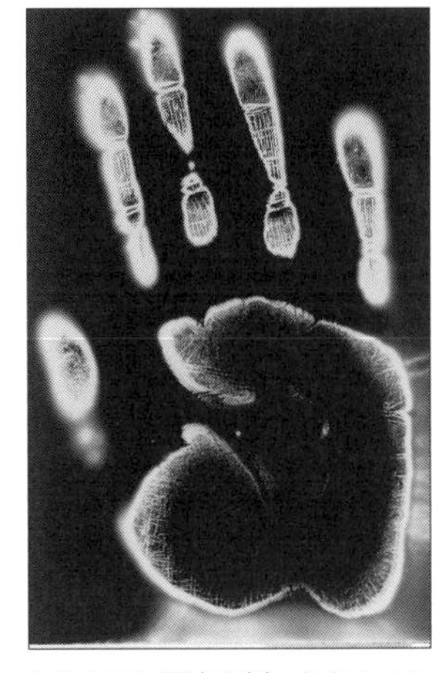

キルリアン写真の例。ちなみにこれは筆者の手
撮影：谷口雅彦

キルリアン写真がオーラを撮影した証拠として挙げられたのが、ファントムリーフ現象である。葉っぱを半分に切ってからキルリアン写真を撮影すると、切り取られてなくなった部分も発光し、元の葉の形を幻影＝ファントムのように再現する。それがファントムリーフ現象だ。生体の情報はオーラとして保存されているため、本体が切り取られた後もオーラは物体全体を再現するという。オーラは物体に重なって存在する幽体であり、不可視の生体情報なのだ。

▶医療検査技術だったキルリアン写真

キルリアン写真は、1939年・旧ソ連でキルリアンによって発明され、「ソ連科学アカデミー」が長年にわたって研究してきた。同アカデミーではキルリアン写真の撮影技法を「ガス放電撮影法」と呼び、生体の出すガスを撮影する新しい医療検査技術として研究していた。オーラやオカルトとはまったく関係がなく、医療技術だったのだ。セルマ・モスは自分の研究に利用しようと考えていたために、医療というキルリアン写真の一面を完全に無視した。

もともとは、放電を撮影したら美しいだろうという単純な動機からキルリアン写真は発明されたが、人間を撮影すると、被写体となった人の体調や感情などで放電の大きさや形が変わることがわかってきた。

コロナ放電は、高電圧で被写体の周囲の空気を発光させる。しかし人間のような生体の場合、体の表面から水蒸気や体臭などのガスが立ち上っている。このガスも空気と同じく光っているはずだ。そして体調によりコロナ放電が変化するということは、人間の皮膚にはガスの成分や量を変える機能があるのではないかとキルリアンは推定した。

臓器が健康かどうか、神経がストレスに冒されていないかどうか、それにより人体の出すガスの質や量が変化し、キルリアン写真の光り方も変化するのだとキルリアンはいう。

今ならMRIや超音波診断装置など人体の内部を知る方法はいくつもあるが、1940年代当時はX線以外にはなかった。もしキルリアンの仮説が正しければ、キルリアン写真を使って人体の内部を知ることができるかもしれなかった。だが、残念ながらキルリアン写真は生体の情報を正確に映し出すほど精度が高い技術ではなかった。

今でもロシアではキルリアン写真を使った診療を行う医師はいるが、あくまでごく一部である。

▶ファントムリーフ現象の正体

ではオーラの根拠だとされたファントムリーフ現象とは何だったのか。

ファントムリーフ現象の正体は水蒸気の拡散だ。葉の内部の水分は断面部からより強く蒸散し、外へと広がっていく。その一番先端部でコロナ放電が起きる。水蒸気は曲線を描きながら広がり、やがて切断された葉っぱの外縁とほぼ一致する場所で発光する瞬間があるのだ。

モス博士は何千枚も撮影ミスを繰り返した後、ファントムリーフの撮影に成功している。印画紙を使って、ちょうど葉の形に水蒸気が集まったタイミングで撮影することは困難だっただろう。苦労しただけに、オーラが撮影できたと思い込んだかもしれない。しかしキルリアン写真はあくまでコロナ放電だ。ファントムリーフ現象はオーラの証明にはならない。

オーラ写真を撮るサービスがあるが、あれはただの合成写真で、あの撮影機材自体も販売されている。光の色は適当に付けているだけだ。

霊的なエネルギーが簡単に写真に写るなら、苦労はない。心が発するものは心でしかキャッチできないかもしれない。

アイデアのヒント
オーラは共感覚か？

オーラは共感覚ではないか？　共感覚とは五感の情報が混線した人のことで、香りや味が色や形で見えて、数字から音が聞こえるという。現代抽象絵画のジャクソン・ポロックは共感覚者で、音楽が色で見えたらしい。

筆者が会った共感覚者はコーヒーの香りが青い煙に見え、物を食べると音楽が聞こえると言った。微妙な匂いの変化が色で見えるため、排卵日の女性はピンク色に見えるという。

人間の嗅覚は、非常に複雑な情報を嗅ぎ取っているらしい。ヒトフェロモンという未確認の代謝物質があり、そこに含まれる生理情報を嗅いで無意識のうちに異性の情報を手に入れているという学説もある。体臭には免疫関連の情報が含まれているらしい。皮膚の表面に棲む皮膚常在菌が臓器等のコンディションを反映し、分布が変わるのだという。分布の違いが体臭を変え、周囲にメッセージとして放たれる。

共感覚者はそういう相手の香りを無意識下で嗅ぎ、相手の体調や性格を色で見る。共感覚の見るそうした情景をオーラと呼ぶのかもしれない。

共感覚者が相手の体臭を色で見て体調を判別できるのなら、医療検査としてキルリアン写真を使おうとしたロシア科学アカデミーのアイデアは、そう的外れではない。

第8節 植物の意識

▶ロックを聞かせると植物は枯れる？

ロックを聞かせたトマトが枯れる話をご存じだろうか？

音波栽培と呼ばれるあまり知られていない農法がある。

音楽を動植物に聞かせると良く育つという理屈で、畜産物や農作物にモーツアルトを聞かせている。するとブドウも米も小松菜もよく育ち、乳牛は牛乳の出がよくなり、鶏は卵よく生むという。

『土壌の神秘—ガイアを癒す人びと』には音波栽培の研究者がハードロックを聴かせると＜二週間以内に植物は枯れてしまう＞ことを発見したと書かれてある。

作物に音楽を聞かせる農家は何軒もある。そのひとつ、モーツアルト野菜の会では「モーツァルトのピアノソナタを聴かせてしっかりした苗を育て」（同サイトより引用）ている。理由は植物への刺激だ。

麦は踏むとよく育つというのは本当のことで、刺激によってエチレンが生成されるからだ。エチレンは植物の抗ストレス物質だ。虫害にあったり雨風で痛むと植物はエチレンを生成する。エチレンにより耐病性、抗酸化性、高温耐性、低温耐性が増すという。小麦は踏まれるとエチレンが分泌、茎が太くなり、葉が多くなることが確認されている。

同農家ではレタスの苗を手で押さえていたが、茎が太くなりよく育ったとのこと。エチレンの効果だろう。ところが腰を痛めてしまい、手で押さえて回ることができなくなった。

「同じような効果を得ようと思い、空気を振動させるためにスピーカーを持ち込んで、大音量でピアノの音を聴かせ」（同サイトより引用）たら、効果があったのだそうだ。

音によって植物が刺激され、圧をかけたのと同じ効果が得られるらしい。

植物が音楽のことがわかるわけではなく、音の振動による刺激が適度なストレスとなり、エチレンが分泌されて生育に有効に働くわけだ。

▶音波栽培がいかがわしい扱いの理由

『植物の神秘生活』によると、音波栽培はインドのTCシンフ教授の研究に始まる。博士は1960～63年にかけて、７つの村の畑でインド伝統音楽をスピーカで流す実験をした。結果、平均より25～60パーセントも高い収穫が得られた。

４年間、収穫が２割増しから６割増しである。これがどのくらい凄い数字なのか？

農林水産省が、農薬を使った場合と使わなかった場合の収穫量の差を実験している。それによると米は８割減、キャベツは３割減、キュウリは４割減になったという。

農薬をまいた場合と同等レベルである！　シタールを流すと収穫量が増えるのだ。しかし現在、インドの畑にシタールは流れていない。ということは、シタールにシンフ教授の言うほどの効果はなかったのだろう。そもそも追試に足るような実験がなされていない。正確さを期するには、一切の刺激を受けなかった植物と特定の刺激を受けた植物とで比較しなければならない。

音楽で収穫量が増えるという話を当然として、そこに「植物には意識がある」「植物は人間の感情に反応する」という物語を上書きする人が多い。その結果、モーツアルトを植物が聞いてリラックスし、伸び伸びと育つといった誤解も生んでいる。

▶悲鳴を上げる植物

植物はただ立っているように見えるが、生き残ることを最優先にさまざまな戦略を立てている。

虫にかじられると防御物質を出し、体中に毒性物質を発生させる。苦みや渋みの成分で、ファイトケミカルといい、赤ワインに入ってるポリフェノールも茶のカテキンもファイトケミカルだ。

ファイトケミカルは昆虫には毒だが、人間など大型の哺乳類にとっては逆に健康成分である。毒も少なければ薬なのだ。

刺激によってファイトケミカルが発生し、植物は健康になる。刺激には、接触や振動があり、この振動域は非常に広いらしい。よく世話された観葉植物が元気になるというのは本当だが、触られるストレスでファイトケミカルが分泌するためだ。愛情は関係ない。

植物自体も「悲鳴」を上げる。イスラエル・テルアビブ大学によれば、切られたり乾燥すると導管内の気泡が破裂し、超音波のクリック音を発生させる。これが自分自身や他の植物の細胞にある機械受容体というタンパク質を刺激、エチレンのようなファイトケミカルの分泌を促すらしい。

日本の農研機構 生研センターでは、超音波を植物に照射し、病気に対する抵抗性を強化、イネいもち病やトマト萎凋病の発病を抑制することに成功した。超音波の刺激で、植物はファイトケミカルを分泌し、健康になる。

▶超音波がカギとなる音波栽培

もしモーツアルトやシタールのような音楽に超音波が含まれていたら、植物はファイトケミカルを分泌、成長は強化される。音波栽培は疑似科学ではなく、有効な農法になるだろう。

ちなみに音楽を聞かせた酒も売られているが、超音波（もしくは音楽の振動）を醸造タンクに流している。

超音波で酒の熟成時間が短縮されるためだ。時間経過とともにアルコールと水の分子が均一に交じり合うのが酒の熟成で、超音波によりこの交じり合いにかかる時間が短縮される。これはれっきとした科学で、農作物と超音波の関係とは理屈が異なる。

モーツアルトは高音域が強く、8000ヘルツまで出ているらしいが、超音波は2万ヘルツ以上。かなり足りない。しかもCDではちょうど2万ヘルツ以上の音域をカットしてしまうため、音源がどうであれ、超音波は発生しない。しかし大型の音響システムが低周波で葉を振動させ、作物に触ったことと同じストレスを与える可能性はあり、モーツアルト野菜の会での効果はそれだろう。

アイデアのヒント

演歌を聞いたら家畜は……

農作物と超音波の関係は、これからの科学だが、ちなみに家畜への影響はあるのか？

乳牛のおっぱいの出が良くなったというのはイギリスのレスター大学心理学部の研究だ。モーツアルト聞かせた乳牛はおっぱいが3パーセント増えたという。しかし音楽の効果は農業機械や車の音を聞きにくくすることらしく、農機具をすべて止めた状態が一番高かったそうだ。乳牛は静かな生活が好きらしい。

2009年1月24日付の中日新聞・夕刊によると、「約三百五十羽の烏骨鶏を飼育する菅山一さん（66）＝高松市西山崎町＝が音楽で産卵促進に取り組んでいる。（中略）常は一週間に一個程度しか産まない産卵頻度が約二割増え、大きさも二－三割程度大きくなった。老鶏はほとんどが“復活”して産卵するようになった」。

聞かせたのはモーツアルト。最初は演歌をかけたが「鶏舎は大騒ぎ。二日ほどで産卵しなくなる烏骨鶏もいた」のだそうだ。

第5章

化学編

常温核融合の第一人者の先生にお話をうかがった時、「核融合は物理の人たちだけど凝集系は化学畑だから、あっちが相手にしてくれないんですよね」とおっしゃられたことが印象的でした。いずこも縄張り意識で大変です。学術の区分がファジーなテーマをいくつかご紹介します。正しいか正しくないか、ではなく、信じるか信じないかがどのあたりから始まるのか、興味深いことです。

5

第1節 凝集系核反応

▶現代の錬金術「凝集系核反応」

物質の性質を変え、鉛を金に変える錬金術は架空の技術ではない。核融合や核分裂などの核反応は一種の錬金術であり、物質の性質が変わる際のエネルギーを利用している。

鉛を金に変えることは不可能ではない。核反応こそ錬金術の真の姿であると言いたいところだが、抵抗がある。

たしかに鉛を金にすることは不可能ではない、しかし崩壊しやすい放射性物質と違い、安定した元素の性質を変えるのは容易ではない。あくまで理論上の話で、実際に行なった研究者はいないのだ。ただし水銀を金に変える実験は行われており、原子炉から出る中性子を水銀にぶつけて行う。研究者は「原子炉錬金術」と呼び、金への変換に成功している。

こうした核反応を利用してできる金の量は非常に少なく、コストが釣り合わない。原子炉を使って錬金術と言われても、金を作るという点で成功しただけで実態は大赤字なのだ。

卑金属（鉛や水銀などの安い金属）を貴金属（金銀プラチナなど）に変えるのは、主流の科学から外れた、オルタナティブな科学だ。「凝集系核反応」という異端である。核反応という呼び名こそ同じだが、あちらは物理学、こちらは化学の分野で発見された。

錬金術は化学の始祖であり、現在に伝わる真鍮のような合金は魔術から生まれた副産物だ。そういう点では、凝集系核反応は正しく錬金術の流れを汲んでいる。

▶異端の科学、常温核融合

凝集系核反応は常温核融合と表裏一体の関係にある。

常温核融合は1989年に発表された未知の現象で、当時の科学界は騒然となった。

一般的に核融合といえば、太陽のような恒星で起きている現象のことだ。水素と水素が超高温高圧下でぶつかり、ヘリウムに変化、同時に大量の熱エネルギーが発生する。

現在、研究されている核融合では、水素とヘリウムの反応よりも低い温度と圧力で反応が進む重水素とトリチウムが使われているが、それでも数千万度～１億度の超高温と数百メガパスカルの圧力（大気圧＝1013ヘクトパスカルの数千倍）を必要とする。核融合がいまだ実用化できない理由はいくつもあるが、そのひとつは超高温と超高圧を安定して作り出すことが極めて難しいことだ。

ユタ大学の電気化学者スタンレー・ポンズとマーティン・フィッシュマンは、重水素をパラジウムの電極で電気分解することでヘリウムとエネルギーが発生する（ポンズ＝フィッシュマン法と呼ばれる）と発表した。

電気分解である。中学校で水の電気分解を習っただろう。水を酸素と水素に分ける実験をやったはずだ。あの電気分解で核融合が起きるというのだ。

核融合が目指すエネルギー発生量には遠く及ばないものの、加熱も加圧もなく、通常の気温と気圧の下で核融合とよく似た現象が起きたのだ。これが「常温核融合」である。

どんな理屈で常温核融合は起きるのか？

ボンズらはパラジウムには水素を吸着する性質があるため、電極のパラジウムの微小な孔に重水素や水素が吸着、そこに電気を流すことで電子に押されて重水素と水素が電気的な壁（原子がくっつきすぎないようにクーロン斥力という電気的に弾こうとする力が働いている）を越え、核融合が起きると説明した。

電極の表面にある分子サイズの孔の中で、核融合反応が起きているというのだ。

当初は盛り上がった学術界だったが、検証が進むにつれ、再現性が著しく低いことがわかってきた。ポンズらは、これは単なる電気分解で、パラジウムに水素が吸着した際に発熱しただけではないか？　と批判を受ける。

核融合が起きたなら、余剰エネルギーは放射線としても周囲に拡散する。しかし両名に何の放射線障害も見られないのはおかしいという指摘もあり、さらに1990年のアメリカ連邦議会審議での常温核融合研究予算の否決されたことでとどめを刺された。

現在、ほとんどの科学者は常温核融合は疑似科学だと敬遠している。

▶常温核融合の再評価と核種変換

一方で常温核融合を再評価する向きもある。2019年、米海軍は常温核融合の研究に3,500万ドルの予算を付けた。長期間の艦船運用に可能なエネルギーとして、常温核融合の実用化を目指すという。日本でも2017年にNEDO（新エネルギー・産業技術総合開発機構）は「常温核融合研究プロジェクト」を開始し、常温核融合の一種「金属水素反応」に着目し、研究を進めている。

日米以外でもフランスでは超音波を利用した方法や金属水素化物を使用した方法が研究され、中国では通常の核融合をより低温度で行う方法として、プラズマを使った常温核融合が研究されている。

金属孔に原子を閉じ込め、電子で圧力をかけるというスタンレーらの発想は魅力的で、たしかにポンズ＝フィッシュマン法は間違っていたかもしれないが、発想自体に間違いはないのではないか、別の素材で行えば核融合反応は起きるのではないか？　というわけだ。

常温核融合の研究者の一人、水野忠彦（元北海道大学助教授）は金属孔に集まった原子が起こすのは核融合反応ではなく、「核種変換反応」でさまざまな核種が生まれる（パラジウムと水素の反応では、ホウ素やケイ素、カルシウムなど複数の物質が生まれる）と発表した。このため「常温核融合」から「凝集系核反応」と名前を変わり、反応温度も常温ではなく、常温～数百度で起きる核反応と定義も変更されている。

▶核廃棄物が無害化する？

「常温核融合用電極並びにその核変換による放射性、非放射性元素及び貴金属の製造方法 」という特許がある（公開番号 特開平9-197077）。出願者の能登谷玲子は北海道大学の研究者で北大触媒研究所に在籍していた人物だ。

「多孔質ニッケル電極の製造過程で、タングステンの微粉末を適量、混合し、上記の電解系において電解すると、下記の反応によりレニウム、オスミウム、白金、イリヂウム、金を生成する」という。

▶タングステンから金やプラチナができる？

ニッケルにタングステンを混ぜて電極を作り、重水を電気分解すると電極に金やプラチナが生成されるのだ。信じがたいが、同様のことは他の凝集系核反応の研究者も発表しているので事実なのだろう。カドニウムやマンガン、鉛、水銀など原子番号が近い元素であれば、貴金属へ変換できる。

さらに「原子炉から排出される核廃棄物、医療及び科学研究に使用した放射性廃棄物、その他の放射性汚染物質を無害化する」ことも可能で、もし実用化できれば、福島原発の廃炉問題もすぐに解決だ。

本当に錬金術なので面白いが、電極の使われる金属の孔で反応が起きるため、変換される量は非常に少ない。実験中のコンタミ（異物の混入のこと）と見なされるほど少ないため、凝集系核反応という現象自体は本当に起きているとしても、タングステンから金を作って売るといったことは到底できない。放射性廃棄物の処理も同様で、大量に処理できる工業的なブレイクスルーがないと基礎研究から出ることはないだろう。

アイデアのヒント

牛のお腹の中で常温核融合

「牛のお腹の中で常温核融合が起き、核種変換でカルシウムが作られている」という説がある。

生物の体内で元素変換が起きている説は、1960年代にフランスの物理学者ルイ・ケルヴランの唱えた「生物学的元素転換」までさかのぼる。ケルヴランは草食動物が草しか食べていないのに大きな体になるのは、体内で炭素を窒素へと元素変換しているからであり、牛乳にカルシウムが多いのもカリウムが元素変換でカルシウムに変わっているから、と考えた。ケルヴランは酵素などによる生化学的な反応により、原子の結合が体内では弱まり、組み替えられると主張した。ケルヴランの説は一から十まで物理学者から否定されたが、現在、凝集系核反応が生体内で起きているという説として一部で復活しているという。

体内で起きる奇妙な生化学反応は腸内細菌の働きや栄養学で説明できるが、牛の腹の中で常温核融合という発想は面白い。長期間何も食べない不食者（ブリザリアンという）も体内で常温核融合を起こし、空気から必要な元素を作り出しているのでは？　と考えるスピリチュアルな人たちもいる。

なおケルヴランの書籍は、玄米食で病気を治すというマクロビオテックを提唱した桜沢如一（フランスに長く留学していたそうだ）を通じて翻訳されたそうだ。なかなか香ばしい流れである。

ケルヴランは死後にイグノーベル賞（科学雑誌が始めた、変な研究に与えている賞）を授与されている。

第2節　ダイヤモンド

▶ダイヤモンドより硬い物質

世界で一番硬い物質はダイヤモンド。今やその常識は変わりつつある。

天然の鉱物でもっとも硬いのはウルツァイト窒化ホウ素だ。火山の噴出物の中に見つかった物質で、工業用品を研ぐのに使われる。ダイヤモンドより２番目に固いのがロンズデーライト。これは隕石の中に見つかっている。ロンズデーライトは不純物により硬度が変わるため、ロンズデーライト自体の硬度はダイヤモンド以下（モース硬度計でダイヤモンド10の場合、7～8）だ。

天然物よりも硬いのが炭素から合成される炭素素材だ。「カーバイン」という炭素素材が世界最硬質とされている。カーバインは実在する物質ではなく、コンピュータのシミュレーション上の物質で、炭素原子が一列に並び、それを軸にねじれた縄のように炭素原子が取り巻く形をしている。長さはわずか14ナノメートル。理論上でしかなく、分子ほどのサイズしかないカーバインを世界最高硬度と呼ぶのは抵抗があるものの、硬度はダイヤモンドの2～3倍だ。

▶弾丸も止める「ジアメン」

ダイヤモンドも炭素でできているが、炭素は結合の仕方で性質が大きく変わり、蓄電したり、高い伝導率があったり、分子を選択したりと多様な目的に利用できる。現在、そうした性質を利用して次世代太陽電池のペロブスカイト型太陽電池や電池の電極、半導体の素材などに採用されている。

「グラフェン」という単一の炭素原子がシート状に広がった物質は、硬いのではなく強い。ニューヨーク市立大学先端科学研究センターが開発した「ジアメン(diamene)」は、シート状にしたグラフェンを2枚重ねて、わずか原子

六角形につながった炭素原子がシート状に広がるグラフェン
画像引用：Wikipedia

2個分の厚さしかないが、圧力を加えた瞬間、硬化してダイヤモンド並みの硬度に変わる。実にSF的な素材である。

ジアメンは驚異的な強度を持ち、弾丸を止めるという。ジアメンで体を覆えば、目に見えない防弾ジャケットとなる。

▶燃えるダイヤモンド

SF漫画『コブラ』には、機関車を動かすのにダイヤモンドを炉にくべて燃やすというシーンがあった。ダイヤモンドは燃えるのだろうか？

ダイヤモンドは燃える。実験では900度ぐらいから燃え始め、1000度あたりから黒鉛へと変化し始めたという。試料は少量なので、燃え上がるかどうかはわからない。

同じく『コブラ』には、人間に寄生して殺し、殺した人間の顔をした花が咲く植物が出てきた。寄生植物にはダイヤモンドの実がなるため、欲深い人間がそのダイヤモンドを収穫しようとして反対に植物に寄生されるという話だ。ダイヤモンドは人間をおびき寄せるためのエサで、植物は人間からダイヤモンドを生成する。

テレビシリーズ『スタートレック』の1作目に人間を結晶に変える宇宙人が出てきた。宇宙船の乗組員は次々にダイヤモンド状の結晶に変えられてしまい、パニックに陥る。作品の中に出てきた結晶はもろく、握ると崩れた。

人間は炭素の塊だ。人間からダイヤはできるのか？

▶遺体からダイヤをつくる

遺骨からダイヤモンドを作るサービスがある。スイスのアルゴダンザ社が行っているサービスで、ダイヤモンドを作るために必要な骨の量は400グラム。成人男性の骨はだいたい1.5キロと言われているので、約4分の1の遺骨でダイヤモンドが１個できる。

同社に預けられた骨は粉末にされ、そこから炭素を抽出する。骨はカルシウムなので、抽出する炭素は骨の髄や骨の周りの筋肉などに由来する。炭素が最低3グラムがあれば、ダイヤモンドができるため、逆算して必要な遺骨が400グラムだ。

骨はカルシウム部分を薬品で溶かし、ろ過して炭素を分離・抽出する。さらに炭素を加工して黒鉛にする。専用のカプセルの中にニッケルなどの合金の粉末と黒鉛を入れ、5万気圧以上の圧力と1300度以上の高温を加える。

これは高温高圧法と呼ばれる、昔ながらの人工ダイヤモンドの作り方だ。塩やミョウバンの結晶を作る時と同じで、違うのは水の代わりに溶けた金属、塩やミョウバンの代わりに金属には黒鉛が溶けている。カプセルの中に核があり、その周囲に黒鉛が集まってダイヤモンドの結晶を作る。

ちなみに人工ダイヤの作り方は、現在は高温高圧法ではなく化学気相蒸着法が主流だ。メタンガスにプラズマを照射、ダイヤモンドの薄層を作る。これを重ねて宝飾用のダイヤモンドにする。

本来、人工ダイヤは工業用として開発されたが、化学気相蒸着法により安く量産できるようになった。そのため、デビアス社のような大手ダイヤモンド商社も人工ダイヤモンドを取り扱うようになった。

ジルコニアのような模造ダイヤモンドとは違い、ダイヤモンドとしては本物だ。品質も天然ダイヤに劣らない。化学気相蒸着法によるダイヤモンドは「ラボグロウンダイヤモンド」（研究室由来のダイヤモンド）と呼ばれている。

遺体からできるダイヤのサイズは最大で1カラット（約0.2グラム）。大きくするにはそれだけ時間がかかり、費用もかかる。

ダイヤの色は遺骨の成分に左右される。骨にはホウ素が含まれるため、青い色になるが、人によって透明になったり、ブラックダイヤに近い深い色になる

人体の炭素から作るダイヤモンド。多くは青いダイヤモンドになる
画像引用：月刊ムー

髪の毛からもダイヤモンドを作ることはできる。髪の毛の場合、10グラムあれば3グラムの炭素が取れる。

アイデアのヒント
炭素繊維のさまざまな活用法

グラフェンは生体に悪影響を与えることなく細胞に入ることができるため、今後は抗がん剤など生体との親和性を生かした使い方が考えられている。そこが誤解されたのか、コロナワクチン関係の陰謀論には、ワクチンは酸化グラフェンを含んでおり、注射すると脳に侵入するというものがあった。そして携帯電話用の5G帯を酸化グラフェンが受信して脳を乗っ取り、権力者が人間をロボット化する。そのためにコロナを撒いて、酸化グラフェン入りのワクチン接種を義務化した……コロナワクチンをめぐる陰謀論は下手なSFよりよほどSFだ。

グラフェンをはじめとする炭素素材と生体の親和性の例として、

クモにグラフェンの一種のカーボンナノチューブを噴霧した実験がユニークだ。カーボンナノチューブ入りの水を噴霧されたクモは、なんとカーボンナノチューブの混じった糸を吐いた。糸の強度は防弾チョッキにも使われるケプラー繊維やアラミド繊維の破壊強度を上回ったという。

理論上では最強の糸になるカーボンナノチューブは、現実には糸にすることができない。粉末状のため、用途が限られる。しかしクモや蚕にカーボンナノチューブを食べさせれば、カーボンナノチューブの糸を撚ることができるかもしれない。

地球と宇宙をワイヤーで結び行き来する宇宙エレベーターは、ワイヤーの素材にカーボンナノチューブが候補に挙がっている。そのワイヤーは昆虫が作るかもしれないのだ。

第3節 水から燃料

▶永久機関は詐欺の温床

作品のネタとして、詐欺はサスペンスからコメディ、恋愛までテーマに限らず、よく使われる鉄板のネタだ。

詐欺にもいろいろあるが、科学で詐欺といえば発明に関する投資詐欺がメインになる（ロバート・A・ハインラインのSF『夏への扉』は人工冬眠を使って会社を乗っ取るという詐欺の話だったが）。

エネルギー関連の投資詐欺は、現実にも非常に多い。

故アントニオ猪木が永久機関の投資詐欺にハマった話を覚えている方もいるだろう。2002年にアントニオ猪木はある会社が発明した誘電発電装置「Inoki Natural power-VI」の発表会を行った。ところが肝心の「Inoki Natural power-VI」が当日動かないという、最低な結果となったのだ。本当であれば、一度動き出せば数年間は発電をし続けるという「Inoki Natural power-VI」は、実用化されることも新たに発表会が開かれることもなかった。

入力よりも出力が多くなるのが永久機関だ。永久機関がありえない理由は、エネルギー保存則「エネルギーの総量は変わらない」に従い、エネルギーの収支は常に変わらないからだ。入力より出力が増えることは絶対にない。もしそうなら、その差のエネルギーは必ずどこかから供給されている。

詐欺師、あるいは自分の発明品が本物だと信じ込んでいる悪意なき発明家は、あの手この手で入出力のエネルギー差を埋める方法を考える。エネルギー保存則が破られないように、ゼロ磁場なる空間自体のエネルギーや地磁気などから、出力で増えた分のエネルギーは供給されたと説明する。

空間から熱をとる永久機関は、動き始めると部屋の温度が下がり、機械に霜が下りるという。逆エントロピーを利用しているのだそうだ。冷蔵庫の真逆である。もちろんインチキだ。

そうした永久機関詐欺の亜流に「水から燃料」（以下水燃料）がある。

▶水から燃料をつくる？

水は燃えない。燃えないどころか火を消す。だから水から燃料をつくるというのは、冷たい炎や溶けない氷のように矛盾して聞こえる。ところがよく聞けば、それほど突拍子もない話ではない。

石油の化学式は、たとえば軽油の分子式が$C_{14}H_{30}$～

C23H48のように、すべて炭素と水素の結合したものだ。非常にシンプルなのだ。ということは、基本的には水素と炭素を結合させるだけでガソリンでも灯油でも石油由来の燃料は合成できるはずである。

材料となる水素と炭素はどうするか？

水を電気分解すると水素と酸素になる。だから水素は水から作ればいい。

炭素は？　空気中にいくらでもある。地球温暖化の原因だとかまびすしい二酸化炭素を使えばいい。

材料はある。ではなぜいまだに産油国から石油を買っているのか？　作るのが難しいのか？

▶なぜ人工石油ができないのか

詐欺の場合、ここで次のような説明をする。

人工石油は、つくるのが難しいというよりは歩留まりが問題だった。水燃料を火力発電に使った場合、水燃料での発電する電力が、水素を取り出すために電気分解に使った電力や二酸化炭素から炭素を取り出して水素と結合させるエネルギーを上回らないと使う意味がない。水燃料で発電すればするほど、トータルの発電量が減ることになってしまうからだ。

エネルギーのロスのない機関はありえない。エネルギー保存則から、入力よりも出力は小さくなるのが当たり前だ。

人工石油は作れば作るほどエネルギーが無駄になる。だから作らなかった。産油国から石油をタンカーで運ぶほうがよほど安い。

しかし水素や炭素を取り出す時に、エネルギーを使わなければ話は別だ。水素や炭素の取り出しや結合が電気分解よりも低エネルギーで行えれば収支は合う。

そこで詐欺師は言う。この発明は電気分解を使わない。水素を分離する過程で電力を必要としないので、石油の10分の1や100分の1の値段で、水燃料を作り出せる。しかし銀行が金を貸さない。担当者が上司に話を持っていくとどこかから圧力がかかって融資は中止になる。石油会社や政府が石油利権を守るために、ことごとく潰しにかかるのだ。しかしこれは世界を救う発明だ、手助けしてほしい……。

▶水と大気からできた燃料「eFUEL」

そんな詐欺めいた水燃料が、今や現実のものとなったから面白い。国や自治体が水燃料を作り始めたのだ。

進行中のプロジェクトは2つあり、ひとつは国立研究開発法人新エネルギー・産業技術総合開発機構（NEDO）と民間企業が進める「eFUEL」だ。

eFUELは環境問題対策として開発された二酸化炭素を増やさない燃料だ。

再生エネルギーを使って水を電気分解、できた水素と一酸化炭素（二酸化炭素を処理して作る）から各種燃料を作る。水と大気中の二酸化炭素が原料だ。

水素や炭素の取り出しに使う電力が再生可能エネルギーであれば、製造に使う二酸化炭素量と燃焼後の二酸化炭素量はプラスマイナスゼロになる計算だ。

eFUELは電気自動車への完全シフトが実現不能になったEUが、ガソリンエンジンの継続と環境問題の折衷案として出してきたもので、量産体制や価格面にいまだ課題は多く、将来、相当な技術のブレイクスルーがあったとしても、石油よりかなり割高になると予想されている。それでも国際的な流れから脱炭素社会は確定であり、価格が高くても二酸化炭素がゼロエミッションのeFUELを作らざる得ないのが現状だ。

▶大阪が入れ込む人工石油

2023年1月10日から大阪府、大阪市、大阪商工会議所で構成する「実証事業推進チーム大阪」とサステイナブルエネルギー開発株式会社は、人工石油（水燃料の仲間である）の実証実験を開始した。実証用車両に人工石油を使い、走行状態や燃費などを調べるという。

人工石油の合成にも、eFUEL同様に一酸化炭素と水素が必要だ。この取り出しに電気分解を使うと石油より値段が高くなる。技術を開発したアイティー技研によると、使うのは酸化チタンの光触媒とナノバブル（微小な泡）だ。水に二酸化炭素ガスのナノバブルを混ぜ、光触媒を通しながら紫外線を照射する。その水と軽油を混ぜて混合液を作り、その後に油と水を分離する。これで軽油ができるのだという。

酸化チタンを使うところは、東大などで研究が進んでいる人工光合成にも通じる。酸化チタンに太陽光を当たると水が水素と酸素に分離するのだ。反応モジュールに光を当てるとものすごい勢いで酸素と水素の泡が出る。

光触媒により水の中に活性酸素（酸素がO2ではなくO3という不安定な状態になったもの）が発生、二酸化炭素と反応、一酸化炭素と酸素になる。

人工石油の合成に必要な一酸化炭素と水素は、光触媒と水の反応で手に入るわけだ。

一酸化炭素と水素の入った水と軽油を混ぜると「ラジカル重合で連鎖反応し、炭化水素（石油）が発生」（アイティー技研HPより引用）する。これにより「水が10%減少し、炭化水素（石油）が約10%増量」するという。

あとは水と油を分離させ、油だけを利用すればいい。

▶人工石油は本当なのか？

アイティー技研代表取締役で開発者の今中忠行は微生物研究の第一人者で、石油は微生物が合成するという石油微生物由来説の研究でも論文を発表している。そのあたりの研究から、微生物の行っている石油合成プロセスを人工的に行うことを考えたのかもしれない。

アイティー技研の人工石油は、一酸化炭素と水素の重合がエネルギーの投入なしで進んでいる。

水の分解は紫外線によって効率的に行っているので、問題はないだろう。気になるなら、人工光合成のように太陽光を使えばいい。しかし水と一酸化炭素から石油を合成する際にエネルギーの投入がないのはなぜか。

eFUELではFT法（フィッシャー・トロプシュ法）で石油を合成する。一酸化炭素と水素に鉄またはコバルトの触媒（化学反応を促進させる物質）を使い、熱と圧力（鉄の場合300度以上で25気圧、コバルトの場合180～250度で10～45気圧）を加えて反応を起こす。

熱と圧力の投入でエネルギーの収支が合うわけだ。

なぜ人工石油では重合が勝手に進むのか？　水が活性化してい

るからと論文にはあるが、エネルギー保存則に従っていないのではないか。それに対して今中はこう答えているという。
「反応性が高い電子、あるいは電子を含んだ物質を対象にしている場合には、エネルギー保存法則の外にある」「原爆や水爆も同じだ。原子核のなかには電子、陽子、中性子があり、それらが関与した反応の場合には、エネルギー保存法則の例外が多くある」（いずれも財政新聞2023年3月16日付「大阪市・大阪府が支援する人工石油事業、開発者は永久機関と主張」）
　現象として起きているのが事実としても、この理屈は受け入れがたい。

▶海水から燃料？　米軍の研究成果

　2014年4月14日アメリカ海軍の米海軍研究所（NRL＝Naval Research Laboratory）は海水から石油の代替燃料、いわば海水燃料を開発することに成功したと発表した。
　同研究所のプレスリリースによると、研究が始まったのは2000年頃のこと。作戦中の燃料補給は、防御が手薄になる。できれば燃料補給を行いたくないというのが、軍の本音だ。
　米軍が開発した燃料はジェット戦闘機用のJP-５と呼ばれる燃料と同じもので、すでに模型でのフライトには成功している。今後はプラントの小型を進め、将来は艦艇内で燃料の製造を可能にする。洋上にある限り、燃料補給が不要になるのだ。
　問題は製造コストだが、量産された場合の見込み数値では、１ガロンあたり３～６ドル。2011年のJP-５の価格は1ガロン3ドル51セントだった。代替輸送や貯蔵コストの削減も考慮すれば、海水燃料は燃料として十分に成立する。

▶天才かマッドサイエンティストか？

基礎となった技術は、ジョン・カンジス（John Kanzius）の発明である。

2003年にリンパ腫にかかったジョン・カンジスは、化学療法のあまりの辛さに、自分でがんを治す方法を考え始めた。病気の原因は腫瘍とガン細胞である。腫瘍とガン細胞だけを殺す手段をガンジスは考え、新しいがん治療法を開発してしまった。

化学療法も放射線療法も、薬か放射線かの違いはあってもやっていることは同じで、腫瘍を焼き殺しているだけだ。カンジスは金や白金などの金属粒子を患部に注射、そこに電磁波を照射して金属粒子を加熱、癌細胞を焼き殺す方法を思いついた。

残念ながらカンジスは道半ばにしてリンパ腫が白血病に変わり、2009年2月に病死した。しかし彼の研究は受け継がれ、現在、ピッツバーク大学医療センターやテキサスMDアンダーソンがんセンターなどで、臨床に向けて試験が続けられている。

カンジスの発明の一番のポイントは、彼がラジオ周波数発生器（RFG）と名付けた装置にある。特定の物質に合わせた周波数の電磁波を照射し、その物質のみを加熱するというのが特徴だ。

自分のガンを治すために誰も考えなかった電磁波利用の治療法を自ら開発……これだけでも型破りのマッドサイエンティストだが、さらにその先がある。

RFGを動作させていた最中、たまたま電磁波を塩水に照射したところ、塩水が塩と水に分離したのだ。この技術を使えば、海水から真水を容易に分離できるとカンジスは考えた。RFGは世界の水不足を一気に解決できるのではないか？

ガンそっちのけで、塩水と電磁波の関連について研究を始めたカンジスは、同時に発生する正体不明のガスに興味をそそられる。その無色無臭のガスは何なのか？　アシスタントがよろけてRFGにぶつかった瞬間、火花が飛んだ。すると試験管の中で発生していたガスが燃えた。

燃えたのは水素ガスである。RFGを使って、塩水に14メガヘルツの電磁波を照射すると、水の電気分解とはまったく違う電気化学的プロセスで塩水は分解され、水素ガスが発生する。これは今まで知られていない新しい現象だ。

カンジスはRFGを使って塩水から水素ガスを分離する一連の方法を、実用可能な代替燃料の製造方法として特許を取得、これに米海軍が目を付けたのだ。

水燃料が世界を救うのか、STAP細胞のように科学史の暗黒面となるのかはこれからだろう。

アイデアのヒント

エマルジョン燃料と人工石油

人工石油は水と軽油を1対1で混合し、乳化させている。このように水と燃料を乳化させて燃焼効率を上げる技術にエマルジョン燃料がある。

水とガソリンなどの燃料を攪拌して乳化（＝エマルジョン）させた燃料だ。

水とガソリンを半々に混ぜて乳化させる。水が半分ならエマルジョン燃料が燃えたとしてもガソリンの半分の熱量にしかならないが、燃焼時に水が爆発し、燃料の微細な霧を作るため、燃焼する表面積が増え、ほぼ完全燃焼が起きる。

ガソリンが燃焼するのは50パーセント程度で他は燃えずに排ガ

スになってしまう。だから水が半分のエマルジョン燃料でも完全燃焼すれば、ガソリンとほぼ互角の熱量が発生する。

アイティー技研の人工石油がエマルジョン燃料なら納得できるのだが、乳化させた燃料はその後の工程で水と油に分離される。利用するのは油だけなのでエマルジョン燃料ではない。

なぜ軽油を半分混ぜないと重合が起きないのかも謎で、人工石油技術が永久機関なのかどこかに見落としがないのか、今後の検証が待たれる。

第4節 毒

▶イグノーベル賞級の毒ガス

毒ガスというとサリンガスやVXガスのような致死性の化学ガスが思い浮かぶが、殺すのではなく戦意を喪失させる目的の毒ガスも研究されている。

ライト・パターソン空軍研究所が1990年から2000年ごろまで研究していた非殺傷兵器の開発計画「サンシャイン計画」の中に「Harassing, Annoying, and 'Bad Guy' Identifying Chemicals」(化学的な嫌がらせや迷惑、ゲイ化) がある。

ちなみにライト・パターソン空軍研究所には、1952 ~ 53年に行われたUFO調査の極秘プログラム「プロジェクト・ブルーブック」が設置されており、UFO好きの間では有名だ。

サンシャイン計画ではさまざまな致死性の毒ガスが研究された。

まず「虫を呼ぶガス」。蜂のように人を刺したり噛んだりする虫を集めるガスを噴霧、敵を虫に攻撃させるもの。そのために昆虫の出すフェロモンを使うことが考えられた。

クマや野犬のような動物を呼び寄せるガスも考案された。また犬が敵を追跡できるように、人間には匂わないが犬には判別できるガスや反対に糞尿などの匂いで戦意を喪失させる、あるいは敵のキャンプ地で催淫剤をスプレーし、男女の戦闘意欲をなくすことも考えられた。

ゲイ化させるガスも考えられたが、こうしたガスは研究止まりで実用化されることはなかった。

ライト・パターソン空軍研究所は2007年にイグノーベル賞（科学雑誌編集部が選ぶユニークな研究に与えられる賞）を受賞している。

▶ダニに刺されると牛肉が食べられなくなる？

食い合わせではないが、アレルギー反応には別のアレルギー反応を引き起こすものがある。たとえばクラゲに何度も刺されると納豆でアレルギー反応が起きるようになる。クラゲの毒に含まれるポリガンマグルタミン酸という成分が納豆のネバネバにも含まれているからだ。

マダニと牛肉はどちらもα-galという物質を含むため、マダニに刺されると牛肉でアレルギー反応が出るかもしれない。獣医やペット業者はマダニに刺されることが多いので要注意だ。

医療関係者は天然ゴムの手袋をつけるが、含まれるラテックスでアレルギー反応が出るようになると、バナナやアボガドのアレルギーになる。

猫の毛に含まれるFel d2というたんぱく質のアレルギーになると、Fel d2は豚肉にも含まれるため、豚肉アレルギーになるし、インコやオウムの羽のアレルギーになるとGal d 5というたんぱく質が共通する卵アレルギーになる。

アレルギーが別のアレルギーを誘引するというのは最近になってわかったことだ。まだあまり知られていないので、殺人のネタに使うと新鮮だろう。

アイデアのヒント

和歌山毒物カレー事件とスプリング8

1998年に起きた和歌山毒物カレー事件は、町内の夏祭りでふるまわれたカレーにヒ素が混ぜられ、67人が中毒症状を起こし、うち4人が死亡した凶悪事件だ。

犯人の林眞須美は自宅にヒ素を所有、別件の保険金詐欺事件で被害者の食事にヒ素を混入させていた。林真須美宅のヒ素と犯行に使われたヒ素が同一かどうかが問題となり、判別のためにスプリング8（兵庫県の播磨科学公園都市にある大型放射光施設）が使われた。ヒ素は工業製品であり、区別がつきそうもないが、販売される缶によって不純物がごくわずかに異なる。そのスペクトルが一致すれば同じ缶のヒ素となるのだ。そしてスプリング8を使ったスペクトル解析の結果、同一缶のヒ素と判断、逮捕に至った。

ヒ素という古典的な毒が同じ缶から出たものかどうかの判別に、スプリング8という、最新技術のサイクロトロンが使われたというギャップが面白い。

第5節 若返りの薬

▶陰謀論と若返りの薬

若返りの薬があれば、いくらでも金を出すという富豪は多いと思う。この世で買えないものはひとつだけ、時間だ。過ぎた時間を取り戻すことはできない。愛も家族も金で買えるが、時間だけはどうにもならないのだ。

2016年の米国大統領選では、陰謀論がネットを席巻した。ウォール街、IT産業界、メディアと一部の政治家（特に民主党、中でもオバマとクリントン一派）、官僚が手を組み、隠された政府＝ディープステートを作り上げている。

ディープステートの目的は、IT技術を駆使した完全管理社会、新世界秩序（＝New World Order、略してNWO）の実現だ。

人口増加により、いずれ地球の資源は枯渇し、環境は悪化して人類は存亡の危機に立たされる。その前に彼らエリートが全世界を支配し、適切に資源を配分し、人口を調整するのだという。

ユダヤ人がエリート（GAFAを始め、大手国際資本の経営者にはユダヤ人が多い）として、ユダヤ教のいうゴイム（異教徒）を支配する……。

陰謀論はさらに言う。ディープステートのメンバーは、若返りの薬を飲んでいる。それは血液から作られる。ディープステートに属する、世界中の富豪たちは争ってその薬を飲み、究極の若返りを行っている。

もしそんな薬があれば、たしかに富豪たちが争って買うだろう。その薬をアドレノクロムという。

▶若返りの薬のキリスト教的な意味

ディープステートと若返り薬が関係するのは、私たち日本人には、金持ちの欲望にはきりがないという話に聞こえる。だが、キリスト教徒である欧米人にとっては意味が違う。

ディープステートはサタニズム、悪魔崇拝者だというのだ。悪魔崇拝というとデスメタルの世界だが、ヤギの角を生やしてえらそうにしているサタンは、教会による後付けのイメージだ。教会は、土着宗教では多産を意味し、崇拝対象であったヤギを悪魔に見立て、土着宗教のイメージダウンに利用したのだ。

旧約聖書のサタンは、神に逆らってイブに善悪を知る木の実＝知恵の実を食べるようにそそのかした。そのために人類は楽園を追放されたと旧約聖書には書かれている。だが、もしサタンがいなければ、人類は楽園から追放はされなかった代わりに、動物ほどの知性のまま、へらへら笑って暮らしていたはずだ。

サタニストは人類に知恵を与えてくれたサタンを信仰し、神とは人類を家畜のように扱う傲慢な為政者だとする。サタニストのミッションは、知恵によって神の圧政とこの世の不条理を打ち破ることだ。知性絶対主義と言い換えてもいいだろう。陰謀論やオカルトで出てくる秘密結社イルミナティは、このサタンが与えてくれた知恵の光＝イルミナティを意味する。

彼らは神と戦っているので、神に禁じられたことをあえて行う。人類が最初に神に禁じられたことは何か？　それはエデンの園に植えられた命の木と善悪を知る木の実を食べてはいけないというタブーだ。サタンのおかげで善悪を知る木の実はすでに食べた。次は命の木の実である。

ディープステートはサタニストの集団なので命の木の実を欲し

がり、反キリストなので同じく反キリストのドラキュラのように血を飲むのだ。

▶拷問した子供の脳下垂体から作る薬？

アドレノクロムは子どもから作られる。子どもを拷問すると、アドレナリンが極度のストレスで酸化し、アドレノクロムに変化する。アドレノクロムは松果体（眉間の裏あたりにある器官）に集まるので、眼球に注射器を差し込んで吸引する。B級ホラーのような製造法なのだ。

アドレノクロムはあくまでドラッグで、効果の持続時間は限られる。ドラッグが切れると一気に老け込み、目の下に非常に濃いクマができるという。

アドレノクロムは実在する薬剤だ。腎臓の副腎髄質から分泌されるホルモンのアドレナリンが酸化したもので、主に止血剤として使われる医薬品である。日本では富士フイルム和光純薬が扱っている。アドレナリンの分泌器官は腎臓なので抽出するなら腎臓だろうと思うが、なぜか松果体から抽出することになっている。これには理由があり、かつてアドレノクロムが幻覚剤だという説があったのだ。

精神科医エイブラム・ホッファーは統合失調症の原因は、血中のアドレノクロムが幻覚を見せるからだという「アドレノクロム仮説」を発表した。アドレノクロムの分子構造は幻覚性サボテンに含まれるメスカリンと類似しており、血中に増えたアドレナクロムによる自家中毒で幻覚を見るのが統合失調症なのだという。

この話とディープステートのような都市伝説とサタニズムが合体し、子供の血をすすって若返る富豪のイメージができたのだろう。ちなみにアドレノクロムとメスカリンの分子構造はまったく似ていないし、アドレノクロムは止血剤なので一般的に使われるが、誰も幻覚を見た人はいない。統合失調症患者の血液中からアドレノクロムが見つかった例もない。

なぜ松果体かというと、オカルトでは松果体は第3の目と呼ばれ、超能力が発現する器官だからだ。アドレノクロムが集まっているイメージだったのだろう。

▶若者と老人の体を縫い合わせて若返る

本物の若返りはあるのかといえば、なくもない。

「並体結合」という医療技術がある。個体同士の血管をつないで血液循環などを共有させる技術で、19世紀に発明され、20世紀に入ってノーベル賞学者のアレキシス・カレルが、犬の肺を別の犬の血管つないで生かすなどの実験を通じて、臓器移植や人工心肺の基礎を作った。

時が経ち、2005年、カリフォルニア大学バークレー校のマイケル・J・コンボイらは体細胞の老化について調べるため、マウスの並体結合を行った。年をとるとケガの治りが遅くなるのは細胞自体の老化によるものか、体内の環境によるものかを調べるためだ。その結果、驚くべきことがわかった。

老いたマウスと若いマウスを並体結合したところ、老いたマウスが若返り、若いマウスが衰弱したのだ。コンボイらは細胞に老化はなく、血液に含まれる成分が若さを生み出していると仮説を立てた。ということは若者の血液を老人に注射すれば、若返ることになる。

2016年、ジェシー・カルマジンはAmbrosia（アンブロシア）

社を起ち上げ、中高年者に若者の血液を輸血するサービスを開始した。1回8000ドル（約90万円）で10代の若者から採取した2.5リットルの血液を輸血する。

しかしこれまでも、若者の血液を手術中の老人に輸血するようなことは何度もあったはずだ。それなのに患者が若返ったという話はひとつもない。

そこで今度は老マウスに若マウスの血液を輸血してみた。Ambrosia社の若返り術が正しければ、老マウスは若返るはずだった。ところが若返りはまったく見られず、反対に若マウスに老マウスの血液を注射すると肝臓の機能が衰弱した。

若いマウスの血液に若返り物質があるのではなく、老マウスの血液に老化促進物質があるのだ。若いマウスは輸血した老マウスの血中に含まれていた老化促進物質によって衰弱、老マウスは若い血液が流入することで老化促進物質が希釈され、細胞の機能が回復したと考えられる。

この血中の物質が輸血した相手に影響するというのは、他にも例がある。

肥満物質を探そうと肥満マウスと普通のマウスの並体結合を行ったところ、意外にも普通のマウスが太るどころか餓死してしまった。

レプチンは肥満を抑制する物質だ。肥満マウスが肥満になる原因は、レプチンの分泌量が少ないかレプチンの受容体が不足しているか、2つのパターンがあるのだそうだ。

レプチンが不足している場合は、普通のマウスから肥満マウスへレプチンが流れ込む。レプチンが増えると食欲が抑えられるため、肥満マウスはやせ始める。逆に普通のマウスはレプチンが不足するので食欲が抑えられずに太り出す。

レプチン受容体が少ない場合はどうなるか？　肥満マウスの血中には受容されないレプチンが溢れている。余ったレプチンが普通のマウスの体内に入り、食欲不振を起こす。そのせいでネズミは餓死したのだ。

若返り物質がないように、肥満物質もなかった。あったのは肥満を抑制する物質だけだった。

Ambrosia社らは輸血ビジネスから一度は手を引くが、希釈によって若返りが起きるとして、現在は血漿だけを販売している。商魂たくましい人たちである。

なお2024年現在、老化促進物質はいまだ発見されていない。

▶若返る薬はあるのか？

若返りの薬はないのかというと、一応、候補はある、ひとつはヒト成長ホルモン（hGHと略する）だ。脳下垂体から分泌され、細胞の分裂・増殖を制御している。10代が分泌のピークで30代からは減る一方だ。細胞の増殖を促すなら、若返り物質なのではないか？

hGHで人体が若返るのかどうかは、まだ結論が出ていない。細胞の増殖を促進するということは、悪い方向にいくらでも進んでしまうからだ。実際に大腸ガンや末端肥大症になった例があり、簡単にアンチエイジングに使えるような物質ではない。

医療用としての量産は始まっているが、脳下垂体から吸い出すような乱暴なことはせず、遺伝子組み換えをした大腸菌を使って量産されている。

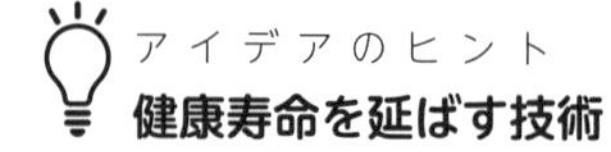

細胞の寿命を決めるのは、テロメアだと言われている。細胞分裂の回数を決めるチケットのような物質だ。高圧酸素を吸うと、このテロメアが伸びるという。

イスラエル・テルアビブ大学の研究チームは濃度100パーセントの酸素を高圧で吸引する高圧酸素療法を長期間行ったところ、免疫にかかわるTヘルパー細胞やナチュラルキラー細胞のテロメアが20パーセント以上も伸びたのだという。酸素の吸引で免疫細胞の寿命が伸びたということは、それだけ年をとっても病気にかかりにくくなったということだ。

みるみる若返るような薬はないが、アンチエイジングの医療技術は進んでいるというところだろうか。

第6章
兵器編

科学のことを調べると、物語に使えそうな面白いテーマは、軍事と関係が深いことに気づきます。推理小説のネタに使う場合はともかく、SF のように技術自体をテーマに使う場合、軍事を離れることは難しい。登戸研究所の資料館へ行くと、細菌兵器や毒物、スパイグッズに厨二魂がくすぐられます。敵地に軍用犬がいたら、乾燥ミミズを投げると気を取られるとか。なぜミミズ？

6

第1節 EMP

▶誰も本気にしなかった電磁波兵器

EMP（Electro Magnetic Pulse＝電磁波）兵器は高出力の電磁波を利用した兵器の総称だ。

2017年9月3日、北朝鮮メディアは大陸弾道弾に搭載可能な水素爆弾の開発が成功した発表した。この時、労働新聞などが水爆を高高度で爆発させれば電磁パルス攻撃を行うことができると主張、大騒ぎになった。

元々、EMPは核兵器の副産物だ。北朝鮮が脅す、核爆発による電磁パルス攻撃は、高高度核爆発電磁パルス、通称H EMP（High-Altitude Electro Magnetic Pulse）として知られている。

地上から30キロ～400キロの高さで核爆発が起きると、地上には大量の電磁波が降り注ぐ。この電磁波によりコンピュータや発電所、交通機関などあらゆる電子回路に過剰な電流が流れるのだ。大量の電流が流れるために、回路が焼き切れたり、誤作動を起こしたりといった被害が起きる。

電気とコンピュータに依存する現代社会では、これは致命傷だ。経済損失や社会的混乱という意味で核攻撃と同レベルかそれ以上の被害となる。高高度であるため、核物質による汚染や熱線の被害はなく、国際的な非難も浴びにくい。

HEMP以外にもEMPを利用した兵器は冷戦下の米ソで研究されてきたが、いずれも広範囲にEMPをまき散らすものでしかなかった。使用すれば、自分たちもブラックアウトしてしまう。兵器として役に立たない。

EMPをレーザーのように指向性を持たせた兵器に利用する研究

も行われたが、兵器の能力の割に装置が大型になり過ぎ、実用に耐えられなかった。だから研究は継続されたものの、あくまで研究レベルであり、実用化に至るのはもっと先だと考えられたのだ。

この時点で、多くの軍事関係者はEMP兵器は空想のものと考えた。そのため、70年代以降の電子戦といえば、より精緻な索敵を行えるレーダーの開発や通信の妨害技術、コンピュータに対するサイバー攻撃とそれに付随するネットワーク攻撃のことを指し、電磁パルス攻撃はカテゴライズされて来なかった。つい最近まで、EMP兵器はSFやポリティカルサスペンスに登場するガジェットでしかなかったのだ。

▶実用化されるEMP兵器

兵器のコンピュータ化が進むにつれ、EMP兵器のアドバンテージは大きく変わってきた。無差別テロに近い現在のEMP兵器は対人から対都市までさまざまなフェイズで活用すべく開発が進んでいる。昔とは取り巻く環境が違うのだ。

艦船や機動兵器にピンポイントで使用したり、サイバー兵器とのハイブリットだったり、人間の脳に直接攻撃をかけるタイプだったりと非常に広い範囲で開発が進んでいる。

2020年に中国軍とインド軍は国境付近のラダック地区を巡って、小規模な戦闘が発生したが、この時、彼らは互いにEMP兵器を使用したのではないかとの噂が流れた。

2020年8月1日、中国のネットメディア、環境時報が「中国のヘリコプターが未知のインドのEMPバーストによって撃墜され、7人が死亡した」との記事を流したが、しばらくして記事が削除された。インドからコメントはなく、真偽は不明。

続く8月29日、今度は中国がインドに対してEMP兵器を使用したとのニュースが流れた。北京人民大学の金燦栄教授がコメントで、パンゴンツォ湖地域の制圧のためにインド軍に対して対人用EMP兵器を使用、その地域を「電子レンジに変えた」と述べた。照射15分でインド兵士は嘔吐を始め、撤退したという。

対人EMP兵器は米軍のアクティブ・ディナイアル・システムが知られている。2010年ごろにアフガニスタンの駐留軍に配備された対人非殺傷兵器で、電磁波によって多人数に非常な不快感を発生させることができる。

電磁波を使うため、電子レンジと比較されることが多いが、電子レンジの周波数2.45GHzに対して、アクティブ・ディナイアル・システムの周波数は95GHzなのではるかに高い。

電磁波は周波数が上がれば上がるほど物体の内部に侵入できない（熱に変わってしまう）。電子レンジはコップの水を温めることができるが、アクティブ・ディナイアル・システムは皮膚の0.4㎜下まで侵入するだけですべて熱に変わってしまい、体の内部を熱くすることはできない。代わりに皮膚は熱くなる。アクティブ・ディナイアル・システムの照射はものすごく不快で、その場からすぐに逃げ出すほどらしい（類似の技術にフレイ効果がある。詳しくはp150）。

中国の研究者が2005年に発表した論文には、心臓に対してEMPを照射することで脈動が遅くなり、最終的には停止することを発見したとある。高出力の電磁波に曝露された細胞は生存率が低下し、自死と壊死の割合が増大する。心筋細胞は電磁波の影響を受けやすく、EMPを使って標的に心臓を止めたり、損傷させることは可能なのだ。

▶アメリカの最新鋭艦が活動不能に？

2014年、ロシアとアメリカはクリミア半島を巡り、一触即発のにらみ合いを続けていた。

2014年4月10日（同月12日という報道もあり）、黒海に展開するロシア海軍をけん制するため、米軍の米海軍アーレー・バーク級ミサイル駆逐艦ドナルド・クックが中立海域に進攻した。

ドナルド・クックはイージスシステムを備えた最新鋭の攻撃システムを備えていた。イージスシステムは現代戦における最強の防衛システムだ。半径300kmをカバーする広域レーダーで敵を捉え、搭載した迎撃ミサイルを発射、洋上で撃墜する。

その日、2機のロシア軍戦闘機スホイ24が黒海沿岸からドナルド・クックに向かって飛行、ドナルド・クックのレーダーが探知し、飛行ルートを予想、そのまま対空戦闘態勢に入った。そこで予想外の事態が起きた。

米国防総省の発表によれば、2機のうち1機が水平線上から海面すれすれにアプローチし、同艦のわずか9メートル手前で垂直上昇するという異常接近を12回行ったという。

これは挑発行為として極めて危険なものだ。しかしドナルド・クックはこの挑発行為を受け流し、同機を撃墜することも威嚇射撃も行うこともなかった。

米国防総省はスホイ24に武装がなかったとして、ドナルド・クックから撮影したスホイ24の腹面の写真を発表している。非武装の戦闘機による挑発行為を真に受けても仕方ない、というわけだ。ところがロシアの新聞が掲載した記事は、米国防総省の発表とはまったく違うものだった。

「ロシアの戦闘爆撃機スホイ24が、黒海で米国の最も近代的な戦闘システム「イージス」を搭載した駆逐艦「ドナルド・クック」を麻痺させた」

スホイ24には「最新のロシア製電波妨害システムが搭載」されており、ドナルド・クックのイージスシステムはスホイ24を補足、「戦闘警報を鳴らし」たが、「突然、レーダーの画面がフリーズした」という。そして「イージスステムは機能せず、ミサイルは目標指示を受け取ることができない」状態に陥った。

その間、スホイ24はドナルド・クックの上空を通過し、目標であるドナルド・クックに対して仮想のミサイル攻撃を12回も実施した。イージスシステムは再起動せず、ドナルド・クックからいかなる反撃も反応もなかった。

なおスホイ24は1970年代に配備された旧式の戦闘機である。

▶旧式の戦闘機をステルス化するロシア軍の最新兵器

スホイ24に搭載された兵器のコードネームは「ヒビヌィ」。ヒビヌィとはロシアのコラ半島にある山脈の名称だ。

ロシア軍によれば、ヒビヌィは敵の索敵用レーダー波をキャッチ、その発信源を特定することが目的の電子戦兵器なのだという。

ヒビヌィはレーダーの反射波が発信源に戻るまでの時間を遅延させたり、距離、速度、角度の測定を困難にさせることができる。さらに敵レーダーから自機を隠すことができる。また電磁的なニセのターゲットを敵レーダーに誤認させることで、特定を避ける。古い戦闘機もヒビヌィを使えば、最新鋭のステルス戦闘機のようにレーダーから機影を消すことができるのだ。

ステルス機能を改修の必要なく電磁的に行える上に、さらに電磁的かく乱を行うECMもセットになった、新型の電子戦兵器なのだ。

本体は小型で、戦闘機の主翼下に2基の格納コンテナを吊り下げて使用する。戦闘機群で使用する場合は、胴体下に3基目のユニットを装着し、全機がリンクしてレーダー波からカバーされる。

▶戦闘機搭載型のEMP兵器か

ヒビヌィの公表された機能から、ドナルド・クックのブラックアウト（＝システム不能、停電）を説明することは難しい。レーダーの機能不全を起こすことは可能だが、イージスシステム自体をシステムダウンさせることは不可能だ。しかもドナルド・クックはイージスシステムを始めとした管制システムだけではなく、エンジン回りのシステムもダウンしたことで航行不能となり、ルーマニアまで曳航された。

レーダー波をハッキングするヒビヌィならレーダー関係をブラックアウトさせることは可能だが、エンジンまで動作停止させることはできないだろう。エンジンとレーダー波は無関係であり、そもそも別系統だ。

しかしヒビヌィがEMP兵器だとすれば、ドナルド・クックの全システムがブラックアウトしたことも説明がつく。

▶最強国家アメリカの敗北

EMP兵器は、非常に強い電磁パルスを発生させる。

電磁波を浴びた電子回路内には電子機器が耐え切れない過剰な電流が発生し、電子回路は焼き切れてしまう。

現在、すべての現代兵器にはコンピュータと通信回路が組み込まれている。そんな現代兵器にEMPを照射したら、ミサイルやドローンなどの誘導兵器から戦闘機のアビオニクス、イージスシステムの中核をなすレーダー管制システムまで、搭載された電子機器はすべて破壊されるだろう。

ミサイルも戦闘機も落下し、艦艇は航行不能になり、戦車さえも動かなくなる。戦車のエンジン部分も電子制御だからだ。歩兵も通信が遮断され、目視のみの銃撃や肉弾戦しかできなくなる。19世紀の戦争に先祖返りしてしまうのだ。

EMP兵器はこれまでの兵器とは根本的に違う。世界のパワーバランスを逆転させ、軍事の常識を根底から覆す。

クリミア紛争で起きたドナルド・クックのブラックアウトは、まさに軍事の常識を覆す事件だった。最新鋭のイージス艦がロシアの旧型戦闘機に搭載されたEMP兵器の攻撃を受け、システムが完全停止、演習の標的に使われたのだ。米軍にとって、これほどの屈辱があるだろうか。

事件後、ドナルド・クックでは「乗組員27人が退職願を提出」し、退職願には「自分の生命を危険にさらしたくない」と書かれていたという。

その後もロシア軍によるEMP攻撃は続く。

ロシアのEMP兵器がアメリカ一強の時代を終わらせたのだ。

▶EMP兵器は爆弾ではない

HEMPのイメージで爆弾の一種だとEMP兵器を捉えると間違える。小型EMP兵器はレーダーのような発信器で、電子レンジの化け物と思うとおおむね正しい。

電子レンジは水が振動する周波数で電磁波を発生させ、食べ物を温める。EMP兵器は電子レンジよりもはるかに広い周波数の電磁波をはるかに高出力で一斉に発生させる。そして食べ物を温める代わりに電子機器の中に雷を生み出す。

EMP爆弾は、爆弾内部で発生させた電磁波を強力にするために火薬を使用する。仕様にはいろいろあるが、米軍が公開されているタイプは砲弾のような形をしている。硬い金属のジャケットで覆ったシェルの中に筒状に巻いたコイルがはめ込まれ、その中に高性能爆薬が詰め込まれている。

強力な電磁パルスの発生のために磁気濃縮型爆薬発電という電磁気学の原理を使う。元は核融合炉の研究に必要な大電力を得るために旧ソビエト連邦の科学者が開発した技術だ。

EMP爆弾の一端で爆発を起こすと、コイルが潰されて磁力線の通る場所がぎゅっと圧縮される。逃げ場をなくした磁気がコイルに戻って電流となり、磁気として再度放出されるが、爆発でさらに場所を失い、といった連鎖が数万分の1秒～数千分の1秒の間に起こり、狭い空間に磁力線が文字通りに圧縮される。最後はコイル自体が吹き飛ぶことで電磁パルスとなって放出される。

静電圧縮型爆弾という電磁的な爆発を起こす爆弾もある。火薬を使うのではなく、大電流を蓄えたコンデンサーを使う。

静電圧縮型爆弾のやっかいなところは、電子部品の組み合わせでしかなく、アタッシュケースサイズに収められることだ。有効範囲は非常に狭いが、ビルの１つ２つをブラックアウトさせるには十分な威力がある。

こうした小型EMP兵器は、核爆発のEMPには出力は遠く及ばない。しかし必ずしも兵器は強力である必要はなく、小出力だから使えるシーンも多々ある。ピンポイントで重要施設や官公庁のサーバを破壊するなどの場合だ。

兵器のレベルが違う戦争を非対称戦と呼ぶが、テロリストにEMP兵器が渡れば、情勢は一気に逆転する。最新鋭兵器はスクラップになり、テロリストの持つ貧相な兵器が優位に立つだろう。非対称戦を対称戦にしてしまうのがEMP兵器なのだ。

アイデアのヒント
太陽フレアの恐怖

EMP攻撃と同じように、広範囲の電子機器に過剰な負荷をかける自然現象がある。太陽フレアだ。太陽から強力な電磁波が放出され、地球を飲み込む。フレアはフレアスカートのフレアで、恒星が爆発し構成物が大きく吹き上がることからそう呼ばれる。

記録に初めて登場する太陽フレアは1859年9月1日にイギリスの天文学者キャリントンによって記録された。この翌日、キューバやバハマ、ジャマイカ、ハワイなどでオーロラが観測され、北米ではオーロラのあまりの明るさに夜でも新聞が読めたという。また当時は電信が主な通信手段だったが、電信システムから火花が噴き出し、火災が起きた。もし同レベルの太陽フレアによる磁気嵐が現在のアメリカを襲った場合、研究所による試算では、およそ1億3000万人が停電などの被害を受け、被害総額は最大で240兆円に及ぶという。

太陽フレアもSFのモチーフに使われるが、多くはカタストロフィだ。太陽フレアでなぜか世界が燃えてしまう。実際の太陽フレアに近いのは、矢口史靖監督の映画『サバイバルファミリー』だろう。太陽フレアで電気が一切使えなくなった世界の話だ。そういうアプローチもある。

第2節 レールガン

▶リニアモーターの基本

2023年10月、自衛隊が洋上でのレールガンの試射実験を行った。レールガンは電磁石を使って弾を打ち出す兵器だ。

電磁石を使って動くというとリニアモーターが思い浮かぶ。リニアモーターはリニア＝平面のモーターだ。モーターは磁石で囲まれた円筒の中を電磁石が軸を中心に回転する。電磁石のＮ極とＳ極が高速で切り替わり、取り囲む磁石のＮ極・Ｓ極と引き合ったり反発したりを繰り返して、円筒形の電磁石が回転する。

モーターをばらして電磁石を広げて平らにし並べ、その上を磁石（リニアモーターの場合、こちらも電磁石を使う）が移動していくというのがリニアモーターだ。平らの電磁石の上をモーターの外側の永久磁石が移動する。

リニアモーターは電磁石同士の反発で浮き上がるので抵抗が少ない。だから移動部分は素早く動くことができる。工場で部品を次の工程に送ったり、自動ではんだ付けをしたりする精密なロボットの動作に使われている。

▶スペースデブリ対策の研究に活用

レールガンはリニアモーター同様に電磁石を使うものの、こちらはモーターではなく磁石の大砲だ。

中学校で習うフレミングの左手の法則を覚えているだろうか？磁石のＮ極・Ｓ極と電流が直交すると直角方向に力が発生する。この力をローレンツ力と呼ぶ。意外と出てくる言葉なので、覚えておいて損はない。

レールガンはコイルを巻いた2本のレールに電流を流し、そのレール間に弾を置いてローレンツ力で発射する。その速度はロケット並みで秒速1～8キロメートル。ライフルの弾丸が秒速600～1000メートルなので桁違いに速いことがわかる。大気中で発射すると大気と弾丸の摩擦で空気がプラズマ化して燃え上がる。金属の弾では溶けるどころか蒸発してしまうため、高熱に耐えられるセラミックの弾丸が使われる。

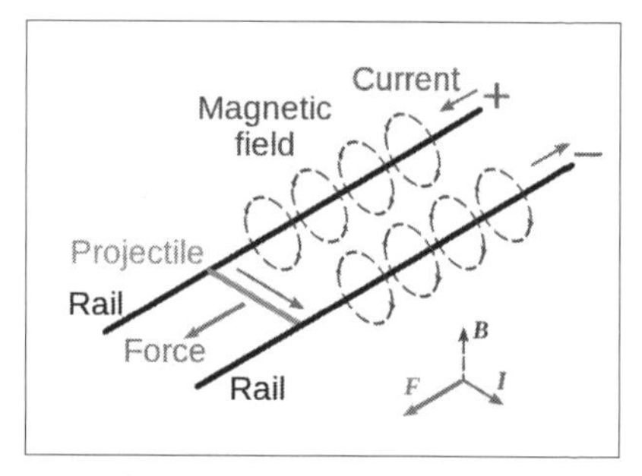

レールガンの概念図
画像引用：GNU Free Documentation License

破壊力は凄まじく、10センチ角の金属ブロックを貫通、ブロックは衝撃波で進入口の反対側がロート状にざっくりとえぐり取られる（銃弾でも、体の正面には弾口しかないのに、背中が吹き飛んでいたりする。モンロー効果という）。普通の艦艇の装甲板は軽く突き通す。

日本では兵器ではなくスペースデブリ、衛星軌道上のゴミ対策としてレールガンは研究されていた。宇宙空間を漂うゴミ＝スペースデブリは毎秒数キロの速度で飛んでいる。衝突すればただでは済まない。そこでスペースデブリの衝突に耐えられる防壁の開発にレールガンが使われていたのだ。

▶電力と砲身の問題

レールガンは電気をバカみたいに使う。日本でスペースデブリ対策実験に使われていたレールガンは、世界最高レベルの秒速8

キロをマークしていたが、数百世帯の電力をコンマ数秒で放出した。そのため一発撃つために必要な電力をコンデンサーに貯めるのに丸1日が必要で、とても連射できるようなものではなかった。また砲身も約10メートルもあり、それをくり抜くのに1週間かかった。わずかでもズレがあって、弾が砲身に触れたら大爆発が起きるため、わざわざ金属の棒を高精度でくり抜いて砲身としていた。しかしそうして時間をかけてくり抜く砲身も一度しか使えない。発射時に空気との摩擦でプラズマが発生、その高熱で溶けてしまうからだ。

実用試験中の自衛隊のレールガンは、そのあたりは考えられているようだが、扱いにくい兵器ではあるだろう。

レールガンの仲間には、電磁石のコイルの芯の部分を抜いて砲身にし、磁石の弾丸を飛ばすコイルガンや火薬の代わりに高電圧でプラズマを発生させ、その爆発力を使って弾を飛ばすサーマルガンがある。

極超音速で飛んでくるレールガンの弾丸を防御する方法はない。ミサイルを振り切る戦闘機もレールガン相手では勝負にならないだろう。ただし射程はそれほど長くはないと考えられる。空気との摩擦で弾速は急速に落ちるからだ。

レールガンが実用化する際には、発電システムや装弾システムなどに大幅な革新が必要になるだろう。それは結果的に軍事における船舶のあり方も変えるに違いない。もしかしたら大艦巨砲主義の復活となるかもしれない。

第3節 透明マント

▶姿が消える光学迷彩

アニメ『攻殻機動隊』や映画『プレデター』で広く知られるようになった「光学迷彩」。背後の光を曲げて、あるいは背面の風景を前面に投影して、風景に紛れ込んで見えにくくする。人間サイズから戦車サイズまで広く対応することが考えられ、各国で研究が進んでいる。軍事はもとより民生品としても、大型車の死角をなくしたり、複雑な装置の整備をする際に内部構造を手前に投影したり、広い倉庫の管理をコンパクトにしたり、使い方は様々だ。

投影型はあまり魅力的ではない。背後の風景を撮影、画像を高反射率のスクリーンに投影して姿を消すので、プロジェクターが必要になる。光学迷彩の描写にある、服が一瞬で透明になるというイメージとは違う。

背後の風景を鏡のように反射させて前面に持って来る、ハリーポッターの透明マントのようなことはできるのか？

▶レンズを使った光学迷彩「量子ステルス」

2012年、カナダのハイパーステルス バイオテクノロジー社は世界初の商用光学迷彩技術「量子ステルス」を発表した。同社は軍服の迷彩技術の専門メーカーで、量子ステルスも軍事用となる。そのため技術の詳細は公開されていないが、2021年に日本でも特許申請されているため、大まかな技術内容はそちらで知ることができる（特表2021-529995(P2021-529995A)）。

量子ステルスはカマボコ型のレンチキュラーレンズをシート状にしたものだ。レンズの凸面側に立つとレンズ後方の光は外側へと拡散する。レンズの背後にある物体の像は視界の外に拡散して見えなくなる。真正面の物体の像は見えるだろうと思うが、縦が圧縮され、横に細長くなるので非常に見えにくい。ただの線にしか見えなくなる。

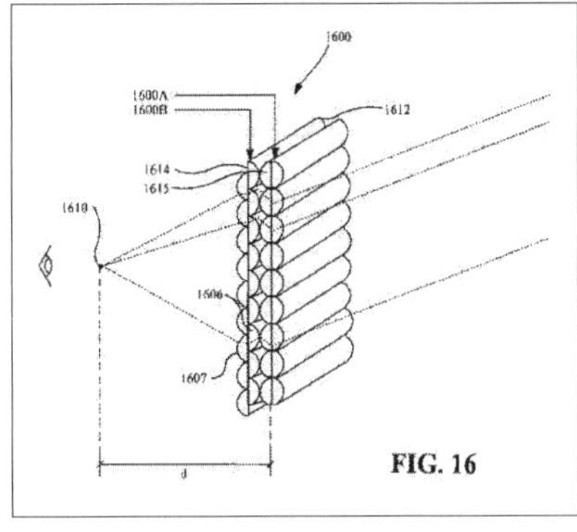

絵の動くシールなどに使われているレンチキュラーレンズを応用した量子ステルス。同様のレンズシートは手品にも使われている

さらにレンチキュラーレンズを多層に組み合わせることで、レンズに近い物体の像を拡散させ、背後の風景だけを正面に投影させることが可能になるのだ。

このレンズを円形ドームにしてその中に隠れれば、外からはほぼ見えなくなる。盾のように使えば、兵士の姿を消すことができる。戦車や戦闘機の格納庫を量子ステルスのシートで作れば、外からは格納庫自体を隠せる。

光を曲げているだけなので、物体とレンズの距離や位置が変わるとぼやけて見えたり、一部分だけ見たりする欠点があり、完璧な光学迷彩とはいえない。布のように自在には曲げられもしない。利用範囲も限定的だが（たとえば兵士が量子ステルスの盾を持って移動する時、後ろに兵士がいるとその姿が見えてしまう）、安価でシンプルであり電源も何も必要ない。シートを持ち上げるとシートを持つ人の姿が消えるデモ画像は非常にインパクトがあり、軍が採用を検討しているという話も納得できる。

なお商品名に「量子」と付けられているが、量子力学とは無関係、あくまで光学技術だ。

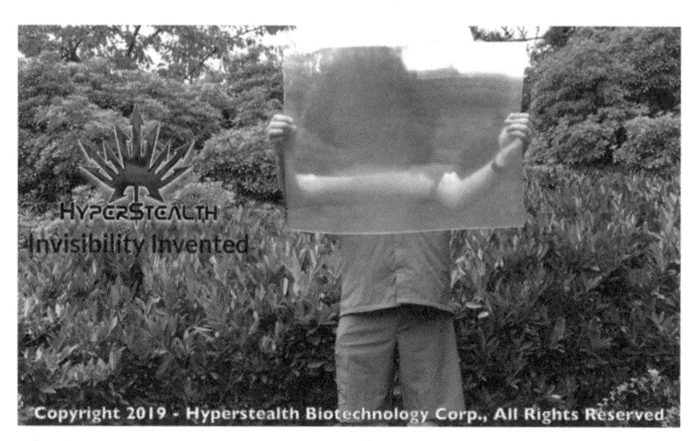

デモ画像の例。上半身は消え、レンズに近い腕の像だけが見える
画像引用：ハイパーステルス バイオテクノロジー社

▶分子レベルで波を操る「メタマテリアル」

光を曲げることはできるのか？　光は電磁波であり、電磁というのなら磁力で曲がりそうな気もするが、曲がらない。磁石の周りで景色が歪むこともない。では光は曲がることはないかと言えば、水に光が入ると曲がる。コップの水に箸でもフォークでも入れれば、曲がって見える。屈折だ。光が通っていく物質＝媒質が変わると屈折率が変わり、光の進む方向が変わるのだ。

この屈折を分子レベルで無数に起こせば、光はどんどん曲がり、背後の光を正面に持って行くことができるはずだ。それを可能にするのが「メタマテリアル」、分子レベルで加工された素材である。メタマテリアルは磁気を使って屈折率を変えることで、光を自在に曲げることができる。屈折率は透磁率（磁石へのなりやすさ）と誘電率（電気の貯めやすさ）から導き出せるので、電気的に屈折率を変えることができる。そこで分子サイズのコイルを無数に配置し、それを使って自然では起こらない屈折を作り出し、光学迷彩を可能にする。

メタマテリアルは媒質の性質を変えるため、光だけではなく、音、熱なども操作できる。

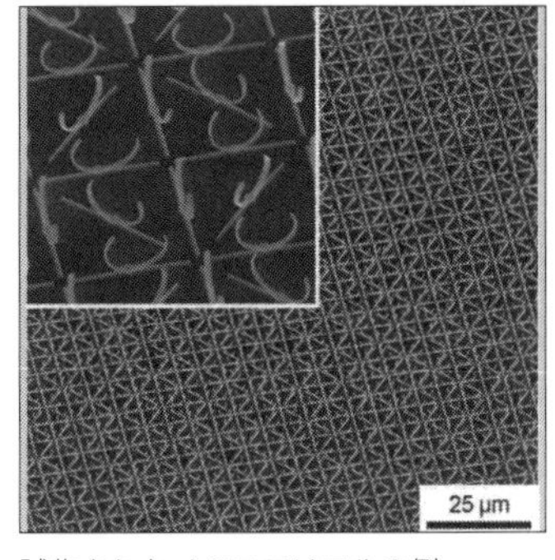

試作されたメタマテリアルの例

画像引用：理化学研究所『RIKEN NEWS 2017年11月号』「構造で光を操るメタマテリアルの実用化を目指す」

SPACECOOL株式会社とカンボウプラス株式会社が商品化した放射冷却素材「SPACECOOL」は、メタマテリアルを利用した布や塗料で、熱の元となる赤外線の波長を変えて、そのまま反射させてしまう。太陽の光を浴びても、赤外線だけ飛ばしてしまうので熱くならない。日中でも冷やすことができるので「日中放射冷却」という。

防音材としてのメタマテリアルは、目に見えない微細構造を作り、それで室外機などを覆って音を吸収させてしまう仕みだ。

光を曲げる性質を利用し、これまでのレンズの光学系がレンズを何枚も重ねて作る必要があったのを、屈折率を変えることで1枚で済ませてしまうのがメタレンズだ。スマートフォンのようにレンズ機構を小型化する装置では、メタレンズが威力を発揮する。

アイデアのヒント

昔の技術から生まれる最先端

レンチキュラーレンズという、いわば枯れた技術で光学迷彩ができるとは誰も考えなかった。お菓子の付録シールや子供向けのおもちゃで誰でも目にしていたのに関わらずである。

メタマテリアルが何に使えるのか、製造業界も手探り状態だ。メタマテリアルで光学迷彩以上にどんなすごいことができるのか、作家の腕の見せどころだろう。

第4節 パワードスーツ

▶実用化が中止となった戦闘用強化服

映画『アイアンマン』で一気にイメージが広がったパワードスーツ。外骨格型ロボットスーツ（exoskeletonという）とも呼ばれ、着るだけで人間のパワーを何倍にも拡大する。パワードスーツは、実際に作ることが可能なのだろうか。

2013年よりDARPAが進める「Warrior Web Project」（戦闘員支援計画）には、戦闘用強化服「Tactical Assault Light Operator Suit」(TALOS)の開発も含まれていた。

しかし2019年、TALOS開発の正式な中止が海軍よりアナウンスされた。海軍の発表によると、作られたのは試作5号機までで、問題はシステムの統合にあったという。TAROSを構成する外骨格、ベース層、視覚拡張システム、ヘルメット アセンブリ、装甲、電力、通信はそれぞれの機能は高くてもシームレスな連携がとれずにバラバラな機能の寄せ集めだったのだ。

TALOSが目指したのはアイアンマンではなく、非常に現実的な現代の鎧だ。防弾機能と医療機能、通信機能を備え、ディスプレイを持つヘルメットと重装備を軽く運ぶ外骨格、その12時間の連続使用を可能にする動力源からなり、空を飛んだり、非人間的なパワーを持つ兵器ではない。それでも5年間に8000万ドルの予算を費やしても実用化は出来なかった。

スピンアウト技術として軽量ポリエチレン装甲や耐熱の情報や低下を防ぐ体温の管理機能、ストレス状態のモニタリング技術、小型武器の射撃精度や運用の安定度を図るシステムなどが開発されたが、目標とした強化服にはほど遠い。

▶米軍が導入するパワードスーツ

現在、実用化されている外骨格ロボットスーツで、もっともパワードスーツのイメージに近いのはSarcos Technology and Robotics社が2020年に発表した「Guardian XO」だろう。

Guardian XOは装着者の力を最大20倍に増幅し、最大90キロの荷物を持ち上げることができる。つまり装着者が感じるのは5キロ程度しかない。腕だけでも最大45キロを持ち上げる。ロボット的な見かけほどパワーはないようにも思われるが、人間の動きと数ミリ秒の誤差で同期して動き、装着者の負担なくこれだけの重量を持ち上げるのは、相当に高いレベルのロボット技術だ。スーツの重量は装着者に一切かからず、着脱に30秒もかからない。

人件費の削減を迫られている米海軍はSarcos Technology and Robotics社と提携、Guardian XOのミリタリーモデルの供給を受ける。4人分の仕事をGuardian XO装着者1人でこなすことが目標だ。

現在のパワードスーツは労働支援もしくは物品の運搬用である。介護支援や農作業・工場労働の疲労軽減が主な用途だ。搭載される動力も、動力がないか（一種のサポーターで、体重を使って筋肉の負荷を減らす）、あってもパワーは弱い。

運搬用のパワードスーツは日本でも防衛庁が試作を進めており、装着者の負担なく50キロの重さを13.5キロの速度で運ぶことを目標としている。災害時や重機の入れない不整地での作業を想定されており、人間が着ることができる小型フォークリフトと考えるのが妥当だろう。

将来的には戦闘服としての導入も考えられるが、現状ではまだハードルは高い。

Mawashi Science and Technology社の外骨格型強化スーツ「Guardian XO」

画像引用：Mawashi Science and Technology

アイデアのヒント

ロボットスーツの課題は柔らかさ

パワードスーツのネックは、モーター駆動の場合、動きに遊びが作れないことだ。人体は柔らかいため、動きにも遊びがあり、常に曲線で動く。動作速度も動きながら変化する。反対にモーターは正確な動きはできても、人体のようにひねったりよじったりすることができない。人間のソフトな動きに合わせるには、モーターは適さないのだ。Guardian XOは駆動に空気圧を利用しており、一定のやわらかさを確保している。

人間のような動きを機械にさせるには、生物的な人工筋肉が必要だろう。

第5節 最強の兵士プロジェクト

▶兵士をバイオテクノロジーで強化する

2007年、DARPAは「インナーアーマー（Inner Armor：体内鎧）」という研究プロジェクトがあることを公表した。

2005年から2012年までDARPAの生物防御治療技術の研究開発を指揮したマイケル・キャラハンによれば、兵士に求められるのは急速に進歩する兵器や作戦に対して「より良く、より強く、より速く、そしてより長く戦うこと」だ。

現在の米軍は、120時間以内に1個師団1万人から1万8000人の兵力を作戦地域に展開しなければならない。さらに30日以内に5個師団を展開することが要求されている。つまり世界中に展開している兵士を、この短時間で次の戦場（砂漠かもしれず、寒冷地域かもしれない）に適応させ、即座に行動に入るように仕上げる必要があるわけだ。

そのためにはキャラハンはバイオテクノロジーで「軍のニーズに合わせて入隊者の体を作り直すこと」が必要だという

インナーアーマーのアイデアは現代に始まったものではなく、元は1962年に皮膚科医師のマリオン・シュルツバーガーが発表した論文「Progress and Prospects in Idiophylaxis (Built-In Individual Self-Protection of the Combat Soldier)：イディオフィラキシー（戦闘兵士への自己防衛機能の埋め込み）の進歩と展望」までさかのぼる。

シュルツバーガーは生物医学とバイオテクノロジーで、心身ともに無敵の兵士を生み出すことを考えた。作戦は兵士は敵との戦いに倒れて失敗するのではなく、「気候と食物、不安と病気のストレスのために」（同論文）失敗するのだ。

シュルツバーガーの「イディオフィラキシー」が進化し、「インナーアーマー」に受け継がれている。

▶無敵の兵士の条件

パワードスーツのような外から兵士を防護する技術開発だけではなく、バイオテクノロジーで兵士を体の中から強化することをキャラハンたちは考えている。虫刺されや水ぶくれに耐性があり、核攻撃後の放射能汚染に耐え、病気に強く、眠らず疲れず食べず飲まず、ストレスに強い兵士を作り出す。そのための強化要素を兵士に埋め込むことをスキンインと呼び、兵士の身体と心理を強化するために生物医学的な処理を行うことを指す。反対にパワードスーツのような外部装備をスキンアウトと呼ぶ。

スキンインの範囲は広く、病原菌に対するワクチンの投与やモダフィニル（医療用の覚せい剤で、72時間眠らない兵士を作るために開発されたが実際には40時間が限界だった）のような脳を覚醒させるドラッグの開発、外傷性記憶をブロックする薬（すでにプロプラノロールという強心薬にトラウマの記憶を消す効果が見つかっている）、VRとバイオフィードバックを使って睡眠を操作し、REM睡眠（夢を見る睡眠）を減らしてPTSDが固定化されることを避けるパワードリーミング治療などから、あらゆる病気に対して免疫を持つ万能免疫細胞を開発し、移植することまでが含まれる。

ベトナム戦争では、全入院患者の83%が病気や戦闘以外の怪我によるものだったという。米陸軍の伝統的な経験則では、身体的死傷者3人につき1人の戦闘ストレスによる死傷者が発生する。

PTSDの解決は重要なのだ。

また動物の特性を生かした技術も視野に入っている。イルカやアシカは深海へ潜る際に極度に酸素消費量を抑えることができるが、これを海兵隊のダイバーに応用し、低酸素状態で活動できるように肉体を改造するといったことを考えているという。

旧ソ連の人サル兵士（p8）のように、人間に動物の機能をスキンインする野望を科学者は失っていない。

▶脳を強化するプログラム

DARPAの「Neural Engineering System Design（NESD＝神経工学設計）」プログラムは、脳にコンピュータを組み込んで、デジタルデータを脳が直接やり取りできるプラットフォームの開発を目的にしている。脳の神経網とデジタルネットワークを接合することは容易ではない。脳神経＝ニューロンの情報とコンピュータのデジタル情報を相互に翻訳して受け渡すアルゴリズムの開発ができるかどうかが実現のカギとなる。

NESDの計画では、デバイスとなるのは0.15ミリメートル以下のニューログレイン＝神経粒と名付けた超小型センサーだ。このチップを脳に埋め込むことになる。そして頭皮に貼りつけた通信機を中継してコンピュータと接続される。

ニューログレインは脳神経を流れる電気信号をモニターし、コンピュータに中継する。この電気信号をデータベース化し、脳の言語を見つけ出し、体系化するのが当面の目標だ。脳の言葉がわかれば、コンピュータと脳を接続し、脳をデジタルに拡張できる。

NESDのような脳改変技術は、人道上の問題を含んでいるが、2020年12月10日付のCNNニュースで、フランス軍による人体改造を伴った「エンハンスド ソルジャー＝拡張兵士」を倫理委員会が容認したとの報道があった。

拡張兵士は文字通りの意味で、義手義足、脳へのデバイスの埋め込み、薬物投与、PTSD対策などDARPAのスキンエンハンスドを網羅しているが、ただし兵士の個人意志を左右する機器の埋め込みや市民生活への復帰を妨げる改造は禁止するとしている。

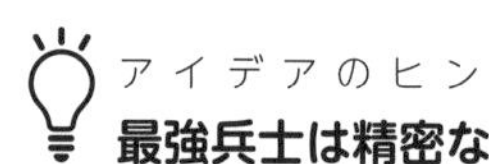

最強の兵士は軍の要求に即応できる身体能力とPTSDにならないメンタリティというのは、ランボーのような兵士のイメージとはかなり違う。必ずしも個人のスペックが高くある必要はなく、どんな時でも誤動作なく常に動くパーツであることが重要なのだ。

第6節 スウォーム

▶ドローンは群れで襲撃する

数百機のドローンが自在に動き、夜空に大きな絵を描くショーは今では珍しくなくなった。あのドローンを集団で動かす技術は何も見世物用に開発されたわけではなく、本当の目的は軍事兵器である。

これまでのドローンはリモート操作の爆撃機で、パイロットがミサイルや偵察機器を積んだ機体を遠隔地から操縦する兵器だった。これからのドローンは単独ではなく、群れで動く。

スウォームはAI搭載のドローンを群れで行動させ、敵にあらゆる角度からの攻撃を仕掛ける、群れとしてドローンを扱う技術だ(スウォームには「群れ」という意味もある)。

数百機のドローンを操るために数百人のオペレーターは必要ない。目標の指示と気象条件などのパラメーターを入力すれば後はドローン任せだ。

米海軍は戦闘機や輸送機からドローンをバラまき、スウォームを作り出す低コスト無人航空機群集技術に取り組んでおり、2016年に3機のF/A-18スーパーホーネットからミサイルサイズの103機のUAV（飛行機型ドローン）を放出、スウォームを構成することに成功している。また2022年9月8日、イギリス陸軍はスウォームの実証実験を行い、1人のオペレーターが4機のドローンを操作するシステムと6機を操作するシステムの実用性が検証された。同時にAI搭載のドローンと人間が操作するドローンとの連携も行われ、将来、1人のオペレーターが数十機のドローンを指揮し、偵察や索敵が容易に行われるようになる。

世界最大のドローンメーカーであるDJIを有する中国は、米国との覇権争いでスウォームが重要な役割をすることをよく理解している。

中国軍は2017年6月に119機のUAVでスウォームを形成した。2018年4月29日に中国企業のエハンは、世界最大規模の1374機のUAVでスウォームを作り出した。

いずれはAIを搭載し、ネットワーク化されたドローンはカラスの群れが獲物に襲いかかるように、集団で攻撃を開始するようになるだろう。

▶スウォームのメリット・デメリット

ドローンにはクアッドコプタータイプ以外にも戦闘機タイプや戦車タイプがあり、オペレーターが不要で自律型のAIがターゲットを見つけて自動で攻撃する、いわゆる殺人ドローンである自律型致死兵器システム（LAWS）も実用化されている。なお米軍の飛行型ドローンはサイズ別にクラス1（150kg未満）、2（150kg～600kg）、3（600kg以上）に分けられている。

スウォームを構成するドローンは数の上限がない。現在は数機、近いうちに数十機で構成されるドローンスウォームが、将来数万機数億機になってもおかしくはない。センサーからの情報を共有し、群れとしてAIがスウォーム全体としての意思決定を行うことができれば、ドローンの数は問題にならない。データリンクとAIソフトウェアが効果的にスウォームを扱えれば、撃墜された機体の機能は別の機体へ引き継がれ、ミッションは継続される。

米陸軍が進めているクラスタースウォームプロジェクトは、クラスター爆弾のようにミサイルの弾頭に大量のAFADSを格納、敵地でドローンスウォームを展開し、広範囲を制圧しようというものだ。現在、考えられているクラスタースウォームでは、12連装式の多弾頭ミサイルランチャーの各ミサイルに10機のドローンを搭載、同時に120機のドローンを放出する。9基のミサイルランチャーが連動し、約1000機のドローンをターゲットエリアに展開する。1000機のドローンが展開すると、一般的な装甲部隊をほぼ補足できる。

ドローン各機には米陸軍で使用されている標準の手榴弾に相当する爆薬が搭載される。各機の破壊力は小さくとも、ドローン1000機の波状攻撃は装甲車や戦車の部隊も足止めできると考えられている。

配備にマンパワーを割かずに済み、世界中どこからでもいつでも作戦行動に移すことができる。偵察から攻撃までさまざまな特性を持つドローンを組み合わせたスウォーム部隊は、まさに理想的な軍隊となる。

しかし問題もある。スウォームは低予算で作戦遂行の効果が高く、人間の操作する兵器や偵察任務に対してはるかに展開する時間が短い。そのことが作戦の拙速な進行となり、敵から過剰な反応を引き出す可能性があるのだ。おそらく核搭載まで進むだろうドローンは、次世代兵器の対衛星兵器や極超音速ミサイルの使用に相手を踏み込ませるかもしれない。

ドローンはAIを通じて通信しながら作戦を行うため、ハッキングやなりすまし、サイバー攻撃による動作不良などの危険が常にある。ドローンが鹵獲されれば、そうしたリスクは高くなる。

GPSが使えなくなると位置情報が使えないのも問題だ。中国が2018年に行なったデモではGPSの受信状態が悪く、飛び立った496機のドローンのほとんどがコースアウトして戻って来なかった。

▶ドローンにはドローン

米海軍は南シナ海でパトロール中の駆逐艦が人民武力海上民兵隊の船舶6隻に囲まれ、各船から16機づつ計96機のドローンによる飽和攻撃を受けた場合のシナリオを発表している。

1つ目は逃げる。96機のドローンにどのような兵器が積まれているかわからないまま、囲まれているのは分が悪い。爆薬や化学薬剤が積まれていたら、駆逐艦に大きな被害が出る。

2つ目は相手が威嚇だけで攻撃できないと判断、そのまま走り続ける。やがてバッテリーが切れたドローンはすべて海に落下する。この場合、ドローンのセンサーで駆逐艦の情報はあらゆる手段で収集されてしまう。

3つ目は乗員がドローンと戦う。レーザーや指向性のEMPなど対ドローン用兵器でドローンを撃ち落とすが、20秒後、「連続爆発を受けた駆逐艦は、炎に包まれて」退避することになる。この方法ではスウォームの飽和攻撃には対応し切れないのだ。

そして4つ目がカウンタースウォームだ。カウンターとして手のひらサイズのマイクロコプター100機程度を放出、フライングネット編隊（散開して網状に駆逐艦を包み込む）を組んで中国のドローンに接近させて自爆させる。揚陸艦には３Ｄプリンターとセンサーやバッテリーなどマイクロコプターの部品が積まれており、次々にマイクロコプターを製造して補充する。敵ドローンは「すべて、マイクロコプターが解放されてから9秒以内に破壊」されるという。

敵ドローンは攻撃用なので大型だが、迎撃するドローン（＝ハンターキラードローン）はスウォームを形成するだけの通信機能と爆薬があればいいので小型で構わない。構造も単純でいいため、必要な数だけ３Ｄプリンターで印刷して作ればいい。

スウォームに対抗するにはスウォームがもっとも有効だ。これからの戦争の形は、機械の群れVS機械の群れという、SF的な光景になる。

アイデアのヒント

超管理社会の暗殺兵器

スウォームという新しい殺人兵器の使い方を考えると、活躍の場は戦場だけではないことに気づく。

2017年11月12日、カルフォルニア大学バークレー校のスチュワート・ラッセルは、ＳＦ仕立てのショートフィルム『Slaughterbots（虐殺ロボット）』をYouTubeにアップした。

映画は、TED風の会場で手のひらサイズのドローンを紹介するところから始まる。虫の羽音のような高い音を立てながらスピーカーの周りを飛び回るドローンはAIを搭載した自立型ロボットで、3日間動き続けることができ、各種センサーとカメラ、顔認識ソフトとネットワーク機能を搭載している。そしてターゲットとなった人物の顔めがけて飛び、内蔵した3グラムの爆弾で頭蓋骨に穴をあけて即死させる。銃による狙撃よりもはるかに精度が高く、テロリストの殲滅も一瞬だ。

小型ドローンがスウォームとして数十機単位で行動すれば、壁を破壊して建物に侵入し、ターゲットを殺害できる。さらに2500万ドル分のドローンを貨物機から空中にバラまけば、都市の半数の人間を殺害できる。

「核兵器は時代遅れです」

と彼は言う。

「ドローンならリスクなく敵を丸ごと取り除くことができるのです」

映画はその後、SNSのやり取りからテロリスト認定された学生がドローンに殺されるところで終わる。

これは絵空事ではない。国防高等研究計画局（DARPA）では地上の無人ロボットと飛行型ドローンの計250台が連携、都市の入り組んだ建物に展開しているテロリストを包囲、殺傷を目的としたシステムの開発を行っている。模擬実験は順次行われており、より複雑な状況にもAIが対応できるようにアップデートを重ねている最中だ。

アニメ『機動戦士ガンダムF91』には、スペースコロニーの住人を皆殺しにする殺人ドローンのバグが登場するが、バグが現実にある未来に私たちはいる。

第7節 テラヘルツ波

▶透視で武器を見つける電波

テレビや携帯電話の電波も光も同じ電磁波で、性質の違いは周波数の違いだ。FMラジオが10 ~ 100MH z 、スマートフォンが数GHz、目に見える光=可視光は桁が上がって405 ~ 790THz（テラヘルツ）だ。スマートフォンよりも高い周波数で可視光よりも低い100GHzから10THzの電波をテラヘルツ波といい、「見えない光」と呼ぶ人もいる。

テラヘルツ波はこれまで利用されてこなかった。周波数が中途半端で、レーザーには周波数が低すぎ、水に吸収されてしまうので一般的な通信機の出力では空気中を1メートルほどしか進めない。まったく通信機器に向かない。また赤外線領域に近いため、熱の影響を受けやすく、テラヘルツ波を利用するには大型の冷却装置が必要なこともハードルを高くしていた。しかし半導体技術の進歩でテラヘルツ波の小型で冷却不要の発信機ができると研究が進み、電波と光の中間の性質があるテラヘルツ波には、意外な使い方が見つかり始めた。

一つは透過だ。

プラスチックや衣類は透過し、金属では反射するので密輸している部品や隠れた武器を探し出すことができる。これはT-ray技術と呼ばれ、人体に安全でX線のように服の下の体の線や骨まで映すことはないため、これからの空港などでの身体検査はT-rayになると言われている。

歩いている人をスキャンして武器の有無を可視化するという、映画『トータル・リコール』の空港のシーンのようなことが現実にできるのだ。

またタンパク質のような生化学物質や爆発物のような化学物質、麻薬などはテラヘルツ波で特徴的なスペクトルが出る（フィンガープリント（指紋）と呼ばれる）ので、目的の物体を発見できる。こうした技術はテラヘルツ分光法と呼ばれ、プラスチック爆弾のように金属反応のない危険物や炭疽菌のような生物兵器を隠していても、フィンガープリントから簡単にバレてしまう。

廃プラスチックを材質に関係なく各材料に分別することや腫瘍の早期発見にもテラヘルツ分光法は利用されている。

▶ステルスを破るレーダー？

軍事的にはステルスを見破れる。レーダーはレーダー波を照射、反射したレーダー波から相手の位置や形を知る。ステルス戦闘機はレーダー波を吸収する素材でボディを覆うことで、レーダーに映らなくなる。

ステルス波はステルス塗料を透過し、その下の金属部分で反射するので、テラヘルツレーザーがあればステルス戦闘機をレーダーに映し出すことができるのだ。

2019年に中国の環球時報は中国電子科技集団公司がステルス波レーダーの試作に成功したという記事を掲載した。テラヘルツ波を遠くまで飛ばすには、出力を桁違いに上げるしかなく、それだけ設備が大きくなる。詳細は不明だが、記事には「数百メートル先の武器を発見できる」とあるため、実際のレーダーが数百キロ範囲をカバーすることを考えれば、ステルス戦闘機を発見する対空用レーダーに使うにはほど遠いようだ。

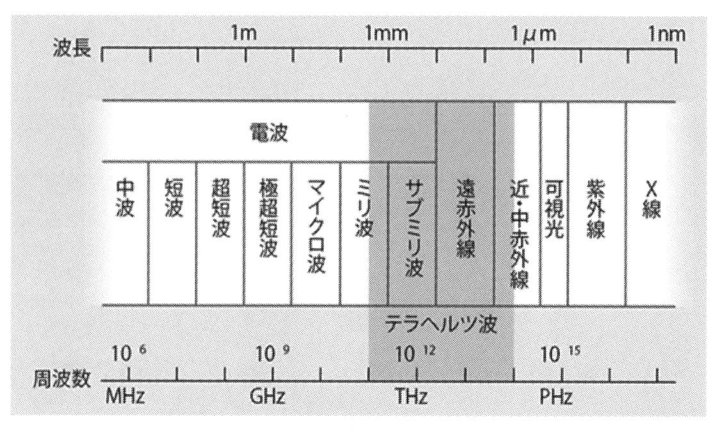

光と電波の中間の周波数で、両方の特性がある

画像引用：理化学研究所プレスリリース「光波長変換によりテラヘルツ波を高感度に検出」（2017年3月2日）

アイデアのヒント

詐欺商品とテラヘルツ波

テラヘルツ波を医療に使うことも進んでいる。テラヘルツ分光法で生体物質を可視化しようというものだが、いかがわしい代替医療を行う人たちもテラヘルツ医療を名乗り始めている。

テラヘルツ波が出る石（テラヘルツ鉱石）をリラックス効果があると言って売ったり、水に石を入れて健康にいい水にするなど原理がまったく不明な健康法が大手を振ってまかり通っているのは実に残念。テラヘルツ波が水に吸収されるというところが、インチキ健康法バイヤーの商魂をくすぐるらしい。

第7章
機関編

仮面ライダーのショッカー、007のスペクター、正義の味方の物語には強い敵が必要です。悪の組織といえば、昭和まではCIAかKGBを出しておけば良かったのですが、東西冷戦が終わり、新たな時代の枠組みが生まれつつある中、さすがにCIAでは納得してくれないでしょう。物語の設定に使いやすそうな組織・機関をいくつか並べてみました。DARPAのやってることなんかリアルにショッカーなので、現実ってすごいなと思います。

7

第1節 DARPA

▶DARPA

米軍の最新技術や兵器について調べると、必ずと言っていいほど出てくるのが「Defense Advanced Research Projects Agency＝DARPA」（国防高等研究計画局）だ。軍事研究機関で、基本的には大学や各種機関に研究を委託、プロジェクトのマネージメントを行う。アドバンスド＝拡張・先進の名に恥じず、脳改造やサイボーグ兵器、ロボットなど実にSF的な研究を扱っている。

DARPAは元々「Advanced Research Projects Agency＝ARPA」（高等研究計画局）という名前の組織で、米国防総省の管理下にある。ARPA＝アルパと聞いてアルパネットが思い浮かんだ人もいるだろう。インターネットの前身で、核戦争によりネットワークが破断しても、残ったネットワークがつながり、通信環境を維持するという次世代ネットワークとして設計されたのがアルパネットであり、アルパネットを作ったのがARPAなのだ。

インターネットを作ったほどの先見性のある組織なので、未来的な軍事研究を請け負っているのも道理だ。AI、ナノテク、半導体、生化学、脳神経科学、医療、無人機、電磁兵器、次世代エンジン、バイオ等々、最先端の研究でDARPAが扱っていない分野はないのではないかというぐらい幅広い。

DARPAの研究は、ホームページに掲載されている分だけでも面白い。いくつか紹介しよう。

▶植物を使った生体センシング

昆虫にかじられたり、薬品などで傷ついた植物が他の植物に向けて警戒物質を出すことがある。植物はセンサーとして優れており、わずかな大気の変化やガスを敏感に察知する。

「先進的植物工学（Advanced Plant Technologies：APT)」は、遺伝子改変をしてセンサー機能を強化、あるいは多様化させた植物によるセンサーネットワーク構築を目的とする。新たな植物を設計するというよりも、遺伝子改変のために作られたウイルスに植物を感染させ、センサー化させることが考えられている。

▶どこでも食料生産

「Cornucopia＝コヌートピア」は微生物から作られる食べ物で、酵母エキスをイメージすると良いだろう。酵母エキスは酵母にアミノ酸を合成させて調味料として使うが、コヌートピアは炭水化物や脂肪など人間が生きていくのに必要な栄養素をすべて酵母に合成させる。戦場でも被災地でも、水と空気、電気があれば、コーヌコピアはどこでも作ることができる。

シェイクやシリアルバー、ゼリーなどで提供される予定だという。

▶自己修復する建築物

「生体を模した経年劣化の自己修復（Bio-inspired Restoration of Aged Concrete EDifices：BRACE)」プログラムは、生物の血管に似た構造を持つ建造物だ。生き物はケガをしたり、組織が古くなれば新陳代謝をし、細胞を取り替えて健康な状態を維持する。しかし建物は古くなる一方だ。そこでガス管や電気管のように修復用の管を建物に張り巡らせ、自己修復させる。

コンクリートが劣化すれば、管を通じてコンクリートを送り込み、自動的に修復するので、建築物の耐用年数が伸びる。

▶微生物にレアメタルを回収させる

廃棄されたコンピュータなどのデジタル機器には、大量のレアメタルが含まれているが。分離して回収するには環境汚染が伴ない、難しい。「バイオエンジニアリングリソースとしての環境微生物（Environmental Microbes as a BioEngineering Resource：EMBER)」プログラムは、廃棄された金属の中から、必要な貴金属やレアメタルだけを微生物に食べさせ、回収する。

▶生物から学ぶ寒冷地対策

「寒冷環境のための氷制御 (Ice Control for cold Environments＝ICE)」プログラムは、昆虫や魚、植物などの耐寒性生物がいかにして寒さに耐え、凍傷を防ぐのかを研究し、軍事利用する。氷が内部にできるために機器のパフォーマンスが下がることを防ぐ防氷技術や不凍性のタンパク質を使った人工表皮などが考えられている。

▶超高感度磁気センサー

「地磁気の影響を排した生物学的イメージングのための原子磁力計（Atomic Magnetometer for Biological Imaging In Earth's Native Terrain：AMBIIENT) 」プログラムは、超高感度の磁場センサーを使った次世代センシング技術の開発を目標としている。ポータブルな測定器で倒れた兵士の脳震盪や心臓の状態を把握したり、磁場の変化から地雷や不発弾を見つけ、地下の兵器の数や場所を特定する。細胞間で行われている電磁的な通信(「RadioBio」という）を読み取る、脳との非侵襲性のデバイスへの利用や建物を透過して敵を発見するなど応用範囲は広い。

▶軌道を変える銃弾

「超高精度兵器（Extreme Accuracy Tasked Ordnance：EXACTO）」プログラムは、撃った弾の軌道をコントロールする技術だ。すでに.50口径弾の誘導実験に成功している。ミサイルのように軌道を修正する弾丸がどのような仕組みなのか、詳しいことは公開されていないが、光学誘導システムがセットで運用されるようだ。弾丸自体に自律性はなく、リモートで操作する必要がある。

アイデアのヒント

最先端の軍事技術を生み出す秘密組織

悪の組織といえば、CIA、NSA、モサド、KGBあたりが使われがちだが、技術系の組織はボンヤリしている。そういう時、米軍を相手とする場合はDARPAを出しておけばまず大丈夫。大学や研究機関とさまざまな形で連携しているので、それはDARPAではやっていないと言えないストライクゾーンの広さがある。

怪獣を作っていると言っても、やりかねないと思われる、それがDARPAだ。

第2節　スカンクワークス

▶スカンクワークス

ロッキード・マーティン先進開発計画の通称が「スカンクワークス」。1943年、ドイツの開発したジェット戦闘機に対抗するため、国防総省はロッキード・マーティン社に短期間でのジェット戦闘機開発を要請、同社は150日以内にアメリカ初のジェット戦闘機を作るという超短期での納品を約束してしまう。この緊急事態に急遽作られたのが先進開発計画部門だった。

同部門がスカンクワークスと呼ばれるようになったのは、最初の研究所が皮革なめし工場の隣りで、スカンクのように臭かったから冗談で「スカンクワークス」と呼んだとか自分たちをマンガに出てくるインチキ飲料メーカーの名前「スコンクワークス」と冗談で言い合っていたら、正式名として登録することになり、商標に引っかかったのでスコンクをスカンクに変えたなどと言われている。

超高高度偵察機のU2やマッハ3で飛ぶSR-71、ステルス戦闘機のF117などを開発、最近ではトラックの荷台に乗る超小型核融合炉の開発を行っている。同社の最先端の戦闘機や軍事技術はスカンクワークスから生み出される。

アイデアのヒント

秘密の技術はワークスから生まれる

NASAには通称「イーグルワークス」で知られる先端物理研究所があり、EMドライブ（p124）の研究に資金を出している。こちらは21世紀末までに恒星間飛行を可能にする推進技術の開発を目指す。

ワークスと名がつくと、どうもハッチャけた研究にのめり込むものらしい。

第3節 タヴィストック人間関係研究所

▶タヴィストック人間関係研究所

「タヴィストック人間関係研究所」(Tavistock Institute of Human Relations) はイギリスにある社会科学や集団真理を研究する民間の研究機関だ。ここが怪しい機関と言われるのは、戦争に関するプロパガンダや世論の誘導を行っているとされているため。陰謀論者はフリーメーソンがフランス革命を起こしたとかアメリカを建国したというが、タヴィストック人間関係研究所もその一部分で、イギリスがアメリカをコントロールするためにタヴィストック人間関係研究所が世論誘導のプロパガンダ技術を開発したという。

陰謀論では、一部の権力者が現在の社会を破壊し、新しい価値観の世界（新世界秩序）を作ることを目的としているとし、その手段をタヴィストック人間関係研究所が開発していることになっている。

新世界秩序は社会主義をベースとした世界統一政府の樹立であり、過去の国家は破壊すべきだとする。

アイデアのヒント

陰謀論者が大好きな洗脳技術開発機関

タヴィストック人間関係研究所は陰謀論と相性が良く、世界大戦を起こしたのはこの研究所のプロパガンダによるものなのだそうだ。さらにその裏には世界を支配する300人委員会がある。私たちは誰かに操られているという恐怖は普遍的なもので、だから陰謀論は広がっていくのだろう。

第4節　ダボス会議

▶ダボス会議

「世界経済フォーラム」、通称「ダボス会議」（スイスのダボスで開催されることからこう呼ばれる）はスイスの経済学者でヘンリー・キッシンジャーの弟子でもあるクラウス・シュワブによって発足した。

ヘンリー・キッシンジャーはニクソン大統領時代の国務長官で、陰謀論では、資源確保のために途上国の人口爆発を抑制し、若年層の増加を防ぐことを提案した「キッシンジャーレポート（National Security Study Memorandum 200)」で知られている。コロナワクチン陰謀論では、ワクチンは断種と人口削減の目的とされたが、その元ネタのひとつだ。

ダボス会議には世界のトップ企業の経営陣や各国の政府高官、著名な学者が集められ、年に一度、完全な非公開で論議が行われる。地球温暖化などの環境保護主義やグローバリズムはダボス会議から始まったとされ、政治・経済への影響力は非常に強いと言われる。

アイデアのヒント

リアルに存在する陰謀の秘密組織

世界征服を企む悪の組織があるとしたら、ダボス会議だろうというぐらい、強力な影響力を持つ。同団体はその年の議題をアジェンダとして公開する。これを読むとその年の流行色と同じぐらい政治経済の動きが確定していることがわかる。最近では昆虫食を流行らせたのがダボス会議だ。陰謀論も本物はひと味違う。

第5節　イルミナティ

▶イルミナティ

陰謀論と言えば必ず名前があがる秘密結社「イルミナティ」。会員数が600万人を超えると言われる友愛結社フリーメーソンのイタリアのロッジ（地方支部のようなもの）、ロッジP2が過激化し、南米の軍事政権に接触したり、爆弾テロを起こすなどし、テロ化した。ロッジP2が母体となって地下活動を行っているのがイルミナティだとされる。

アイデアのヒント
陰謀論のオチは必ず宇宙人

陰謀論者のベンジャミン・フルフォードによれば、イルミナティはカトリックの秘密組織で、１万年以上前にX線生命体と結んだ秘密の盟約に従い、世界を改変することを目的に活動している。X線生命体は天使なのだという。アニメ『新世紀エヴァンゲリオン』の敵が「使徒＝天使」というのは、このあたりの陰謀論や宗教観がベースなのだろう。

日本のように、蛇や犬まで神になり、針まで供養する国に住んでいるとなかなか理解できないが、欧米人にとって宇宙人は天使であり、人間と契約するものらしい。

第6節 ロシア科学アカデミー

▶ロシア科学アカデミー

米ソ冷戦が形式上であっても終結した現在では、共産主義と資本主義の対立は理解しにくい。しかし50 ~ 70年代は熱狂的に共産主義が讃えられ、資本主義が全否定され、それが共産主義国家では資本家や知識階級の粛清という恐怖政治につながったのが当時の世相だった。その中で科学も歪んだ形で発達することとなった。

旧ソ連ではアメリカ型資本主義から生まれた科学は否定され、唯物史観に沿った科学が正しいものとされた。オパーリンの無機物から生命が生まれたとする化学進化説は象徴的である。生命の発生に神が介在しないからだ。

独自の科学体系を生み出そうとした旧ソ連のロシア科学アカデミーは、一風変わった物理学を評価することになる。「スミルノフ物理学」といい、核物理学者のウラジミール・アレクサンドロヴィチ・スミルノフを筆頭とするスミルノフ物理学派は、西欧世界の科学的な常識を裏切る、まったく別の科学なのだという。

たとえば卵を回転させると卵は立ち上がる。これは一般には回転による重心の移動で説明される現象だが、スミルノフ物理学では反重力が発生したとする。量子的なスケールからマクロまで、すべての力を磁気単極子で説明する物理体系なのだそうだ。

これはロシア科学アカデミーの会員でスミルノフの下で学んだという佐野千遥の主張であり、佐野は永久機関の投資詐欺で裁判になった人物なので、内容については真偽不明ではある。ただし共産主義に基づいて旧ソ連で世界一般の科学とは異なる異端の科学が発達し、公的に承認されているというのは興味深い。

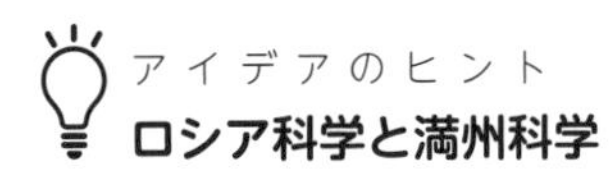

アイデアのヒント
ロシア科学と満州科学

イデオロギーによって科学体系が操作されるというのはユニークで、旧ソ連と同様なことは日本では満州国関連で見られる。

満州国で利益を得た集団が日本を別の国に変えようとしているという陰謀論があるのだ。首都移転や日ユ同祖論などと一緒に出てくる怪しげな話で、常温核融合でも聞いたことがある。陰謀論が石油にからんでくるのはお国柄なのだろうか。

佐野千遥の主張はネットに動画が大量にあがっているので、興味ある向きは視聴をお勧めする。架空の論理を立てるにはここまでやるのかと勉強になるはずだ。

第7節 ソニーESP研究所

▶ソニーESP研究所

ソニーは90年代に超能力研究の部門「ESPER研究室」を起ち上げていた。エスパー研あるいはESP研究所と呼ばれたESPER研究室が何をしていたかは、『カルト資本主義』（斉藤孝男/文藝春秋）に詳しい。

成功した経営者はスピリチュアルに傾倒する傾向があり、当時のソニー会長である井深大も例外ではなかった。井深は幼児教育に熱意を持ち、その経緯で子どもには超能力があり、それが成長に連れて失われると考え始めたようだ。東洋の気や超能力に詳しい佐古曜一郎というオーディオ部門の研究者が井深を口説き、ESPER研究室を開設、室長に収まったとある。

オーディオメーカーが超能力を研究する理由だが、当時、ESPER研究室に通っていた超能力者のA氏によると電気自動車の開発が目的だったのだという。ガソリンエンジンの自動車開発はソニーには不可能だが、電気自動車なら可能だと考えたソニーは、当時すでに将来を見越して電気自動車の研究を始めていたのだそうだ。電気自動車ではすべての操作が電子的に行われることになり、乗員は強度の電磁場にさらされる可能性がある。電磁波が人間にどの程度影響するのか、それを調べるために電磁波に敏感だと考えられる人物、すなわち超能力者が集められた。

オウム事件をきっかけに同部門は廃止となっている。

アイデアのヒント

超能力研究は企業のたしなみ

同時期の経営者にはスピリチュアルが流行したらしく、トヨタ自動車でもUFO製作の研究チームが起ち上げられたり、某コンピュータ雑誌の会社がソニー同様の超能力研究所を作っている。ESPER研究室の資料はコンピュータ誌の超能力研究所に渡され、さまざまな超能力のうち、予知能力はあるという結論が出たとのことだ。

虚実入り混じった話ではあるが、列車事故の予知が7割以上当たったらしく、薄気味悪い話だ。

第8節 登戸研究所

▶登戸研究所

1937年に陸軍科学研究所の実験施設が川崎に作られ、1942年に第九陸軍技術研究所として活動を始める。秘密研究を行うため、陸軍の名前は外され、単に「登戸研究所」と名付けられた。

登戸研究所では化学兵器や生物兵器、電波兵器、風船爆弾、ニセ札製造など多岐に渡る研究が行われていた。戦後、毒物による大量殺人が行われた帝銀事件で使われた青酸性毒物は、登戸研究所が開発、関東軍731部隊が中国で人体実験を行って完成させた、遅効性（飲用後、3～8分後に青酸カリが分離、致死性となる）の青酸ニトリールだと考えられている。

731部隊が捕虜に行った人体実験は、戦後、ナチスの研究と混同されたり共産党のプロパガンダに利用されるなどして尾ひれがついたが、まったくなかったというのは間違いだ。ネズミを使ったペスト菌の配布実験や井戸にチフス菌を投げ入れて中国人の感染を調べる、マスタードガスなどの化学兵器を捕虜に塗布するといったことは行われ、資料も現存している。

アイデアのヒント
ナチスに負けない悪の組織

明治大学の「明治大学平和教育登戸研究所資料館」には当時の資料が保管されており、当時、登戸研究所で行われていた研究開発の概要を知ることができる。中でもEMP兵器のひな形と呼べる怪力光線こと「ク号兵器」や各種スパイグッズは厨二的でワクワクさせる。本土決戦での井戸水を毒物汚染するという、国民を米軍とともに皆殺しにする最低の作戦の解説もあり、いざとなったら日本は国民を平気で殺す国だったのだとわかる。日本人は残虐だとアジア各国に言われても仕方がない。

用語解説

あ

アイアンマン
2008年の米映画。億万長者で科学者のトニー・スタークがパワードスーツを製作、自ら着てヒーローとして活躍する。超音速で飛行し、ミサイルやビーム砲を備えている。マーベル社のアベンジャーズシリーズにレギュラー出演、アイアンマン単独の作品シリーズもある。

アクティブ・ディナイアル・システム
Active Denial System：ADS。暴徒鎮圧用に開発された電磁波兵器。遠距離（最大1キロ先）で人体の皮膚のみを加熱させる。やけどを負うことはないが、照射されると非常に不快だという。

圧電素子
水晶、酸化亜鉛、ニオブ酸リチウムなど圧力をかけると電圧が発生する材料を使い、発電する素子で、主にセンサーに使われる。

アドレノクロム
白いウサギ（分子式がウサギのように見えるため）と呼ばれる。アドレノクロムを製造している富士写真フイルムに問い合わせが殺到した。みんな落ち着こう、としか言いようがない。

アモルファス
非晶質。結晶構造を持たない固体で、ガラスや飴が好例。氷にもアモルフォス状態があり、宇宙空間の極低温状態では一般的な水の形態で、木星の衛星の表面などにみられる。零度以下でも凍らないのが特徴。

アルクビエレ・ドライブ
物理学者のミゲル・アルクビエレが提唱するワープ航法。ワープ＝超光速航法を実現するには、空間自体の膨張は光速の制限がないことを踏まえ、空間自体を切り取り、空間を乗り物にすればいい。アルクビエレ・ドライブは空間を泡状に切り出し、その中に宇宙船を入れる。船の後方でビッグバンのように空間を膨張させ、前方で空間を収縮させれば、宇宙船ごと空間を移動させることができるという。

アルコー延命財団
Alcor Life Extension Foundation。世界初の人体冷凍を心理学者のジェームス・ベッドフォードに行ったことで有名。クライオニクス処置は死んだ直後に行う必要があるため、実際に契約者が死んでいるのかどうかの確認が不十分だという意見もあり、1987年12月に契約者の83才になるドラ・ケントが死亡した時、アルコー延命財団は首が切断された遺体を見つけた地元警察から、殺人罪で捜査を受けた（裁判では無罪）。

アルベド低減
反射比率のこと。アルベド値が高ければ反射率が高くなる。火星を温暖化するなら、反射率の低い黒い物質を地表に撒けばいい。漫画『テラフォーマーズ』では、それがゴキブリだった。

アレキシス・カレル
Alexis Carrel。フランスの外科医。1912年にノーベル生理学賞・医学賞受賞。培養液を使った細胞培養や臓器の保持技術を考案、臓器移植の基礎を築いた。ルルドの泉で奇跡を目にし、ルルドの泉の研究も行った。

アレルギー反応
通常は問題のない物質、免疫が過剰に反応すること。免疫力が上がるとアレルギー反応を引き起こす。

アンダーソン局在
量子が波の状態なのに一カ所に集まるというのは、海の波が一カ所に集まるようなもので、感覚的に受け入れがたい。しかし極低温下ではこうした波動の局在化が起きると予言され、提唱者のフィリップ・アンダーソンの名前からアンダーソン局在と呼ばれる。アンダーソン局在は光子でも起きるらしく、超微細な空間とはいえ、光が一カ所に集まる場所を作ることができるそうである。

アンフェタミンIV
覚せい剤の主成分名。日本でシャブとして知られるのは構造がよく似たメタンフェタミン。

アンブロシア
ギリシャ神話に出てくる神の食物。

い

イーグルワークス
NASAの次世代推進技術の研究チーム名。物理学者のハロルド・ホワイトが率いており、時空の性質を利用した次世代推進、ようするにワープ航法の研究をしている。目標は向こう50年間に太陽系内の有人探査を行い、今世紀末まで星間旅行を可能にする技術の開発だ。

イディオフィラキシー
1962年に陸軍に対してマリオン・シュルツバーガーが提案したのは、彼がイディオフィラキシー＝Idiophylaxis：特発性免疫（戦闘兵士に組み込まれた個人の自己防衛）と呼ぶ、内的な防衛システムの構築だった。兵士の精神と内分泌系を強化＝武装化するというアイデアだった。ようはタフな兵士を医学的に作り出そうというわけだ。

イベントホライズン
1997年の映画。ワープ航法の実験中に消息を絶った宇宙船イベントホライズン号から、7年後に通信が入る。イベントホライズン号は人工的にブラックホールを作ってワープをする船で、ブラックホールを使ったせいで地獄を往復することになり、船に悪魔がとりついたのだった。

イルミナティ
イルミナティには諸説があり、フリーメーソンとも関係あるという人も多く、1万2000年前にX線生命体の宇宙人と結んだ盟約を守っている、古代バビロニアの神アナンキが関係している、さらにバビロニアが出てくるとユダヤの失われた10支族が日本の天皇家の祖先という話まで広がり、イルミナティは太陽神信仰＝アマテラス信仰という話にもなる。あくまで一説である。キリスト教グノーシス派の思想が元になっていると言われる。

インフレーション理論
ビッグバンの前に特異点が急速に膨張、質量の均一化が起こり、そのために宇宙マイクロ波背景放射が全天でほぼムラがないとする理論。1981年に東京大学の佐藤勝彦、遅れてアメリカのアラン・グースが発表した。

インターロイキン6
免疫細胞から出るタンパク質を総称してサイトカインと呼ぶ。インターロイキン6はその1つで、免疫応答や炎症反応、抗腫瘍反応などを活性化させ、侵入した細胞やウイルス、がん細胞などを排除する。インターロイキン6が分泌過剰になると、炎症が収まらなくなる。脳の中枢神経にも炎症を起こし、酸化ストレスから脳の認知機能が低下すると考えられる。

う

宇宙カップリング仮説
宇宙の膨張に合わせて、ブラックホールの質量が増大する現象。宇宙が加速膨張すると、膨張させるダークエネルギーの分だけ質量が増える。ただしダークエネルギーは万有引力とは真逆の万有斥力なので、質量もマイナスだ。つまりそれだけ宇宙は軽くなる。これは閉じている系では質量は変わらないという質量保存則に反する。質量を一定にするため、ダークエネルギーで減った質量をブラックホールの質量で打ち消しているのではないかと考えられている。

宇宙項
ビッグバン理論の前には宇宙は静的なもので、局所的な変化はともかく、全体としてみれば宇宙は閉じた空間で、静かに永遠に存在すると考えられていた。アインシュタインもそう考えたが、理論上では万有引力によってすべては引き合うため、宇宙は縮んでいる最中で、最後は崩壊してしまう。永遠に変わらない宇宙を成立させるには、万有引力に打ち勝つ万有斥力というべき力が必要になる。そこで万有斥力として宇宙項を方程式に付け加えたが、他の物理学者が宇宙項をゼロにすると宇宙が膨張することに気づき、万有斥力を設定した意味がなくなった。アインシュタインは宇宙項が間違いだったと撤回した。

宇宙マイクロ波背景放射
宇宙全域にまんべんなく残っているビッグバンの熱の残滓。英語ではCMB＝Cosmic Microwave Background Radiation。絶対零度よりも3度高い＝3Kのため、3K放射とも呼ぶ。宇宙マイクロ波背景放射が均一なら、宇宙中の物質も均一に広がったことになり、物質が不規則に集まって星雲や恒星ができることもない。現在の宇宙の姿と矛盾し長らく疑問とされていたが、観測技術が進むにつれ、宇宙マイクロ波背景放射には絶対温度に対して10万分の1程度のゆらぎ（不均一さ）があることがわかり、そのわずかな偏りから初期宇宙の構造が判明しつつある。

ウラシマ効果
相対性理論のパラドックスを日本流に呼んだもの。英語ではリップ・ヴァン・ウィンクル効果。相対性理論に従い、光の速度に近づくほど時間の進み方は遅くなる。そのため、光速に近い速さで飛ぶロケットと地球とでは、時間の進み方が何百倍も変わってくる。ロケットの乗客にとっての1日が地球での10年ということもあり得る。この光速度の性質を、竜宮城で3年過ごした浦島太郎が地上に戻ると、300年が経っていた浦島太郎の話になぞらえた。

え

エイリアン
企業の宇宙船が会社の命令で訪れた星には、異星人の船があり、そこには人間に卵を産み付けて増える人型生物＝エイリアンが潜んでいた。宇宙船の中で次々に乗組員がエイリアンに殺される中、主人公は生き残れるのか？という密室スリラー映画。

エチレングリコール
不凍液以外に溶媒やペットボトルの原料として使われる。毒性があり、飲むと腎臓障害を引き起こす。大量に飲むと死亡するため、自殺に使われることもある。甘い味がするため、1985年に甘みの強い貴腐ワインに違法に添加され、大問題となった。

エピジェネティックス
後天性遺伝。環境によってDNAそのものではなく、DNAの読み取り機能に変化が起きる。種として起きる変化ではなく、あくまで個体の変化であり、変化の継続は最大でも数世代に限られる。

エブリシング・エブリウェア・オール・アット・ワンス
クリーニング店のおばさんが宇宙を救うために多世界をあっちこっち行き来する映画。95回アカデミー賞で7部門を受賞。

お

終わりなき戦い
ジョー・ホールドマンによるSF小説。ウラシマ効果により、戦って帰還すると百年単位で時間が経過、地球では言語や文化がまったく変わっている。著者はベトナム帰還兵で、自身の体験を作品にしたという。コンサバティブなゴールデンエイジのアメリカから出兵し、帰ってきたら、ヒッピー文化全盛だったのだから、作品の中で戸惑う主人公はまさに本人の姿なのだろう。

か

カッツァマリ
Cazzamalli。イタリアの精神科医。人間の意思が電波に影響し、ノイズとして通信機から聞こえるとした。1920年代に脳波の測定技術が進み、1930年代に脳波ブームが起きる。当時は1920年にアメリカで商業ラジオ放送が始まったばかりで、電波に対して非常に関心が高く、脳波とラジオや通信技術を結び付けて考えることは、それほどおかしくはなかった。

眼閃
頭に電流を流すと目の内側に雷のような放電が見える。これを眼閃という。以前、電流を脳に流して頭を良くするという記事を読み、面白そうだとやってみて、目尻側から目頭側に向かって稲光が走り、ビビった。なんでもやればいいというものではない。

き

機動戦士ガンダム
スペースコロニーに100億人の人類が住む未来、コロニー国家の自治権をめぐり、地球との宇宙戦争が始まるというアニメ作品。オニールの考えたスペースコロニーは国家ではなかったが、富野由悠季監督は発想を飛躍させ、コロニー群が国家となった未来を考えた。しかも1000万人が住むコロニーを地球に落とすところから物語が始まるのだ。その後も全長30キロのコロニーが丸ごとレーザー砲になるなど、オニールもびっくりである。

機動戦士ガンダム 水星の魔女
太陽系内の惑星に人類が移住した未来、小惑星にあるアスティカシア高等専門学園へ水星出身のスレッタ・マーキュリーが転校してくる。スレッタのモビルスーツ＝ロボットは、使用禁止になったシステム、ガンドフォーマットを使ったガンダムだった……。物語の軸となるガンドフォーマットは、人間とロボットを連携させる技術で、ロボットを操れる代わりに、操縦者にはロボットのデータが逆流、脳が破損するデータストームが起きる。

機動戦士ガンダムF91
1991年公開のアニメ映画。スペースコロニー間で戦争が始まる。コロニーを無傷で奪取するため、バグという名称の人間だけを狙って殺す殺人ドローンが登場する。

キトサン-PEG（ポリエチレングリコール）
頭部移植手術では、神経接合に親水性ポリマーを利用する。主にポリエチレングリコール ＝PEG、非イオン性界面活性剤のトリブロックコポリマー、プロピレングリコール、ポロキサマーなどが利用される。1999年以降、パデュー大学獣医学部のボーケンズは、ポリエチレングリコールを使ったモルモットの脊髄再結合に成功しているが、脊髄の断面にポリエチレングリコールを塗って圧着するというラフなもの。それでもモルモットの動作に異常はなかったようだ。

逆襲のシャア
『機動戦士ガンダム』シリーズの人気キャラ、アムロ・レイとシャア・アズナブルの最後の戦いを描いた劇場用アニメ。環境のために全人類は宇宙移住、それができないなら人類抹殺もやむなしと巨大隕石を地球に落とすという、健康のためなら死んでもいい的な無茶苦茶な話。しかし現在の環境保護運動を見ていると笑ってもいられない。グレタさんはシャアだったのか、と感慨深い。

休眠誘導神経
マウスのQ神経を刺激すると37度だった体温は外気温（実験では23度）まで低下、酸素消費量も極端に下がった。冬眠後には自力で回復、特に障害は見られなかった。

共感覚
感覚器官の神経に混線があり、音が見え、香りが聞こえるなど感覚が混同する体質のこと。文字に色が見えたり、味が形として感じられる人もいる。

凝集系核反応
パラジウムやチタンなど水素を吸蔵する性質のある金属は多孔性で、原子サイズの穴が無数に開いている。こうした金属を電極にしてトリチウムのような水素同位体＝重水素の電気分解を行うと、電気的に金属孔に引き付けられ、高密度で圧縮、核反応に必要な圧力に達し、金属から別の金属が生まれる（核種変換と呼ぶ）と考える人たちがいる。その結果、電極には本来ない金属、金やクロムなどが含まれるという。

極低温
熱が量子の運動の邪魔をしないレベルまで温度を下げた状態。絶対零度＝273.15度に近い低温で、ヘリウムが液体になる零下268度以下を指す。

巨視的量子現象
量子で起きる量子特有の現象が、マクロなサイズで起きること。ボース・アインシュタイン凝縮体や超臨界流体、粒子が超えられないはずの壁を突き抜けるように見える巨視的トンネル現象などがある。巨視的とはいえ、ほとんどは原子レベルでの現象だが、ボース・アインシュタイン凝縮体のように数ミクロンのオーダーで起きることもある。

クエーサー
ブラックホールに吸い込まれる星間物質が円盤状に渦巻き（降着円盤と呼ぶ）、高温になり、非常に明るい。銀河系の中心にはこうしたブラックホールがあり、明るく光っているものを活動銀河核、中でもさらに明るいものをクエーサーと呼ぶ。降着円盤に対して垂直方向にガスが噴き出している例があり、そのガスの速度が、見かけ上、光速を超えることがある。

屈折率
空気や水、ガラスのように光を通す物質中では、真空中に比べて光の速度が低下する。物質によって速度が変わるため、自動車の内輪差のように速度の違いで内側が遅く外側が速くなり、光の経路が曲がるのだ。屈折率は「真空中の光速度c ／媒質中の光速度v」で表されるので、真空中で1.0、それ以外の媒質中では1.0以上となる。

クライオニクス
米国人のロバート・エッチンガー（1918～2011）が広めた人体冷凍技術の概念。冷凍した人間が未来で蘇生されるというアイデアに魅了されたエッチンガーは、1962年に現実に人体を冷凍する技術についての書籍を自費出版。書籍内でグリセリンを血液の代わりに注入、液体窒素で全身もしくは頭部を凍結し、未来で復活させるというクライオニクスの基本を提案している。

クラウドコンピューティング
ネット上にリソースをアップロードすることで、リソースを削減する仕組み。転じて未来学では、人間の意識をアップロードし、意識と意識を接続して巨大な意識を生み出すことを指す。

クラウス・シュワブ
スイスの経済学者で世界経済フォーラム＝ダボス会議の創設者。コロナ後、大量消費社会から持続可能な社会への変革＝グレートリセットが必要だとした。昨今の環境関連の元ネタはすべて世界経済フォーラムであり、個人が所有することをやめるという方針からサブスクが生まれたり、弱者救済という割に資本の巨大化を進めたり、陰謀論者が非難するのもわからなくはない。

クラスタースウォーム
Cluster＝集合の意味で、ミサイルや爆撃機に小型ドローンを大量に設置、敵地上空で一斉に発射する兵器。

クリプトクロム
渡り鳥など動物に見られる光受容たんぱく質。 青色光受容体。磁気の影響を受けやすく、磁気コンパスとして作用する。植物では光合成に関係する。

グレートアトラクター
宇宙は均一ではなく、銀河系は集まって大きな銀河団を作っている。私たちの銀河系はラニアケア超銀河団という集団に属している。ラニアケア超銀河団は全体が動いていて、何かに引っ張られており、その正体がわかっていない。この謎の重力源はグレートアトラクター＝巨大牽引力といい、質量換算で太陽の5京倍と言われる。

け

京
2019年に運用が終了したスーパーコンピュータ。富士通と理化学研究所が共同開発した。1秒に1京回＝10の16乗回が可能だったことから「京」と名付けられた。

原始地球
微惑星の衝突やジャイアントインパクトでガスが放出され、それが原始大気となり、地表を覆っていた高温のマグマが冷えて、大気中の水蒸気が雨となり、約38億年前に海ができた。これが原始地球で、現在とは大気組成も気温もすべてが異なる。生物が生まれた時、海は100度以上の高温だったと考えられ、窒素以外に水素や硫化水素が大気の多くを占めていたらしい。この条件下で生きている生物は熱水噴出孔に棲む微生物であり、彼らは地球で生まれた最初の生物の子孫ではないかと考えられている。

こ

ゴイム
陰謀論では異教徒の意味で、ユダヤ人がいずれゴイムを滅ぼすといった話になっているが、旧約聖書では諸民族の意味で使われており、異教徒迫害の口実にはならない。

攻殻機動隊
機械と人間の融合というサイボーグの概念をネットワークと人間の融合に進化させたのがサイバーパンクSFで、その金字塔となったのが漫画、アニメ、実写とマルチに展開した『攻殻機動隊』である。人間が脳とコンピュータネットワークをつなぎ、体を機械化した未来で、公安警察が脳のハッキングやロボットの乗っ取りといったサイバー犯罪を解決する。原作は士郎正宗。

光速変動理論
アインシュタインは光速は不変だとしたが、宇宙創成の頃は違ったのではないかというのが光速変動理論だ。初期の宇宙で光速が現在よりも速く、宇宙の膨張速度を上回っていたと考えれば、宇宙の隅々まで均一に熱は届くことになる。インフレーション理論は必要ないが、宇宙の初期に光速が無制限だったという証拠はない。宇宙背景放射に存在するわずかな温度のムラも説明できない。

コートダジュール
南フランスとイタリアの海岸沿いにある保養地で高級住宅地。

コネクトーム
Connectome。脳内の神経接続全体を指す。意識は物質や信号ではなく、シナプスの接続全体から立ち上がると考えられている。語源は接続＝Connectとギリシア語で完全や全体を意味するOmeから。

コペンハーゲン解釈
量子は非常に小さいため、たとえば観察しようと光を当てたら、それだけで光子に吹き飛ばされてどこにいるかわからなくなる。量子は、私たちのサイズでは起こらない、観測の影響を受けるのだ。だから量子の運動量と位置を同時に観測することはできない。量子は波の状態の時は波動関数で表され、それが粒子になる時を「波動関数が収束する」と呼ぶ。収束する条件には、観測する系（測定装置や測定者）が測定結果の原因に含まれるというのがコペンハーゲン解釈だ。名前の由来は、当時、量子力学を提唱したボーアやハイセンベルグといった科学者がコペンハーゲンに住んでいたことから。

コブラ
寺沢武一の漫画。1978年に連載スタート。左腕に精神力をビームに変える銃を持つ宇宙海賊コブラの冒険譚。ダイヤモンドを燃やし、金でできた機関車を走らせるのは「黄金とダイヤ」編。

コロナ放電
王冠＝コロナ（ラテン語。Corona）の飾りのように細い放電が端子から無数に出るタイプの放電。

さ

サイコダイバー・シリーズ
夢枕獏の『魔獣狩り（サイコダイバー・シリーズ)』は、他人の精神に潜り込み、記憶の読み取りや改ざんを行う特殊能力者サイコダイバーが空海の即身仏をめぐる謀略に巻き込まれる。

細胞記憶説
細胞に記憶が保存されるという説。オカルトのたぐいだと思われていたが、少し状況が変わってきた。2018年、カリフォルニア大学の研究チームは、アメフラシに電気ショックを与え、少しでも体にさわられると体を縮めるように訓練をした。訓練したアメフラシからRNAを取り出し、訓練をしていないアメフラシに注射したところ、訓練したかのように体を縮めるようになったという。もしかしたら人間にも細胞レベルでRNAを利用した記憶があり、情動や嗜好のような単純な記憶であれば、細胞に記憶されるのかもしれない。

細胞に老化はなく
実際には老化細胞はある。細胞分裂回数にはヘイフリック限界という上限があり、70回前後の分裂後に細胞は死ぬ。

細胞の工業製品化
バイオテクノロジーのうち、細胞に本来ない性質を与えて、病気の原因や生命の機能を解明しようとするのが細胞工学。この技術で作られたバイオ薬品はすでに市場に出回っているが、さらに医療以外にも細胞を利用することが考えられている。たとえばクモの糸を大量生産して工業製品や医療に使う、DNAを記憶媒体として使うなどが考えられる。

サイボーグ009
1964年に週刊少年キングで連載が始まり、何度も雑誌を変えながら連載が継続された石ノ森章太郎原作の漫画。スピンアウト作品や別シリーズも多い。アニメ化もされている。脳以外はほぼ全身が機械化された9人のサイボーグたちが悪の組織と戦う。9人がそれぞれ別の能力を持っているのが特徴。現在の戦隊シリーズに通じるが、戦隊シリーズも石ノ森章太郎が生み出した。

サヴァン症候群
自閉症の一種で、日常生活に厳密なルールがあり、ルールが破られるとパニックになる。一人での生活は極めて困難だが、一度見た風景を細部まで再現できる異常な記憶力や一瞬で数百桁の数字を計算する計算能力など特殊な才能があり、左脳に障害を負っていることが多い。

サバイバルファミリー
2017年の邦画。監督は矢口史靖。ある日突然、すべての電気が使えなくなる。原因は不明だが、EMP攻撃を受けたのと同じ状態で、電子機器はすべて故障、電池も使用不能になる。東京に住む平凡な家族は生き残りをかけて、九州の実家を目指し、徒歩で日本縦断を開始する。

作用反作用の法則
ニュートンの運動法則の1つで、「2つの物体が互いに力を及ぼし合うとき、それらの力は向きが反対で大きさが等しい」、ようするに押したらその分だけ押し返されるということ。ロケットも噴射する推進剤の重さと噴射の加速度を掛けたものがロケットの重量と加速度を掛けたものに等しい。

サリンガス
オウム真理教が地下鉄に撒いたことで名前が知られる、無味無臭の神経ガス。非常に毒性が高く、吸引以外に皮膚からも吸収される。神経伝達物質のアセチルコリンの分解を阻害し、被害者は筋肉が硬直してマヒ状態になり、呼吸困難で死に至る。解毒剤はアセチルコリンの分解酵素アセチルコリンエステラーゼアとサリンの結合を外す、プラリドキシム。

猿の惑星
衝撃的なラストが今も語り草の名作SF映画。宇宙船のパイロットが不時着した星は、人間ではなく猿の支配する星だったというもの。極めて人種差別的な作品で、原作者ピエール・ブールは日本軍の捕虜だった経験があり、作中の猿は日本人を指している。

し

ジェームズ・ウェッブ宇宙望遠鏡
ハッブル宇宙望遠鏡の後釜として2021年12月25日に打ち上げられ、2022年から稼働している望遠鏡だが、その解像度は驚異的。ハッブルの主鏡口径2.4メートルに対して同6.5メートルとはるかに大きく（面積は6倍）、鮮明な画像を撮影できる。ジェームズ・ウェッブ宇宙望遠鏡のデータにより、銀河系が宇宙誕生の初期である3億5,000万年後にすでにできていたことがわかり、太陽系外惑星の撮影にも成功、次々に宇宙像が塗り替えられつつある。

ジェームス・ベッドフォード
カリフォルニア大学の心理学者で、1967年に死亡。親族はクライオニクスのことをまったく知らなかったため、彼の死後遺言に従って冷凍すればいいだろうとドライアイスで冷凍されていたが、途中から液体窒素での保存に切り替わった。1982年にアルコー延命財団で世界初の人体冷凍保存を受けた。

ジェラルド・H・ポラック
ワシントン大学生物工学科の教授。水には水蒸気、水、氷のほかに第4の相があるとしている。

シェルワールド
ケネス・ロイらの論文によれば、小惑星や準惑星を人工の殻で覆い、内部に植物を植え、大気を生み出し、居住可能にするというもの。「ダイソン・ドットの構築や太陽系の工業化」よりも困難としている。ちなみにダイソン・ドットとは、宇宙に巨大な太陽電池発電所を作り、同時に太陽電池で太陽光を遮り、気象をコントロールしようという計画だ。

時間結晶
米国の物理学者フランク・ウィルチェックが提唱した概念。時間並進対称性が自発的に破れ、原子が周期的に運動する状態を時間結晶と呼んだ。この場合の結晶とは、繰り返し現れる、自然とでき上がる構造のことで、塩やミョウバンの結晶とはイメージが大きく違う。

時間量子
プランク単位系では長さと質量のほかに時間も定義した。最小の時間をプランク時間と呼ぶ。プランク時間は10のマイナス44乗秒でプランク長以下の世界に超弦理論が適応された場合、高次元でできた弦が１回振動する時間である。プランク時間では時間も量子化され、時間にも重ね合わせが起きる。つまり過去と未来と現在はシュレーディンガーの猫のように、すべて重ね合わせられ、確率で表現されるのだ。

子宮移植
生まれつき子宮や膣のないロキタンスキー症候群や子宮がんなどで子宮を摘出した女性に子宮を移植する。臓器移植が心臓、腎臓、肝臓などで消化器官の移植をほとんど聞かないのは、消化器官が常に動いているため、移植が非常に難しいためだ。子宮移植も同じ理由でほとんど行われていないが、2014年にスウェーデンで子宮移植後の出産が成功して以来、徐々に実例が増えている。

磁気濃縮型爆薬発電
導火線のように一方向にシームレスに爆発する筒状の爆薬（外側は磁場が逃げないよう外殻で覆う）に、コイルを巻き付け、電流を流しておく。爆発により、コイルが圧縮されて磁力が高まり、大電流が発生する。

自殺遺伝子
とある学会誌によると一卵性双生児で片方が自殺、残りの1人も自殺する自殺率は、一般人口の自殺率の11倍も高い。若年自殺者では細胞の分裂回数を決めるテロメアの長さが顕著に短く、若い時は低いはずのDNAメチル化が老齢者のように高くなっている。こうした事実から、自殺遺伝子の存在が疑われ、候補の遺伝子配列が見つかっている。

事象の地平
ブラックホールと特異点は同じではなく、特異点を中心とした一定の半径を持つ球がブラックホールになる（便宜上ブラックホールを特異点と呼ぶことも多い）。相対性理論から導かれる、シュバルツシルト半径がブラックホールの半径だ。シュバルツシルト半径を事象の地平線と呼び、シュバルツシルト半径の内側は光も脱出できず、観測できない。

質量とエネルギー
アインシュタインの相対性理論が原子爆弾の基本原理である。質量とエネルギーの等価性といい、質量は熱などのエネルギーに変わり、エネルギーも質量に変わる。ここからダークエネルギーを質量として計算したり、ダークマターをエネルギーとして考える、あるいは何もない空間に物質がエネルギーの状態で潜んでいる真空のエネルギーという考え方ができる。

自閉症
正式には自閉スペクトラム症。知的障害を伴う場合が多いが、ごくごくまれに天才的な能力を示すサヴァン症候群も生まれる。

修復に使われる技術
ティッシュエンジニアリング＝再生医療。組織や臓器の欠損部位を修復する医療だが、狭義では3Dプリンタを使って生分解性の樹脂やコラーゲン組織を組み立て、そこに細胞を定着させて欠損部分を補修する。1997年にハーバード大学医学部のチャールズ・バカンティらは、生分解性の樹脂で作った耳の骨組みに牛の軟骨細胞を定着させ、マウスの背中の下に移植する実験を行った。背中に耳のあるネズミの写真は世界中にインパクトを与えた。写真は製作者の名前からバカンティマウスと呼ばれる背中に耳のあるネズミ。

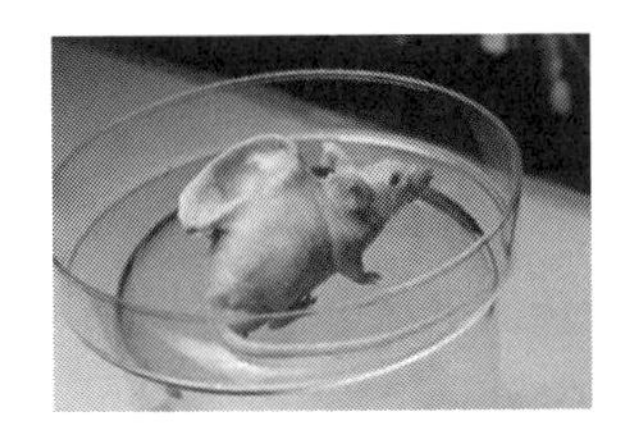

画像引用:Wikipedia

重力波望遠鏡
LIGO以外にも重力波望遠鏡は多数あり、日本にも大型低温重力波望遠鏡KAGRA(かぐら)がある。さらにスケールアップし、宇宙空間にレーザー発振器を備えた人工衛星を配置、より精度の高い観測を行おうという計画がある。NASAの進めているLISA(Laser Interferometer Space Antenna)は、3基の人工衛星がおよそ100万マイル＝160万キロという途方もない距離を1辺とする正三角形を作り、LIGOと同じ原理で重力波を捉える。

重力レンズ効果
空間は重力によって曲がる。星雲や恒星、ブラックホールのように非常に重いものがあるとそれだけ空間は大きく曲がる。空間が曲がったことで、レンズを通して光が曲がるように、光がゆがんだ空間に沿って進むため、レンズを通したように像がゆがんだり、陰に隠れている星が見えたりする。これを重力レンズ効果という。

シュタインズゲート
主人公たちが過去にメールを送ることができる電子レンジ＝タイムマシンを発明したことで、過去が変わり、現在も変わってしまう。世界線という言葉を有名にしたSF作品で、ゲームとアニメ、漫画とメディアミックスに展開した。

準恒星状天体
ブラックホールとその周りに集まった星間物質は、恒星ではないが恒星のように輝くため、準恒星状天体と呼ばれる。

準結晶
準結晶は従来の鉱物の結晶が持っている周期性を持たない。だから「準」結晶なのだが、SF的に興味深いのが、隕石から見つかっていることだ。自然界に準結晶はあるのかどうかを調べ始めた物理学者のポール・J・スタインハートは、イタリアからソ連の大湿原へ隕石を求めて旅をする。興味のある方は『「第二の不可能」を追え!――理論物理学者、ありえない物質を求めてカムチャツカへ』（ポール・J・スタインハート／翻訳 斉藤隆央　みすず書房）を。物理学者も冒険するのである。

常温核融合
一般的な核融合は数億度の高温で起きるが、常温核融合は数百度で起きるとされる。1989年にフィッシュマンとポンズらが発表したが、その後、追試に失敗、詐欺もしくは誤認と考えられた。しかし最近になって、発電には使えないが、他の目的には利用可能

（熱源や放射性物質の無害化）ではないかと考えられ、再評価され始めている。現象としてはあるようだが、トータルの発熱量や生成物は少なく、実用化には時間が必要。

常温核融合研究プロジェクト
2015～2017年にNEDO（新エネルギー・産業技術総合開発機構）が行った「エネルギー・環境新技術先導プログラム 金属水素間新規熱反応の現象解析と制御技術」のこと。株式会社テクノバ、日産自動車株式会社、九州大学、東北大学、名古屋大学（再委託）、神戸大学が常温核融合の共同試験を16回行い、過剰熱の発生を確認した。ナノ複合金属粒子に水素を吸蔵させ、300℃程度まで加熱すると1ヶ月以上継続的に熱が発生したという。

衝突軌道
ジャック・ウィリアムソンのSF小説。太陽系内の小惑星は重力制御技術で移住可能になった未来、地球は実質的に企業連合体が支配している。そんな世界を描く連作短編の一作目が『衝突軌道』だ。軌道を外れた小惑星が人の住む別の小惑星に衝突しようとしており、主人公たちは小惑星内の重力エンジンを動かして軌道を変えるべく奮闘する。太陽系内の惑星や小惑星を居住可能にすることを作者はテラフォーミングと呼び、その呼び名が定着した。

情報問題
ブラックホールはホーキング輻射（ブラックホールが光ること）によってエネルギーを失い続け、いずれは消えてなくなる。ブラックホールが消えた時、ブラックホールがそれまでに吸い込んだ物質＝情報はどうなるのか。宇宙が閉じているなら、それはあり得ない。最近では、物質はブラックホール内部の特異点まで届かず、事象の地平線上で超圧縮されて保持される説が多い。ブラックホールが蒸発しても、情報は残るというわけだ。

初期値の鋭敏性
複雑系の考え方で、最初のほんのわずかな変化が予測不能な大変化を引き起こすこと。アメリカの蝶が羽ばたいたことで日本が台風になるとたとえられる。

ジョルジュ・ルメートル
カトリック司祭で物理学者。定常宇宙論が支配的だった時代に、相対性理論から宇宙の膨張を導き出した。そして特異点＝宇宙卵の爆発から宇宙は始まったという、ジョージ・ガモフらのビッグバン理論の先駆けとなった宇宙卵理論を発表した。

真空のエネルギー
言葉の意味からすれば、真空とは何もない空間だが、宇宙に真空はない。何もないように見える空間にも量子がエネルギーのもっとも低い状態＝基底状態で隠れている。これを真空のエネルギーといい、真空からは常に光子が生まれているが、光子は量子もつれ状態の2個セットで生まれ＝対生成、瞬時に対消滅をする。そのため、実際には何も見えない。

人工子宮
現在は超未熟児を育てるために人工羊水を利用する保育装置を指しているが、本来の意味では人間の子宮の代用であり、人工授精した胚を着床させ、出産サイズまで育てることが可能な装置を指す。法的な問題と技術的な問題があり、特に法的な問題が研究のハードルを高くしている。フェミニストの中には、人工子宮は女性の解放と考える人たちもいる。

人工石油
炭素と水素から石油の合成は可能だが、価格が石油を上回ってしまうため、実用化されていない（ただし環境問題により、風向きは変わりつつある）。また石油ではなくプロパンガスや天然ガスの代わりに水素ガスを安定化させて代用する技術は、コストが安く、技術的なハードルも低く、実用化試験が進んでいる。

人工培養技術
細胞農法とも呼ぶ。人工培養肉は動物由来の血清に栄養分、成長因子を加えて培養液とし、培養細胞を培地で増やす。栄養として加えるのはアミノ酸やビタミン、無機物、培地に血中に含まれるたんぱく質のアルブミンやトランスフェリン、成長因子として細胞増殖因子や細胞生存因子となる。

人工培養肉
細胞を増殖させ、組織化して食品にしたもの。組織化のハードルが極めて高く、現状ではステーキ肉ははるか先の話で、
・筋細胞をシャーレで薄く増やしたしたものをミルフィーユのように何百層も重ねる
・組織工学の応用でコラーゲンの足場を作り、その上で細胞を増殖させる
・細胞の塊を圧縮、もしくはそのまま利用するの3通りしかない。代替肉と間違えやすいが、代替肉は肉以外の材料、大豆やソラマメなどから肉っぽいものを作ったもの。

シンギュラリティ
特異点。AIが人間の知性を上回り、人間がAIに対抗できなくなる年を指し、未来学者のレイ・カーツワイルが主張、それは2045年ごろになるという。2045年問題と呼ばれる。シンギュラリティによって技術進化は飛躍的に早まり、人間が労働する必要はなくなるという。

人工卵子
幹細胞やiPS細胞を使って作った卵子。現行法では卵子の製造までは許可されているが、それを体内に戻すことや人工卵子で人工授精を行い、胚を作って子宮に戻すことは認可されていない。

新世紀エヴァンゲリオン
旧約聖書をモチーフに、異質な生命体と脳波で動くロボットに乗った中学生が戦う。ロボットを汎用人型決戦兵器と呼んだり、反陽子やディラックの海といった科学用語の乱発、内気な主人公が美少女に振り回されたりとオタクのツボを心得たハードSFアニメで、オタキングこと岡田斗司夫ら大阪芸術大学のメンバーが設立したガイナックスが製作。監督は庵野秀明。

新世界秩序
ディープステート（富豪と官僚による隠された政府）が目指すのは、国家の解体と企業による世界統治、完全な管理社会＝人類の家畜化社会を作り上げ、世界を階層化することだと陰謀論者は言う。それが新世界秩序＝New World Orderであり、その世界を管理するエリートはフリーメーソンが中心となった秘密結社で、と陰謀論は続く。ディープステートの計画を頓挫させるためにトランプ大統領は戦っているという設定だった。諸説あり。

深層ニューラルネットワーク
人工知能の学習システムに、人間の脳で行うデータ処理方法を模したものをニューラルネットワークという。ニューラルネットワークが複数のレイヤー構造になったものを深層ニューラルネットワークという。入力と出力の間にある中間層で行う処理が、いわゆるディープラーニング＝深層学習になる。

神通力
仏教における超能力。人間を超越した力ではあるが、あくまで仏教的であり、テレパシーである他心通は、単に相手の考えを読み取る能力ではなく、相手の心にある善悪を知る能力である。

水晶玉
占い師が水晶玉をのぞき込み、未来や過去を占う。一般的には水晶はただのアイテムで、本当に水晶玉に未来や過去が映し出されるわけではない。占い師はインスピレーションを引き出すために、水晶玉に映る歪んだ像を利用する。しかしもし本当に水晶玉が未来や過去を映し出すとしたら、それは内部に高次元の射影である準結晶構造を持つ物体として説明されるだろう。

推進剤
ロケットやミサイルは、可燃性の化学物質を燃料として燃やし、推進剤を噴出させて飛ぶ。燃料と推進剤が一体で、燃焼後の排ガスを噴射して飛んだりイオンエンジンを使う場合は水蒸気などをイオン化した分子で推進する。

スウォーム
Smart War-Fighting Array of Reconfigured Modules＝SWARM。ハチの群れのように、多数の自律型ドローンが連携し、群れをなして攻撃する仕組み。軍事以外でもロールスロイス社が航空機のエンジンの目視検査用に小型ドローンロボットをスウォームで利用したり、災害の監視などへの利用が考えられている。

スキンイン
Skin in。一般的な意味は投資や1枚かんでいるといった意味で使うが、この場合は兵士を強化することを指す。薬物や医療で内面から兵士を改造するという意味だ。

スタートレック
1966年放映の米テレビシリーズ。宇宙船エンタープライズ号が星々を調査する。映画化もされている。トレッキーと呼ばれるコアなファンがいる。

スティモシーバ
Stimoceiver。無線と電気刺激装置が一体となった脳内埋め込み型のデバイス。現在、その先進性が再評価され、パーキンソン病とうつ病の治療に脳深部にある標的領域を電気針で刺激する治療が行われている。

スパイダーマンのマルチバース
エヴェレットの多世界解釈に則り、過去の主人公の違うスパイダーマンシリーズを世界線が違うスパイダーマンとして、全部まとめる大技を製作のマーベルが繰り出している。日本なら、中村梅之助と松方弘樹と杉良太郎の遠山の金さんが揃ってもろ肌脱ぐようなものである。

スピンネットワーク
カルロ・ロヴェッリが唱えるループ量子重力理論の基本となる考え方。空間をプランク長スケールで分割、重力子もその中に含まれるとする。この空間の最小単位をスピンと名付け、スピン同士は物理量（重力や強い力、弱い力、電荷）によってつながり、ネットワーク化される。これをスピンネットワークと呼び、空間はスピンネットワークが構造化したものとする。

スペース クア ナチュラ
Space Qua Natura。宇宙でも地球の自然環境のように住めるように改造された人間。宇宙空間でも活動できるように薬剤を投与する。たとえば放射能に耐性がつくとされるアミノエチルイソチオロニンとシステインを持続的に長時間投与（サルの実験では放射線耐性が上がった）する。また無重力下における血液循環や視覚の変化、筋肉の劣化などにも対応できるように肉体を改造される。

スペースコロニー
理想国家を宇宙に作るという思考実験がスペースコロニーだが、現実に可能かと言えば、非常に難しい。物理的に生活にかなりの制限が出てくるだろう。スペースコロニーは回転させることで遠心力により疑似的に重力を感じさせる仕組みだ。もし回転と逆方向に車を走らせれば、遠心力が相殺され、下手をすると車ごと浮き上がる。回転によって生じるコリオリ力は地球でもかかっているが、その影響が非常に大きくなる。スペースコロニー暮らしは、地球人には船酔い状態になると思われる。

スペースデブリ
人工衛星の分離ボルトや寿命のきた人工衛星、ロケットの切り離し部分などが衛星軌道上を高速で移動している。これがスペースデブリ＝宇宙ゴミと言われるもので、秒速6～8キロで飛んでくる小さなネジは10センチの金属板を打ち抜く運動エネルギーがある。現在、廃棄された人工衛星など大型のデブリは、地球に落下させて処理する方法が研究されている。

スペクトル解析
高温にした物質が放つ光を波長ごとに分け（分光という）、その強弱の分布（スペクトルという）から物質が何かを特定する解析方法。たとえば恒星の光をスペクトル解析すれば、恒星でどんな種類の物質が燃えているのかを調べることもできる。

スホイ24
Su-24。1975年に運用が始まった旧ソ連の可変翼戦闘爆撃機。

せ

精子の数
WHO（世界保健機能）が定める妊娠可能な精子の基準（2021年度）は、精液量が1.4ミリリットル以上、精子濃度が1ミリリットルあたり1600万個以上、射精１回あたりの精子数が3900万個以上、運動率42パーセント以上、正常精子形態率（奇形ではない、妊娠可能な精子の比率）が4パーセント以上となっている。2013年に聖マリアンナ医科大学泌尿器科の岩本輝明らが4都市の若者（18才～24才）1,559 人を対象に行った精子の質に関する調査では、精子濃度の中央値が1ミリリットルあたり5900万個以上、同4,000万個未満は31.9％であり、男性の3割に不妊の恐れがある。

静的な宇宙
宇宙はビッグバンで始まり、加速膨張しているという宇宙モデルに対して、宇宙は永遠に変わらないというのが静的な宇宙または「定常宇宙」のモデルだ。宇宙の膨張は観測で確認されているが、膨張した分だけ新しく物質が生まれ、宇宙の密度は変わらないとする。つまり静的な宇宙とはいうものの、宇宙は一定の密度を維持しながら際限なく膨張し続けるわけだ。

セルジオ・カナヴェッロ
Sergio Canavero。イタリアの脳外科医で、人間の頭部移植手術を提案している。頭部移植ベンチャーを主宰し、他の医師の協力を募っている。

セルマ・モス
アメリカの臨床心理学者。超能力の研究で博士号をとり、1970年に旧ソ連を訪問、キルリアン写真にのめり込む。時代だったとしか言いようがない。

全能シミュレーション
コンピュータ上にバーチャルな脳を構築し、脳の機能をシミュレーション可能にする技術。現在はまだ昆虫レベルの脳がやっとの状態で、人間の脳は量子コンピュータを使わないと計算量が多すぎる。仮に脳がコンピュータ内に再構築された場合、バーチャル脳に意識はやどるのかどうかという哲学的な問題もある。

そ

側頭葉
脳の左右、耳の上あたりにある部位。感覚入力と聴覚情報の解釈を受け持つ。右の側頭葉が音楽のような非言語の音、左の側頭葉が言語の認識や記憶の再構成を行っている。

ソフトヘア
ブラックホールは毛が3本。ブラックホール研究の第一人者だった故ホーキング博士は、ブラックホールの物理量は質量、電荷、スピン=角運動量の3つしかないとした。これを雑誌などに説明するのに、一般的な物質にはたくさんの物理量があり、毛はフサフサだが、ブラックホールには毛が3本しかないと言ったのだ。ソフトヘアは、ブラックホールは毛が3本を踏まえて、ブラックホールはうぶ毛=零エネルギーの輻射と呼ばれる、エネルギーを持たない電磁波が表面を覆っており、それが情報を記録するのだとした。

素領域論
物理学者の保江邦夫が提唱する理論。素粒子(=量子)は素領域という泡状の空間の中だけで存在し、その外側ではエネルギーでしかないとする。湯川秀樹の中間子理論から導かれる宇宙像だという。保江は素領域理論から、さまざまな超常現象が説明できるとしている。

た

ダークエネルギー
宇宙の膨張を加速させているエネルギー。万有引力により互いが引き合うため、ビッグバンの際のエネルギーで膨張していた宇宙は、やがて膨張が停止、収縮すると考えられていた。しかし1999年に宇宙の膨張が加速していること、70億年前から加速が始まっていること、エネルギーを質量に換算すると宇宙の物質総量の68パーセント前後を占めていることがわかった。すべての力を量子交換で説明するのが現代物理学だが、ダークエネルギーがどういう量子交換から生まれるのか、全く不明で、引力に対して「負の圧力=万有斥力」を持つ。

ダークマター
宇宙の物質総量の27パーセント前後を占める正体不明の質量。電磁波と干渉しないので、観測手段がない。どのような量子なのか、まったくわからないが、質量はある。銀河の回転速度が計算上よりも速く、バラバラになってもおかしくない速さで回転しているのに、バラバラにならない。ということは引き合う力がこれまでの想定よりも強い=質量が大きい。そこで何らかの質量をもつ物質=ダークマターが考えられた。

対称性の破れ
物理法則には時間は無関係だ。よく例に出されるのが振子の動画だ。左右に揺れている振り子の動画を逆回しにしても、どちらが順再生なのか逆再生なのかわからない。物理現象は時間の影響を受けないからだ。過去でも未来でもどの時点でも物理の方程式は変化がない。これを時間並進対称性という。どこでも変わらないという物理の約束が破れることを対称性の破れと呼ぶ。量子の世界では、粒子と反粒子の間で同じ方程式が成り立たないCP対称性の破れや原子核崩壊の弱い相互作用ではパリティ対称性の破れが起きる。

胎児リプログラミング仮説
出産前の胚や胎児、妊娠前の精子・卵子の遺伝子が環境によって変化、胎児の疾病が決まる説。妊娠中の栄養不足が子どもの成人病の原因になったり、妊娠中のストレスで子供が統合失調症になったりする。戦争で飢餓を経験した母親の子は、統合失調症発症率が平均の2倍に増加するそうだ。ほぼ正解だと思われるが、作用機序に不明な点が多く、詳細はこれからの研究による。

多世界解釈
世界は量子で成り立っているので、マクロなスケールでも量子力学は有効だとヒュー・エヴェレットは考え、1957年に多世界解釈を発表した。私たちの記憶にある世界を世界1としたら、そこから枝分かれした世界nが存在すると考える。もしあの時、と誰しも考えるが、多世界解釈に従えば、その時に別の判断と行動をした世界が今の世界とは別に存在していることになる。

タチアナとクリスタ
タチアナとクリスタは、頭蓋接合性結合双生児であり、2人の脳は視床でつながっている。現時点では、分離手術は障害なしでは不可能だと考えられている。タチアナに目隠しをし、クリスタが何を見ているのかを当てさせるとすべて正解する。タチアナが食事中、タチアナがクリスタが嫌いなケチャップを食べると、クリスタは抗議する。他にも痛みや感情（一方が泣くと片方も泣く）など聴覚以外の感覚情報はほぼ2人で共有されている。

探査衛星ジオット
1985年7月2日、翌1986年に最接近するハレー彗星探査のためにヨーロッパ宇宙機関（ESA）が打ち上げた彗星探査機。ハレー彗星に600キロまで近づき、彗星の核を撮影した。当時、ジオット以外にも旧ソ連の「ヴェガ」やアメリカの「アイス」、日本の「すいせい」「さきがけ」などの探査衛星がハレー彗星に向かい、ジオット同様に彗星のデータを地球に送った。

たんぽぽ計画
国際宇宙ステーション日本実験棟で行われた、宇宙塵の採取と宇宙由来の有機化合物・微生物の発見を目的とした試料分析の実験計画。2016～2018年に3回行われ、パンスペルミア説の実証が期待されたが、明確な成果は挙がらなかった。

ち

チアゾリン類恐怖臭
チアゾリン類恐怖臭には、狐の体臭から分離したトリメチルチアゾリンなどがある。狐の匂いといってもよくわからないが、この匂いはネズミに先天的に死の恐怖を抱かせ、強制的に仮死状態にする。体温を調べると背中付近の体温が低下しており、文字通りに背筋が凍っていることがわかった。チアゾリン類恐怖臭はネズミの忌避剤として研究されている

超光速現象
ブラックホールやクエーサーから噴き出すジェット流は、光速の数倍で成長しているように見えることがある。これは光速が一定のために生じる錯覚で、たとえばジェット流がA→B→C→Dへと数百年かけて変化したとする。光速度は一定なので、地球にはA～Dが同時に届くために、あたかもA～Dの変化が同時に起きたように見える。実際に起きたのはDの変化だけなのだが、全部が届くために単位時間の変化が非常に大きくなり、それだけの変化が起きるのはジェット流が光速を超えたからだと錯覚してしまうわけだ。

超電導量子干渉装置
一般的にはSuperconducting Quantum Interference Deviceの略でSQUIDと呼ばれる。非常に小さな時期の変化を読み取ることができ、脳の磁界変化を測定する脳磁計としても利用可能。脳神経の動きを追えるので、アルツハイマー病などの脳疾患の解明に役立つと考えられている。

超臨界流体
物質は、圧力と温度により、気体、液体、固体に変わる。密閉した容器の中で液体を熱すると液体は気体に変わるが、飽和状態になると液体に戻る。そこでさらに加熱すると内部は高圧状態になり、液体はすべて気体に変わるが、これは高圧下での特殊な状態で、液体のような密度の気体という奇妙な物質となる。これが超臨界状態で、この状態になる圧力と温度を臨界点と呼ぶ。超臨界状態では気体は特殊な液体状＝流体となり、気体や液体の時にはない性質を持つ。溶解度や反応速度も変わるため、化学工業では欠かせない。

て

低コスト無人航空機群集技術
Low-Cost UAV Swarming Technology＝LOCUSTと略される。低価格で自律型のドローンを船上などから高速で打ち出し、短時間でスウォームとして展開する。攻防どちらにも利用でき、設置場所が小さいため、船から地上車両、航空機など幅広いプラットフォームから離陸可能。

データリンク
衛星から偵察機、艦船まで、軍事作戦に必要なデータを互いにやり取りできる情報通信システムのこと。一般的に暗号化されている。

デスメタル
悪魔主義者は聖書を逆から読んだり、乱交したり、赤ん坊をいけにえに捧げたりするのだという。そういう世界観で反社会的な曲を演奏するのがデスメタルというジャンルだ。

テラフォーマーズ
原作は貴家悠、作画は橘賢一の漫画。実写映画化もされた。火星をテラフォーミングするためにゴキブリと苔をロケットで送り込んだ

ら、ゴキブリが進化して人間型の凶暴な生物になったため、人間側は昆虫の遺伝子を組み込んだ昆虫人間を開発、ゴキブリ人間と戦わせる。昆虫の能力が人間側の武器になるため、いちいち入る昆虫うんちくが楽しい。

テラフォーミング
生物のいない惑星を改造し、人間が住める環境に変えること。もし本当にやるとすれば、最低でも数百年〜数千年単位での事業となる。火星のテラフォーミングがよく話題に上がる。岩石中に保持されている水蒸気と二酸化炭素を放出させれば、気圧も確保され温暖化できるという意見だが、NASAの見解では火星の岩石中のガス成分も水分も非常に少なく、テラフォーミングはできないのだという。

テラヘルツ波
光と電波の間にある周波数帯のこと。100GHz〜10000GHzの周波数帯を指す。光のように直進し、電波のように物質を透過するという双方の性質がある。従来のX線を使う非破壊検査装置をさらに小型化したり、物質によって透過率が異なるため、物質の成分や構造の分析などに利用できる。

テラヘルツ分光法
テラヘルツ波はタンパク質や麻薬、爆発物に吸収されやすく、100GHz（0.1THz）〜5000GHz（5THz）に特徴的なスペクトル線が出る。テラヘルツ波の分光器は犯罪捜査に打ってつけなのだ。

テロメア
細胞分裂回数の上限＝ヘンフリック限界を決める細胞構造で、分裂のたびに短くなり、テロメアがなくなると細胞は死を迎える。細胞分裂の回数券のようなものだ。テロメアを伸ばす酵素を活性化させるNAD＋（ニコチンアミドアデニンジヌクレオチド）やNMN（ニコチンアミドモノヌクレオチド）などの物質が発見され、若返り薬になるかと期待されているが、今のところ、明らかに若返るという報告はない。

電磁波の放射圧
原子の周りには電荷を持った電子がまわっているので、電磁波がぶつかると電子に電場が吸収されて電子が動き、電気が流れる。するとフレミング左手の法則で、原子が動く。これが光の当たった面で起きるので、物体に圧力＝放射圧がかかる。電磁波がぶつかることで物体に電流が流れ、ローレンツ力（フレミング左手の法則で親指方向にかかる力）により物体が動く。作用反作用ではないことに注意。ただし電磁波の放射圧は非常に小さい。

伝説巨人イデオン
アニメ『機動戦士ガンダム』の富野由悠季監督作品。異星人と初めて接触した人類が、植民地惑星の遺跡から発掘したロボットを使って戦う。最終話で人類も異星人も絶滅、彗星とともに死者の魂が他の惑星に降り注ぎ、新しい生命を生み出す描写がある。

と

導波管
マグネトロンから発生するマイクロ波は四方八方に広がる。そこで対象の照射位置まで金属管をつなぎ、その中をマイクロ波を通す。その金属管が導波管で、中空になっており、形状は四角形のものが多い。

トータルリコール
1990年の米映画。記憶を失っていた主人公が、疑似記憶を体験する装置トータルリコールで、自分はスパイだったことを思い出す。変装して火星へ向かい、空港の検査装置が恐らくテラヘルツ波を使った透過装置。保安エリアを歩く乗客が透過され、モニターに骨だけの姿で映し出される。

特異点
ブラックホールは異常に重力の強い天体で、近づいていくと光さえも脱出できなくなる。光には質量がないので、重力に引かれることはなさそうに思われるが、空間自体が重力で曲がりすぎてブラックホール＝黒い穴という名前の通りに深い穴になってしまうため、光も出られない。光が脱出できる限界を「事象の地平線＝イベントホライズン」と呼び、その中心に特異点。ブラックホールの本体だ。事象の地平線から内側は測定不能ではあっても、こちら側の宇宙だが、真ん中にある特異点は物理法則の外側にある。特異点の中は、現在、高次元が折り畳まれた振動で説明（超弦理論という）されている。

ドクターモローの島
HGウェルズの古典SF『モロー博士の島』はいくどか映画化されている。生物学者のモロー博士は南洋の島に隠遁、研究施設で動物を人間に変える研究を行っていた。船が難破し、遭難した主人公はモロー博士の島で、人間に改造された奇妙な動物たちを目にする。

体が人間化した動物は、精神も人間になるという設定がユニーク。

閉じ込め症候群
意識ははっきりしているのに、体の一切の自由がなくなる症例。別名ロックイン症候群。ALS（筋萎縮性側索硬化症）の末期に起きるTLS＝Totally Locked-in State：完全な閉じ込め状態では、まばたきもできなくなるため、瞳孔の反射と脳波以外で生きているのかどうかを判別できなくなる。ALS以外に脳卒中や食中毒の一種であるギラン-バレー症候群、ボツリヌス菌の感染でも起きる。

トップをねらえ
女子高生がロボットに乗って宇宙生物と戦うアニメ。亜光速で敵陣に乗り込むため、戦って帰ってくると地球では十数年が経過、主人公は女子高生のままで同級生は中年になっているなどウラシマ効果が端的に表現されている。監督はエヴァンゲリオンの庵野秀明。

ドナルド・クック
米ミサイル駆逐艦。ロシアによるクリミア侵攻（2014年～）では、黒海で米海軍がロシアのEMP攻撃を受けたとされ、2014年4月10日と2016年4月の2回、ロシア海軍機の接近直後、ドナルド・クックでは全システムのブラックアウトが発生している。また2015年3月に米海軍航空母艦セオドア・ルーズベルト（CVN-71）がロシアの潜水艦からEMPと思われる攻撃を受けて出港不能となり、1週間もイギリス沖に停泊し続けることになった。

トラウマ
心的外傷。事故や災害、死などで心に強い衝撃（外傷性ストレッサーと呼ぶ）を受け、社会生活が困難になるほど精神状態が悪化する。トラウマによる精神への影響一過性だが、PTSD（Post Trumatic Stress Disorder 外傷後ストレス障害）となると、記憶障害によりトラウマとなったできごとを何度も再体験するため、治りにくい。

な

夏への扉
ロバート・A・ハインラインの古典SF。恋人と発明を奪われ、絶望した主人公は冷凍睡眠し未来で目覚めることを選択する。

ナノスケール
1ナノメートルは10-9（10億分の1）メートルであり、その前後のサイズの物質やそのサイズで起きる特有の物理現象や生化学現象を指す。

ナノバブル
直径100マイクロメートルほどの微小な泡は特別な性質を持ち、気泡のままで長時間水の中に滞留する。冷蔵に使うと鮮度を維持できたり、生物の生育を良くするなどの性質がある。殺菌作用もあり、市場や食品工場で使われている。

に

日中放射冷却
地面から上空に向かって熱が放出され、温度が下がるのが放射冷却。一般的には夜間に起きるとされているが、昼は太陽の熱が放射冷却を上回るためで、実は放射冷却は24時間いつも起きている。日中でも太陽の熱を遮ることができれば、放射冷却で地面は冷える。これが日中放射冷却だ。

ニューログレイン
1ミリ角以下の超小型脳内チップ。ブラウン大学では神経信号をモニターし、外部に送信するニューログレイン48個をラットの大脳皮質に埋め込み、脳の活動をモニターすることに成功した。また逆にニューログレインから微弱な電流を脳に流し、神経活動を活発にする実験も行われた。ニューログレインは非侵襲として頭皮に貼り付けて使うこともできるそうだ。

ニューロモーフィックデバイス
人間の脳神経を模倣した装置のことで、コンピュータを含む。脳はコンピュータよりはるかに省エネで演算速度も速い。脳神経のアルゴリズムを模倣することで、コンピュータを飛躍的に高速化し、省エネ化する。

ね

ネアンデルタール人
人類の亜種。人類の進化は直線的ではなく、途中、何種類もの亜人類が生まれ、生存期間が重なっていたことがわかっている。最終的に現生人類とネアンデルタール人が生き残った（諸説あり）が、ほぼ同じ文明レベルを持っていたにも関わらず、ネアンデルタール人のみが絶滅した。

猫のゆりかご
カート・ヴァネガットのSF小説。水は結晶状態で性質が変わる。1963年当時、8つの結晶状態が見つかっており、ヴァネガットは架空の9番目の結晶状態（融点45.8度）の氷をアイスナインと名付けた。アイスナインに結晶状態は他の水の結晶状態に伝播し、アイスナインに触れた水はすべてアイスナインになり、粉末になる。世界はひとかけらの水の結晶によって滅びる。偶然か必然か、小説の発表後にポリウォーターが話題になった。

熱水噴出孔
地熱で地下水や海水が温められ、噴き出している場所。海底の熱水噴出孔では、熱水に金属イオン（鉄や銅、亜鉛など）や硫化水素、水素、メタンが大量に含まれている。金属イオンは海底に硫化鉱物として蓄積し、鉱床を作っている。熱水中の硫化水素から電子が鉱床の鉱物へ、鉱物から海水中の電離した酸素へ電子が渡されることで鉱床の中を電流が流れている。海底熱水噴出孔は巨大な電池であり、熱水中の有機化合物と化学反応を起こし、アミノ酸等を合成する可能性がある。

の

脳オルガノイド
皮膚などのiPS細胞を脳細胞に分化、培養したもの。脳疾患や発生の研究、ICチップを結合させ、演算処理に使う研究にも使われている。数ミリサイズの脳細胞から、胎児に見られる脳波が検出された、9～10カ月でなぜか細胞の成長が止まる、目ができたなど、ゾクっとする報告が上がっている。オルガノイドはアンドロイドにならって、器官もどきの意味。アンドロイドは1886年のSF小説『未来のイブ』（映画『メトロポリス』の原作）での造語。

脳内物質
報酬系で分泌されるドーパミンやエンドルフィンなどの生理活性物質。脳内ドラッグと呼ばれ、快感や情動を生み出す。

脳波
脳が活動する際に出す電磁波。周波数ごとに大きく4種類、ベータ波14～30Hz、アルファ波8～13Hz、シータ波4～7Hz、デルタ波4Hz未満に分けられる。脳の活動や意識状態で周波数成分は変わる。モーツアルトを聞くとアルファ波が出てストレスを緩和すると言われ、ブームになったことがある。

は

バイオスフィア2
現在の環境問題は1970年代のカウンターカルチャーに起源をもつ。反体制思想（共産主義とヒッピームーブメント）と工業化による環境破壊への危機意識が結びついたのだ。環境問題を訴えるデモで太鼓を叩いて歌ったり、スピリチュアルが結びつきやすいのは、元々、そこが始まりだったからだ。バイオスフィア2もその文脈、ヒッピーカルチャーと環境問題から俯瞰すると、なぜ失敗したかがわかる。彼らがやろうとしたのは、科学の名前を借りたヒッピーのコミューンであり、反体制のシンボルとなる拠点作りだったのだ。

バイオニックジェミー
1976年放映のテレビシリーズ。事故で両足と右手、右耳を失った女性がサイボーグ化され、諜報活動に従事する。時速100キロ近い速度で走り、家を飛び越えるジャンプをし、サイボーグ化された右腕は車を持ち上げる。

バイオフォトン
生体から放たれる光子。キルリアン写真に写った被写体周辺の光の点がバイオフォトンだと言われたが、水分が放電したものに過ぎない。

肺呼吸
子宮内の胎児は血液から酸素を取り込んでいる。母親の呼吸で生きているわけだ。出産と同時に母親からの血液供給が止まり、肺呼吸に切り替わる。

培養液
動物の血清にミネラルとアミノ酸、成長因子を加えたものだが、動物の血清にこだわらなければ、点滴用のリンゲル液（極端に言えばスポーツドリンク）に成長因子を加えれば代用できる。植物性の培養液も研究中だそうだ。

ハッピーデスデイ2
アメリカの映画で、前作「ハッピーデスデイ」では女子大生が殺人鬼に殺される日を何度も繰り返すが、本作では、その原因は大学構内で実験していた量子加速器のせいだったと明らかになる。コメディ仕立てのSFスリラー。

パブロフの犬
イワン・ペトロヴィチ・パブロフが行った、犬を使った条件反射の実験。パブロフは生理学者であり、自動的に唾液分泌量を測定、記録できる装置を作り、犬を使って食事と唾液の分泌速度の関係を調べていた。ある時、犬にエサをあげるために助手が部屋に入ると、ドアを開けた瞬間から犬の唾液量が増加していることがわかった。パブロフは助手の白衣とエサが関連付けられていると考え、白衣の代わりにベルやライトでエサとの関連付けを行った。その結果、条件反射（外部環境と関連付けられた後天的な反射）と無条件反射（本能で無自覚に行われる反射）を発見した。

バルビツール酸塩Ⅳ
睡眠薬や麻酔薬として使われる。睡眠薬として強力である反面、依存性が高い。

バルプロ酸ナトリウム
抗てんかん剤、躁うつ病治療薬。脳内物質のGABAの促進作用がある。

ハレー彗星
75.3年で太陽を一周する彗星。おそらくもっとも有名な彗星だろう。1910年の最接近時には、「空気がなくなる」「毒ガスで覆われる」といったうわさが飛び、学校で息を止める訓練をするなど、ちょっとした騒ぎになったという。

パワードリーミング
power dreaming。心的外傷後ストレス障害（PTSD）や外傷性脳損傷に苦しむ軍人に、VRを使ったゲームをプレイしてもらい、自分とは違う別人格に没入することで、トラウマを修復させる。仮想学習体験を効果的に組み立てることをプロテウス効果といい、この研究成果を踏まえて作られたのが映画『アバター』（主人公の負傷兵が異世界でアバターのオペレーターとなり、新たな自分に成長していく物語）だという。

ハンス・バーガー
神経生理学者で、1929年に人間の脳波を発見した（それまでは動物の脳波しか調べられていなかった）。脳波の種類を分類し、てんかんと脳波の関係など医療に貢献する発見を多数している。

パンスペルミア説
生命起源説の1つ。アミノ酸を合成すると右回転のR型になるが、自然界にあるアミノ酸はL型であり、少なくとも雷が原始大気中に放電する方法では生命に利用できるアミノ酸を作ることはできないこともわかった。ところがメタンやアンモニアは隕石から見つかっており、それらに宇宙線と同じ高エネルギー陽子ビームを浴びせるとアミノ酸が合成され、これがL型なのだ。そうしたことから、宇宙から生命の材料＝アミノ酸が降ってきたというのは、そう突拍子もない話ではないと考えられている。

パンドラプロジェクト
Project Pandora。1962年、旧ソ連の大使館職員が不調を訴えたことから、CIAは職員が旧ソ連のマイクロ波攻撃を受けていることに気がついた。職員の訴えを無視し、CIAは職員の体調からマイクロ波による影響を観察、防衛分析担当官は同様の技術開発のため。パンドラプロジェクトをスタートする。国防高等研究計画局（DARPA）はウォルター・リード陸軍研究所でマイクロ波を使ったアカゲザルの実験を開始、マイクロ波が中枢神経系に重大な影響を及ぼし、アカゲザルの行動を変化させることを確認している。

光触媒
光を浴びることで化学反応を促進させる物質。光を浴びた酸化チタンが水を酸素と水素に分解、発生した酸素で汚れを分解したり、水素をエネルギーに使うことが研究されている。汚れない外壁や匂いのしない室内は酸化チタンを利用している。

引き込み現象
違うリズムの運動が揃っていく現象で、複数のメトロノールが最終的に同じリズムで動く、蛍の点滅が同期する、カエルが同じタイミングで鳴くようになる、一緒にいる相手と呼吸が一致するなど実例は多い。引き込み現象によって自己が他者と溶け合う感覚は人間にとって快感であり、音楽やスポーツの楽しさでもある。

ビッグクランチ
万有引力ですべての物質が引かれ合い、宇宙全体が収縮、最終的に潰れてビッグバン以前の特異点へと戻っていくこと。宇宙が終焉するモデルの1つ。本来の意味ではないが、アルクビエレ・ドライブでは、特異点が発生する寸前まで超重力で空間を曲げることを指す。

ビッグサイエンス
大規模な予算と時間を投じて行われる国際的なプロジェクト。現在進行中の月面基地建設計画「アルテミスプロジェクト」や核融合実験炉の建設などが相当する。

ビッグセオリー
相対性理論と量子力学を統合し、ミクロからマクロまで説明できる理論のこと。電磁気力、弱い力、強い力、重力を一つの理論で説明しようとする大統一理論とは別物。

非侵襲性
身体を傷つけないやり方のこと。脳に直接チップを埋め込むようなやり方は侵襲性。

ヒト頭体吻合術（CSA）
Cephalosomatic anastomosisの略。遺体提供者の胴体と遺体受取人の切断された頭部を吻合する。脊髄はポリエチレングリコールを塗布、圧着させることで細胞の再生と融合を促す。

ヒトフェロモン
匂いで性的興奮をやり取りするフェロモンが人間にあるかどうは意見が分かれる。しかし退化したと思われていたフェロモンの受容専門のヤコブソン器官（鋤鼻器）が人間にも残っていることが判明、あるのではないか？と考えられている。一般的には男性ホルモンのアンドロステロンや女性ホルモンのアンドロステノンの揮発成分ではないかと言われているが、エビデンスはない。

ヒューマンジー
うめざわしゅんの漫画『ダーウィン事変』は、人間とチンパンジーのハイブリット、ヒューマンジーの物語だ。動物学者夫婦に育てられ、チャーリーと名付けられたオスのヒューマンジーは、人と動物の中間というあいまいな存在から、過激な動物愛護団体に狙われることになる。

ヒューマンブレインプロジェクト
2013～2023年に欧州を中心に行われた脳神経学の大型プロジェクト。日本も参加した。ネット上に精緻なバーチャル脳を公開するインフラ、EBRAINSや脳の処理を模したコンピュータの開発などが主な成果。同様のプロジェクトにアメリカが行っているBRAIN Initiative Cell Atlas Network（BICAN）などがある。

ふ

ファラデーケージ
電磁波の干渉を遮断する箱や部屋を指す。導体で囲まれているので、電磁波がケージの内側まで入れない。アルミホイルを窓に貼ったり、帽子にして頭にかぶる方は、ファラデーケージを作って何者かによる毒電波攻撃を遮断しようとしているわけだ。

不妊症
日本産婦人科学会の定義では「妊娠を望む健康な男女が避妊をしないで性交をしているにもかかわらず、一定期間妊娠しないもの」であり、男性が原因の場合は一番がED、精子無力症や乏精子症など、女性の場合は子宮が原因の場合と卵子に原因のある場合がある。日本の場合、男性の無精子症患者は不妊症患者のおよそ18パーセントを占める。

負の質量
ダークエネルギーがすべてが引き合う万有引力に対抗して、すべてと反発する万有斥力だとした場合、質量とエネルギーの等価性から、ダークエネルギーが物質化すると負の質量（またはマイナスの質量）を持つことになる。

フライングネット
大量のドローンで相手を包み込み、相手の攻撃を無効化する戦術。

フラクタル図形
部分と全体が自己相似をした図形のこと。極小部分から極大部分まで同じパターンの図形が繰り返し現れる。

プラズマ化
レールガンは空気との摩擦熱で砲身が溶けるため、砲身内部は空気を抜いてある。しかし完全な真空にはできず、弾丸によって薄い空気が過熱、電離して電気を帯びた状態＝プラズマになる。レールガンを撃つと炎が噴き出して見えるのは、プラズマ化した空気が噴き出しているわけだ。

プランク長
ドイツの物理学者マックス・プランクが提唱した長さの単位。万有引力と光速度、プランク定数（光の振動数と波長の関係式に使う定数）で、長さ、質量、時間を定義したものをプランク単位系という。1メートルという長さが、元々は地球全周の4000万分の1で決められたように一般的な単位は人為的だが、プランク単位系は宇宙共通の尺度を使っており、宇宙自体が本来持つ基本単位。そのためプランク単位を自然単位と呼ぶこともある。プランク単位では、万有引力と光速度、プランク定数が１以下はありえない。

ブレインアトラス
脳の解剖学的な情報をMRIの画像データをもとに3Dマッピングした、いわば脳の地図。知見に合わせて、細胞構造、構造的および機能的接続、線維構造、化学構造などマルチレベルな情報が紐づけされていく。

ブレイン・イニシアティブ
BRAIN Initiative＝ブレイン・イニシアティブ。2013年4月にオバマ政権が立ち上げた脳研究プロジェクト。2016年度には3億200万ドル、2017年度には4億3.900万ドルが投入された大規模なプロジェクトであり、2026年度までの継続は決まっている。脳機能の解明からサイボーグ義手の開発、脳機能のAIへの応用、アルツハイマー病の治療法など脳に関するすべての領域を網羅している。

ブレインゲート
BrainGate社が開発した世界初の商用BCI。脳の障害で体を動かすことができないロックイン症候群や筋萎縮症（ALS）で体が動かなくなった人に向け、脳にチップを埋め込み、その信号でコンピュータを操作できるようにするシステム。コンピュータと義手をつなぎ、義手を操作することも可能。

ブレインストーム
1983年の米映画。脳の記憶を読み込む装置をめぐって、開発者と軍が争う。架空の装置の開発ストーリーとして秀逸。監督は『2001年宇宙の旅』の特撮監督だったダグラス・トランブル。

ブレインデコーディング
脳の中でやり取りされている神経信号は、人間には未知の暗号と同じ。そんな神経信号という暗号を解読＝デコーディングするのがブレインデコーディング技術だ。現在は脳の信号と入力される情報を照合し、データベースを作るところであり、脳の神経信号の解読という点からすれば1歩目というところだ。

フレッド・ホイル
天文学者で、生命は彗星に乗ってやってきたというパンスペルミア説を唱える。生命が生まれるにはビッグバン宇宙論のいう宇宙誕生から138億年では短すぎるといい、無限に時間がある定常宇宙論に固執した。ラジオ番組でガモフらの宇宙膨張理論をビッグバンと馬鹿にしたことから、ビッグバンの名付け親と呼ばれている。

プレデター
1987年公開の米映画。アーノルド・シュワルツネッガー主演。地球に人間狩りに来る宇宙人と米軍が戦う。宇宙人が着ている服が光学迷彩で、像の歪みから居場所がわかる程度でほとんど見えない。

フレミングの左手の法則
電流から磁場が、磁場から電流が発生する電磁誘導の関係をわかりやすく説明するために、物理学者のジョン・フレミングが考案。1880年代前半にフレミングがロンドン大学の電気工学の教授だった時に、学生に説明するために考えたという。磁界の向きが人差し指、電流の向きが中指の場合、直交する親指の向きにローレンツ力が働く。

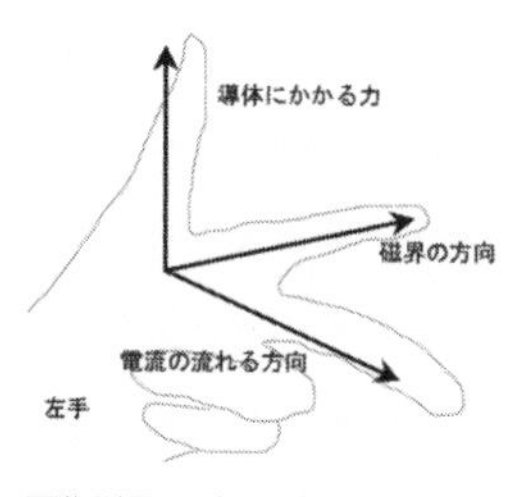

画像引用:Wikipedia

プロジェクト・ブルーブック
1947年～1969 年にUFOを調査した空軍プロジェクトの名称。UFOに関する科学的な報告書であり、コロラド大学も協力している。1万2,618件の目撃情報を分析、うち701件は正体不明だった。しかし明らかに現時点のテクノロジーを超えていると判断されるような報告例はなく、地球外の乗り物だという証拠も出なかった。この報告を受け、米軍はUFOに対する調査を打ち切った。

プロプラノール
片頭痛や高血圧の治療薬。カナダ・マギル大学のカリム・ネーダーらが辛い記憶を思い出した時の不快さを同薬が減少させることを発見した。トラウマ自体が消えるわけではない。

プロピレングリコール
不凍液以外に溶剤として使われる。毒性がなく、ほぼ無味（若干の苦みがあるらしい）。化粧品の保湿剤や薬品の基材として使われたり、抗菌効果から食品の保存料、湿潤作用から改質剤（食感を良くする）として利用されている。

プロメテウス
映画『エイリアン』の前日譚。エイリアンでは異星人の船からエイリアンが復活したが、本作品では異星人の正体が明らかになる。彼らはさまざまな星を訪れては、そこで死んで生命の素となり、また原住生物の遺伝子改変をして進化させるといった生命操作を行うことをミッションとしていた。人間もエイリアンも彼らが作った生命体だったというもの。パンスペルミア説の変形である。

並体結合
Parabiosis:パラバイオシス。1950～60年代に血中の重要因子を見つけるために、2匹のマウスの血管をつなぐ並体結合の実験が行われた。マウスは血液循環を共有すると互いに影響し合うことが分かった。一方に致死量の放射線を浴びせても、放射線を浴びていない方の免疫細胞が働き、死亡率が下がったり、カロリー制限をしたマウスと自由に食べさせたマウスでは、自由に食べているマウスがやせるといったことが起きた。

ヘス・フェアバンク効果
容器に超臨界流体を入れ、容器を回転させる。通常の液体なら容器の回転に合わせてぐるぐると回転するが、超臨界流体は容器に接した部分は回転するものの、中心部分は静止したままで動かない。これをヘス・フェアバンク効果といい、超臨界流体では慣性の働きがなくなることを示している。

ヘミシンク
Hemi-Sync。左右の耳から周波数の違う音を流すと脳全域が活性化し、自分の知らない自分の無意識に出会えるという。その中には体外離脱も含まれる。スピリチュアル界隈では、反ヘミシンク派が自殺を誘発する、脳に障害が起きると警告している。自然食品派がうま味調味料を食べて死んだ人がいないのに、明日死ぬかのように騒ぐのと同じだろう。逆に言えば、ヘミシンクの触れ込みも、鵜呑みにしない方がいい。

扁桃体
左右の側頭葉下部にあり、情動を受け持つ器官。快・不快に関わり、性的な快楽や不安や恐怖などを生み出す。

ヘンリー・キッシンジャー
ニクソン政権時代に大統領補佐官を務め、中国と太いパイプを持つ。1977年にフォード政権の国務長官を務めた後、政界からは引退。対中ビジネスコンサルタントとして、ウォール街と北京政府を結び、中国を肥大化させたと言われている。ベトナム戦争を終戦に導いたとして1973年にノーベル平和賞を受賞したが、終戦が決まったために余った爆弾でラオスに無差別爆撃をかける作戦を行った。戦争はアメリカが始めるを地でいく人物である。

ペンローズタイル
イギリスの物理学者物理学者ロジャー・ペンローズが考えた、非周期性で平面を埋め尽くす図形。数学には昔から「平面を有限種類の平面図形を用いて、重なることなく、かつ隙間なく敷き詰める」ことができる図形は何種類あるか？　という平面充填問題がある。正多角形の場合、正三角形、正方形、正六角形の3種類しかないが、多角形で考えるといくつも種類がある。同じく周期性のない準結晶の構造はペンローズタイルの立体版だと言える。

ペンローズの宇宙
ブラックホールの形成理論でノーベル物理学賞を受賞したロジャー・ペンローズの宇宙論は共形サイクリック宇宙論と呼ばれる。共形サイクリック宇宙論では、ビッグバン以降、膨張する無限大の空間と散っていった星々は無限の時間の先で消滅する。質量はすべて消滅し、光子と重力だけが残る。物質が消えた宇宙は特異点へと圧縮され、再びビッグバンが始まる。宇宙の1サイクルをペンローズは「AEON」と名付けた。ラテン語で「永遠」という意味だ。

ほ

報酬系
脳の中で、仕事に対する報酬のように、快楽を生み出す神経回路があり、報酬系と呼ばれる。中脳から大脳辺縁系の側坐核を経て前頭前皮質につながる神経系で、A10神経とも呼ばれる。ドーパミンという神経伝達物質を放出し、快楽を生み出す。麻薬は報酬系を強く刺激し、中毒状態を生み出す。

飽和攻撃
敵の防御能力を上回る火力で攻撃すること。2023年のイスラエル・ハマスのガザ地区をめぐる紛争では、無敵の防空システムといわれたイスラエルのアイアンドームが、敵対組織のハマスから20分足らずで5000発のロケット弾を受けた。イスラエル軍は1日

3000発を打ち落とす訓練をしていたが、文字通りの飽和攻撃に迎撃が間に合わず、被害が出ている。

ボース・アインシュタイン凝縮体
インドの物理学者ボースとアインシュタインが提唱した。低温状態ですべての粒子が最低のエネルギー準位（量子はとびとびのエネルギーしか持てず、そのエネルギー状態を準位と呼ぶ）に落ち込み、すべての粒子が巨大なひとつの波のようにふるまう現象のこと。量子の持つ粒子と波の二重性がマクロなサイズで確認できる、巨視的量子現象の一例。

ホセ・デルガド
スティモシーバを発明した脳神経学者。前頭前部ロボトミー手術（てんかんを抑制する治療法とされたが、のちに否定される）の研究でも有名。人類はいずれ精神文明化され、宗教が果たせなかった心の平和を科学が実現すると信じていた。

ポリウォーター
polywater。旧ソ連の科学者ニコライ・フェジャーキンが発見した特殊な性質を持つ水。マイナス40度で固形化し、沸点は200度。粘性が高く、六角形の結晶構造を持つ。1966年にイギリスのノッティンガム大学で発表され、西側に知られた。ポリウォーターの性質がアイスナインのように他の水に伝播すると言われ、問題になったが、分析の結果、ポリウォーターは汗が不純物として混じった水であることが判明した。

ポリガンマグルタミン酸
納豆のネバネバに含まれる成分。アレルギー反応を引き起こすことがある。

ま

マインドコントロール
本人が気づかないうちに、他人から意思を誘導や操作され、心理的に拘束されること。虐待や殺人、他人の搾取など犯罪に関わることでも、本人が意図せずに行ってしまう。マインドコンロトールの一種で、本人が望まないうちに一定の思想に染めてしまうのは洗脳＝ブレインウォッシュで、朝鮮戦争時に北朝鮮が開発、米軍や韓国軍の捕虜に行った。

マグネトロン
レーダーや電子レンジの心臓部で、波長の短い電磁波＝マイクロ波を発生させる。電子レンジでは2450メガヘルツのマイクロ波を発生させ、食品の水分子を振動させて加熱する。基本的な構造は真空管で、陰極から出た電子が陽極へ向かう前に強力な磁石を使って電子の流れを変えて回転させ、その回転の周期を操作してマイクロ波として放出させる。

マスドライバー
月もしくは小惑星の鉱物資源を地球で利用する場合、ロケットで運ぶのはコストがかかる。重力が弱く大気がないことを利用し、リニアモーターカーの原理で貨車を加速、宇宙に資源を打ち出し、地球近傍でキャッチするシステムをマスドライブシステムと呼ぶ。SFではマスドライブを兵器に応用し、地球に大質量の岩石を打ち込むなど悪用される例がある。

マルチバース
多元宇宙論ともいう。２種類あり、１つはビッグバンの時、私たちの宇宙だけではなく、同時に複数の宇宙が生まれたというもの。この場合、他の宇宙は別の時空間にあるため、別の物理法則に支配され、接触はありえない。もうひとつはヒュー・エヴェレットが提唱した多世界解釈で、量子力学的には未来は無数に分岐していく。SFで出てくるマルチバースは、だいたいは多世界解釈のほうだ。

ミラーテスト
鏡像自己認知テスト。知性の有無のひとつに鏡に映った自分の姿を自分だと認識できるかどうかがあり、動物相手に鏡を見せて行動を確認する。ギャラップはチンパンジーを対象に実験を行ったが、その後、さまざまな動物相手に実験が行われ、犬猫どころかイカや魚にも自己認知があることがわかった。

ムーンショット型研究開発事業
内閣府主導ですすめられている「我が国発の破壊的イノベーションを創出し、従来技術の延長にない、より大胆な発想に基づく挑戦的な研究開発」（内閣府）を行うプロジェクトで、現在、９個の目標について研究がすすめられている。SF的なテーマ設定がされているものが多く、メタバースやロボットによるアバター、AI、量子コンピュータ、気象制御などがある。

め

メーテルリンク
モーリス・メーテルリンク。ベルギー人。童話『青い鳥』で有名。ノーベル文学賞受賞者。

メタマテリアル
負の屈折率を持つ物質は自然界には存在しないが、メタマテリアルは屈折率を自由に設定できるため、負の屈折率を作ることができる。負の屈折率では、入射した光が入射面に鏡があるかのように進行方向と反する方向へと屈折するため、対象物が外からは見えなくなる。

メタンガス
分子式はCH4。炭素が含まれているので、ダイヤモンドの原料に利用できる。

モダフィニル
ナルコプレシー（不定期に急激な眠気に襲われる病気）の治療薬。強力な覚醒作用があり、日本では麻薬に指定された。

ユダヤ人
欧米社会の一般人は、全員ユダヤ人にだまされ、搾取されているのだと陰謀論では言う。その最大の詐欺が連邦銀行制で、連邦銀行を牛耳るロスチャイルド家に地球上の資産は奪われ続けているのだという。朝鮮出身者がカルトなつながりで宗教と暴力団と芸能界を押さえ、事実上、日本を征服しているという話とよく似ている。人種差別以前の話で、だとしたらボーッと生きてるあんたらが悪いとしか言いようがない。

四畳半神話大系
大学生の主人公が大学で違うサークルに入った場合、どのような生活を送るのかをつづったマルチバースが主題の小説。無限に続く四畳半の果てには何が待つのか？　アニメ化もされた。作者は森見登美彦。

ラグランジェポイント
太陽と地球の重力が釣り合うため、スペースコロニーが重力に引かれて流されないポイント。ラグランジェ1～5の5ポイントがある。

ラザロ兆候
脳死した患者から心肺補助等の生命維持装置を外すと、死ぬ際の反応として、脊髄反射により背中の反り返り、頸部の回転、下肢の硬化、上肢の屈曲などが見られること。死ぬ時の反射だが、親族は患者がまだ生きているかのように錯覚することがある。

り

リサ・ランドール
アメリカの理論物理学者。宇宙は4次元プラス1次元の5次元で、膜状の空間がミルフィールのように重なっているのだという。重力は余剰の1次元を通じて他の膜宇宙を行き来することができる。リサ・ランドールの理論で、ダークエネルギーやダークマターも説明できるという。

量子効果
量子には私たちの世界では見られない特別な性質がある。量子は波であり粒子なので、壁に粒子がぶつかったら波に変わって壁を通り抜け、また粒子に戻る（あくまで比ゆ的な話である）ことができ、トンネル効果と呼ばれる。他にも量子が確率でしか存在しない量子ゆらぎや量子テレポーテーションなど量子でしか見られない現象が多数ある。

量子重力理論
ビッグセオリーの1つ。重力を説明するための理論。さまざまなモデルがあり、超弦理論も大きくは含まれる。重力子という量子が見つからない中、重力を量子力学で説明できるかがビッグセオリーの重要なポイントになっている。だが、カルロ・ロヴェッリが唱えるループ量子重力理論が従来の意味での時間を否定したインパクトが重力よりも勝ってしまった。量子重力理論では時間をエントロピーの増大と解釈することで、マクロな世界も量子によって説明できるとしている。

量子テレポーテーション
量子のもつれあいはひと組の量子を切り離し、片方の回転を逆回転させるともう一方の量子の回転も逆になる、あるいは片方が波動状態から粒子に変わるともう片方も粒子に変わるというもの。2つの量子の間が何百光年離れていても、変化は同時に起きる。量子の状態を示す情報がテレポーテーションしたように見えるので、量子テレポーテーションと呼ばれる。

臨死体験
事故などで一時的に心拍、呼吸が停止、脳波が測定不能になり、死んだ状態から酸欠で脳損傷などが起きる前に機能が回復した場合、不可思議な体験を語る人が多くいる。川を渡ると死ぬと言われているが、渡ってから帰ってくる例もある。人類の死に対する共通イメージと考えられる。

ループ
同じ日の同じ時間を何度も繰り返し、主人公以外にごく少数の人間だけがそのことに気が付いている。繰り返し＝ループの原因を突き止め、その堂々巡りからいかに抜け出すか、またループの最中に起きる殺人事件や事故をどうやって食い止めるかを楽しむSFのジャンル。

れ

霊感
霊を感じたり、霊からのメッセージを受け取る能力、霊の力を借りて運気を好転させたり、霊の世界から見た相談者の吉凶を告げる。統合失調症の初期症状の場合があるので、要注意。

霊視
霊を見る力。相談者の霊と会話する力。霊感のある人を霊能者と呼び、霊能者が霊視をするという言い方をする。

レインマン
1988年公開の米映画。ダスティ・ホフマンがサヴァン症候群の天才を演じた。重度の自閉症ながら数字に驚異的な才能を発揮する兄とチャラい弟（トム・クルーズ）のロードムービー。第61回アカデミー賞、第46回ゴールデングローブ賞（ドラマ部門）、第39回ベルリン国際映画祭で作品賞受賞。

錬金術
サタン＝蛇がイブに知恵の実を食べるように勧め、人類に知恵をもたらしたとして崇拝し、知性によって偽の造物主を打ち破るというキリスト教の異端、グノーシス派の流れを汲み、不老不死や金属の変成を行おうとする初期の化学。金属を生物と考え、すべての金属は完全無欠な金へと向かおうとする性質があるとし、卑金属を金に換えることは可能だと考えた。魔術的な世界観に基づいた化学と考えるとしっくりくる。

レンチキュラーレンズ
かまぼこ型の細長いレンズ。シート状に微小なレンズを無数に並べて使う。一つひとつのレンズのサイズと厚さで用途が変わる。透明に見せる以外にも、レンズ幅に合わせて2枚の絵を切断、交互に短冊を並べたように1枚の絵にしてレンズシートの下に置くと、左右に視線を動かすと2枚の絵が交換されて見える。この応用で1枚の写真の角度を変えて撮影、合成すれば3D映像もできる。

老化促進物質が希釈
これを希釈仮説といい、結論が出たわけではないが、アルブミン（血漿中のタンパク質でもっとも多い）を加えただけの生理食塩水を老齢マウスの血漿と交換したところ、筋肉修復の促進、肝臓脂肪の減少、海馬神経新生の増加などの若返りが見られたそうだ。

ローリー・マクラティ
ハートマス研究所（HeartMath Institute）という、科学機関と自己啓発的な機関の中間のような施設の研究責任者。フロリダ・アトランティック大学教授。ハートマス研究所は「人々が身体、精神、感情のシステムを心の直観的な導きに合わせてバランスのとれた状態にできるよう支援」し「自分自身、他者、そして地球の幸福に対する思いやりのあるケアを通じて愛の道を選択」（同社サイト）することを使命としているのだそうだ。

ローレンツ力
磁界の中を運動する荷電粒子（電荷を帯びている粒子）に磁界から働く力。フレミング左手の法則の親指方向に働く。SFアニメなどで弾丸を弾き返したり、ビームを曲げたりしているバリアはローレンツ力を利用している。ただし実際にできるかどうかは別の話。

ロッカ
18世紀ごろまでロシアの貧農にあったという疑似的冬眠。1日1食、わずかなパンだけで残りは寝て過ごす。モンゴルや中央アジアにも同様の習慣があったという。

ロバート・J・ホワイト
脳外科医として、世界初のサルを使った頭部移植に成功する。ホワイトの目的は、人工心肺と低温を利用して、脳に損傷を与えることなく長時間の手術を行う技術の開発であり、彼の功績により、それまで3～5分という短時間で行う必要があった脳手術が、1～2時間に延長できるようになった。実験のせいで動物愛護団体から集中攻撃を受けたが、学会からの評価は高く、周りの心配をよそに一般紙への寄稿やインタビューも受けた。2008年にはテレビのSFシリーズ『X-ファイル』の映画版の監修も務めた。

わ

ワークス
工場、工房、製作所。

アルファベット

AFADS
Armed Fully Autonomous Drone Swarms＝AFADS。武装完全自律型ドローンによるスウォームは、操縦者を必要としないために専任要員が不要で、ターゲットを指定して発射すれば、あとは機械任せとなる。そのため、テロ組織や非軍事組織も活用でき、予想外の戦争のエスカレーションを招くかもしれない。

BCI
Brain-Computer interfaceの略。脳からの信号で、直接コンピュータを操作する。BMIとBCIに厳密な区別はない。

BMI
Brain-Machine Interfaceの略。コンピュータ経由で脳の信号で直接機械を操作する。脳にチップを埋め込む侵襲型と手術をせずに脳波を利用する非侵襲型がある。

Brain to Brain Interface
脳と脳とつなぎ、直接、脳同士で情報をやり取りする仕組み。複数の脳を接続するには、手術を行わない非侵襲型のデバイスの開発が必要になる。

DMEM
細胞培養に使う培地の名称。正式にはダルベッコ改変イーグル培地といい、糖分のグルコースやアミノ酸等が含まれ、細胞の安定した成長に役立つ。ただし人工培養肉では、現在はシャーレで培養するため培地が必要だが、今後は培地を必要とせず大量生産が可能なタンク方式に移行するだろう。

DNAのメチル化
DNAメチル化はDNAの塩基のうちシトシンにメチル基（-CH3）が結合することをメチル化といい、その部分の塩基配列＝遺伝子が読み取れなくなる。DNAにはヒストンというたんぱく質が巻きついて、核に収まっている。ヒストンの巻きつき＝ヒストン修飾が強いと遺伝子の読み取りが難しくなり、ゆるむと遺伝子が読み取りやすくなり、遺伝子の発現が容易になる。

EBRAINS
脳関連情報を研究者が自由に使えるように用意された、研究用ネットワークインフラ。ヒューマンブレインプロジェクトの成果で、脳のシミュレーターやブレインアトラスも含まれる。

F117
世界初のステルス機として1981年に就役。角ばった変な形をしているのは、レーダーにキャッチされないように反射したレーダー波を分散させるため。愛称はナイトホーク。角ばった異様な形状は、電波を拡散させるための工夫だ。UFOの一部はこうしたステルス機ではないかと言われている。

画像引用:Wikipedia

F/A-18スーパーホーネット
米海軍の主力戦闘機。F-18を改修し、電子化やエンジンの強化を行った。

FBS
ウシ胎児血清のこと。細胞の成長因子やホルモンなどが含まれ、培養液として優れているが、非常に高価。500ミリリットルで3～4万円もする。リンゲル液のような培養液に、成長因子など足りない成分を添加する方が安い。人工培養肉ビジネスでは安い培養液をいかに開発するかが現在の勝負どころになっている。

fMRI
機能的磁気共鳴画像。脳の活性化部位では血流が増加する。強磁場で起きる磁気共鳴現象（MRIの場合、水分子から特定の周波数を持つ信号が出る現象）を視覚化するMRIは磁場のわずかな変化も捉えられるため、血流の増加による磁場の歪みを捉えることができる。これにより、脳の活性場所を特定する。

FT法
フィッシャー・トロプシュ法。一酸化炭素と水素を混合し、高温高圧下で触媒と反応させ、石油を合成する方法。

GABA
Gamma-Amino Butyric Acidの略。脳内の神経伝達物質で、興奮を抑え、ストレスを緩和する。アミノ酸として食品に添加され、リラックス効果がうたわれている。

LIGO
Laser Interferometer Gravitational-Wave Observatory＝レーザー干渉計重力波研究所。重力波を測定し、重力波天体物理学の構築を最大のミッションとする巨大観測施設。宇宙重力波背景放射の発見も重要なミッションである。

LSD
ライ麦の麦角菌から作られる幻覚剤。ごく少量で効果がある。

MEMS
Micro-Electro-Mechanical Systemsの 略。集積回路の技術を使って、ミクロン単位の歯車やバネを作る技術。工業用精密部品やスマフォにも応用されている。将来は体内で病気を治すロボットやMEMSセンサーを人体に埋め込むなど医療分野での活用が期待される。

MKウルトラ
CIAのマインドコントロールおよび化学尋問研究プログラムのコード名。対共産主義の諜報戦術として、洗脳のノウハウ開発を行った極秘プロジェクトであり、多くの種類の薬物を使用し、個人の精神状態を操作し、脳の機能を変えようとした。不法に薬物を投与した男性を観察するため、部屋にマジックミラーを備えた売春宿を経営したり、記憶の消去や電気刺激など倫理上問題のある実験が多数行われた。

Neuralink社
人間をネットワーク化し、AIに対抗できる存在にするため、テスラ社のイーロン・マスクが作った脳科学を事業化する会社。同社は2020年8月29日に脳埋め込みチップ「LINK VO.9」を発表している。直径23ミリ×厚さ8ミリのチップを脳に埋め込み、コンピュータとのインターフェースにする。

REM睡眠
REM＝Rapid Eye Movement：急速眼球運動。瞼の下で目が活発に動く睡眠で、寝てすぐに出る脳波に見られる鋸歯状波の脳波が出る。REM睡眠時には夢を見ていると言われ、実際に起こすと8割の人が夢を見ていたという。REM睡眠により、夢を見て覚醒時の体験を整理し、記憶に定着させていると考えられているが、仮説の域を出ない。

SpiNNaker
Spiking Neural Network Architecture の頭字語。生物の脳神経網＝ニューラルネットワークを模した情報処理を行う。ヒューマンブレインプロジェクトではSpiNNakerとして並列処理を行うコンピュータを開発した。

SR-71
マッハ3で高高度を飛ぶ偵察機。1966年に就役、1990年に退役。強力な2基のジェットエンジンの加速は、ミサイルの追尾も追いつけないとされた。ステルス機の原型であり、レーダーに探知されにくい。表面には耐熱加工が施され、機体の素材には熱に強いチタン合金が使われた。愛称はブラックバード。

TENET
クリストファー・ノーラン 監督のSF映画。量子重力理論の定義する、時間はエントロピーの増大方向が未来、減少が過去という考え方で、未来と過去から現在の敵を挟み撃ちにする。自分が見ているのか現在なのか未来なのか過去なのか、よくわからないまま、なんだかめちゃくちゃカッコいい映画。

The Sun
イギリスのタブロイド紙。ケンタッキーフライドチキンの鶏の足は6本あるとスクープ？したのはこの新聞。昔は巨大バッタを捕獲、浜辺に打ち上げられた人魚など楽しい記事が多かったが、ネット配信を始めたぐらいから、普通のスポーツ紙になった。

TMS
Transcranial Magnetic Stimulation＝経頭蓋磁気刺激法。磁気コイルを脳に当て、電磁誘導（コイルのような電気を通す物質のそばで磁石を動かすと、そこに電流が流れる）により脳神経に強制的に電流が流れ、意識を変化させる。現在はうつ病の治療に使われているが、脳の反射は速度を上げたり、脳の機能をダウンさせることも可能。

T-ray
テラヘルツ光の別称、もしくはテラヘルツ波を利用した検査方法や検査装置の名称。

U2
グライダーのように大きく伸びた主翼を持つ、高高度偵察機。旧ソ連の核開発状況を入手するためにCIAの資金で作られた。1956年に就役。高度2万1000メートル（一般的な航空機の高度の2倍）を飛ぶことができ、現在も改修しながら運用されている。愛称はドラゴンレディ。

VXガス
北朝鮮の 金正男暗殺に使われた神経ガス。臭気はなく、気化する同時に即死させる。化学兵器として貯蔵されているのは、サリン、タブン、VX、マスタードガス、ルイサイ トの5種で、サリン、タブン、VXは神経ガス（他にソマンがある）であり、Gガスや G剤と総称される。ドイル軍が開発したので、Germanの頭文字をとった呼称。

数字

2016年の米国大統領選
共和党のドナルド・トランプと民主党のヒラリー・クリントンが争った大統領選は、陰謀論が世の中に広まるきっかけとなった。ヒラリーが関わる小児性愛とアドレノクロム抽出のための児童誘拐・殺人の拠点がピザ店「コメット・ピンポン」の地下にあるという、クローネンバーグ的な頭がおかしい悪夢のような話を多くの人が信じた。陰謀論は必ず最後に宇宙人が出てくるが、この時もヒラリーは爬虫類宇宙人だと言われた。

3Dプリンター
3Dプリンターを戦場で使うことで、武器を戦場で作ることができる。レガシー兵器（形式が古いがいまだ現役の兵器）はメンテナンスの部品の製造が終わっていることが多く、そうしたパーツも3Dプリンターで作り出せる。プラスチックだけではなく、高強度マグネシウム合金のような金属やセメントなども利用できるため、高度な兵器部品や建築物にも利用可能。

索引

あ

か

さ

た

な

は

ま

や・ら

アルファベット

生物 脳 宇宙 超能力 化学 兵器 機関

参考文献

○書籍

『アインシュタインVS.量子力学』森田邦久（著）化学同人
『時間は存在しない』カルロ・ロヴェッリ（著）冨永星（訳）NHK出版
『物理学最前線：原子核の巨大共鳴状態/ミュオン触媒核融合/他 (19)』鈴木敏男、米沢富美子、永嶺謙忠（著）大槻義彦（編集）　共立出版
『宇宙を旅する生命－フレッド・ホイルと歩んだ40年－』チャンドラ・ウィクラマシンゲ（著）松井孝典（監修）所源亮（訳）恒星社厚生閣
『臨死体験　9つの証拠』ジェフリー・ロング、ポール・ペリー（著）矢作直樹（監修）河村めぐみ（訳）ブックマン社
『体外離脱するサラリーマン ヘミシンクで“誰でもできる”不思議議体験』とみなが 夢駆（著）ハート出版
『生体エネルギーを求めて　キルリアン写真の謎』セルマ・モス（著）井村宏次（訳）西岡恵美子（訳）日本教文社
『土壌の神秘―ガイアを癒す人びと』ピーター トムプキンズ、クリストファー バード（著）春秋社
『植物の神秘生活』ピーター・トムプキンズ、クリストファー・バード（著）工作舎
『核変換－常温核融合の真実』水野忠彦（著）工学社
『ペンローズのねじれた四次元〈増補新版〉時空はいかにして生まれたのか』竹内薫（著）講談社
『幽体離脱入門』大澤義孝（著）　アールズ出版
『第4の水の相』ジェラルド・H・ポラック（著）根本泰行（監修）東川恭子（訳）ナチュラルスピリット
『においが心を動かす　ヒトは嗅覚の動物である』A・S・バーウィッチ（著）大田直子（訳）河出書房新社
『共感覚者の驚くべき日常―形を味わう人、色を聴く人』リチャード・E.シトーウィック（著）山下篤子（訳）草思社
『不死テクノロジー』エド・レジス（著）大貫昌子（訳）工作舎
『闇の支配者に握り潰された世界を救う技術【未来編】』ベンジャミン・フルフォード（著）イースト・プレス
『快楽物質エンドルフィン』ジョエル・ディビス（著）安田弘（訳）青土社
『タヴィストック洗脳研究所』ジョン・コールマン博士（著）太田龍（訳）成甲書房
『マインドコントロールとは何か』西田公昭（著）紀伊国屋書店

○論文

「Quantum fluctuations can jiggle objects on the human scale」（LIGO　Feature Story・July 1, 2020）
「Room-temperature Bose-Einstein condensation of cavity exciton-polaritons in a polymer」（nature materials 08 December 2013）
「Observational Evidence for Cosmological Coupling of Black Holes and its

Implications for an Astrophysical Source of Dark Energy」(THE ASTROPHYSICAL JOURNAL LETTERS 2023 February 15)
「A Self-consistent Model of the Black Hole Evaporation」(arxiv 19 Feb 2013)
「Killing horizons decohere quantum superpositions」(PHYSICAL REVIEW D 108, 025007 2023)
「Physicists Create World's First Time Crystal」(MIT Technology Review　October 4, 2016)
「Space-Time Crystals of Trapped Ions」(Phys. Rev. Lett. 109, 163001 – Published 15 October 2012)
「Mg-Based Quasicrystals」(New Features on Magnesium Alloys　10 November 2011 Published: 11 July 2012)
「High Resolution Transmission Electron Microscopy Observation of Thermally Fluctuating Phasons in Decagonal Al-Cu-Co」(Phys. Rev. Lett. 85, 1674 – Published 21 August 2000)
「Bimetric varying speed of light theories and primordial fluctuations」(Phys. Rev. D 79, 043525 – Published 26 February 2009)
「An extra-uterine system to physiologically support the extreme premature lamb」(Nature Communications volume 8, Article number: 15112 2017)
「Ex utero Mouse Embryogenesis from Pre-Gastrulation to Late Organogenesis」(Nature volume 593, pages119-124 2021)
「A tissue-engineered uterus supports live births in rabbits」(Nature Biotechnology volume 38, pages1280～1287 2020)
「First cephalosomatic anastomosis in a human model」(Xiaoping Ren、Sergio Canavero他 Surg Neurol Int online 2017 Nov 17)
「Personality changes following heart transplantation: The role of cellular memory」(Mitchell B. Liester　Medical Hypotheses　Volume 135, February 2020)
「Rapid and effective fusion repair of severed digital nerves using neurorrhaphy and bioengineered solutions including polyethylene glycol: A case report」(Stephen Lopez1他　Sec. Cellular Neuropathology Volume 16 - 2022)
「Polyethylene Glycol Treatment for Peripheral Nerve Repair in Preclinical Models」(Journal of Neurology & Neuromedicine　July 29, 2021)
「RNA from Trained Aplysia Can Induce an Epigenetic Engram for Long-Term Sensitization in Untrained Aplysia」(Alexis Bedecarrats他　eNeuro 14 May 2018, 5 (3))
「Parental olfactory experience influences behavior and neural structure in subsequent generations」(Brian G Dias他　nature neuroscience 01 December 2013)
「Nutritional Control of Reproductive Status in Honeybees via DNA Methylation」(R. Kucharski他 SCIENCE 28 Mar 2008 Vol 319, Issue 5871pp. 1827-1830)
「Inflammation and post-traumatic stress disorder」(Hiroaki Hori Psychiatry Clin Neurosci 2019 Apr;73(4):143-153)
「Cyborgs and Space」(MANFRED E. CLYNES AND NATHAN S. KLINE　Astronautics, September 1960)
「Neurorobotic fusion of prosthetic touch, kinesthesia, and movement in bionic upper limbs promotes intrinsic brain behaviors」(Paul D. Marasco他 SCIENCE ROBOTICS 1 Sep 2021 Vol 6, Issue 58)

「Cavatappi artificial muscles from drawing, twisting, and coiling polymer tubes」(Diego R. Higueras-Ruiz他　SCIENCE ROBOTICS 28 Apr 2021 Vol 6, Issue 53)
「A biomimetic eye with a hemispherical perovskite nanowire array retina」(Leilei Gu他 Nature volume 581, pages278~282 (2020))
「The connectome of an insect brain」(Michael Winding他 SCIENCE 10 Mar 2023 Vol 379, Issue 6636)
「Inseparable: Ten Years Joined At The Head」(Sunday, August 26, 2018 at 9 PM on CBC-TV)
「Researcher controls colleague's motions in 1st human brain-to-brain interface」(UW NWES August 27, 2013)
「A Brain-to-Brain Interface for Real-Time Sharing of Sensorimotor Information」(Miguel Pais-Vieira他 Scientific Reports volume 3, Article number: 1319 (2013))
「Brain decoding: Reading minds」(Kerri Smith　Nature volume 502, pages428-430 (2013))
「睡眠中の脳活動パターンからの夢の内容の解読」(堀川友慈・神谷之康（国際電気通信基礎技術研究所（ATR）脳情報研究所神経情報学研究室))
「Characterization of deep neural network features by decodability from human brain activity」(Tomoyasu Horikawa他　Scientific Data volume 6, Article number: 190012 (2019))
「The Microwave Auditory Effect」(IEEE Journal of Electromagnetics, RF and Microwaves in Medicine and Biology Vol: 6 Issue: 1　2022年3月)
「Hans Bergerの夢－How did EEG become the EEG-その2」(宮内哲　臨床神経生理学44（2）;60-70.2016))
「脳波の謎：リズムとその存在理由」(良峯徳和 多摩大学研究紀要 21 93-100, 2017-02-01)
「Dr. Deborah Rozman, Group Flow and the Heartmath Global Coherence Project」(Deborah Rozman TED講演記録)
「Science of the Heart　Exploring the Role of the Heart in Human Performance」(Rollin McCraty)
「The Ghost in the Machine」(Vic Tandy the Journal of the Society for Psychical Research Vol.62, No 851 April 1998)
「The "Haunt" project: An attempt to build a "haunted" room by manipulating complex electromagnetic fields and infrasound」(Christopher C. French他　Cortex Volume 45, Issue 5, May 2009, Pages 619-629)
「Anatomical origin of deja vu and vivid 'memories' in human temporal lobe epilepsy」(J. Bancaud他 Brain 1994 p71-90)
「Psychologically induced cooling of a specific body part caused by the illusory ownership of an artificial counterpart」(G Lorimer Moseley他　Proc Natl Acad SciUSA. 2008 Sep 2;105(35):13169-73)
「If I Were You: Perceptual Illusion of Body Swapping」(Valeria I. Petkova他 PLoS One. 2008; 3(12): e3832)
「Transduction of the Geomagnetic Field as Evidenced from alpha-Band Activity in the Human Brain」(Connie X. Wang他 eNeuro 18 March 2019)
「Dogs are sensitive to small variations of theEarth's magnetic field」(Vlastimil Hart他 Hart et al. Frontiers in Zoology 2013)
「Human cryptochrome exhibits light-dependent magnetosensitivity」(Lauren E. Foley他 Nature Communications volume 2, Article number: 356 (2011))

「Carbyne from First Principles: Chain of C Atoms, a Nanorod or a Nanorope」(Mingjie Liu他　ACS Nano 2013, 7, 11, 10075?10082)
「Ultrahard carbon film from epitaxial two-layer graphene」(Yang Gao他　nature nanotechnology 13, pages133?138 (2018))
「ダイヤモンドの熱的損耗」(田中義信他 精密機械 36巻 8号)
「Silk reinforced with graphene or carbon nanotubes spun by spiders」(Emiliano Lepore他　Materials Science　25 Apr 2015)
「Chemical Synthesis of Fuel Hydrocarbon from CO2 and Activated Water, and Purification of Commercial Light Oil for Dream Oil」(今中忠行 Edelweiss Chemical Science Journal Volume 2 Issue 1)
「Kill-Proofing" the Soldier」(Andrew Bickford　Current Anthropology Volume 60,Number S19|February 2019)
「British Army carries out successful Swarming Drone capability」(THE BRITISH ARMY 08 SEPTEMBER 2022)
「Responding to Drone Swarms at Sea」(Lieutenant Commander Kristopher Thornburg Naval Institute December 2022 Proceedings Vol. 148/12/1,438)
「Rejuvenation of three germ layers tissues by exchanging old blood plasma with saline-albumin」(AgING　Volume 12, Issue 10　May 20, 2020)
「Shell worlds」(Acta Astronautica Volume 82, Issue 2, February 2013, Pages 238-245)

○ニュースリリース
「マウスの超音波発声に対する遺伝および環境要因の相互作用：父親の加齢や体外受精が自閉症のリスクとなるメカニズム解明への手がかり」(東北大学大学院医学系研究科　Neuro2013)
「心臓の微弱な生体磁気情報を日常生活環境下において簡便に検出する技術を開発」(安藤康夫 東北大学大学院工学研究科応用物理学専攻教授 東北大学プレスリリース　2017年11月24日)

○その他
「Jose Delgado's "Physical Control of the Mnd"」
https://sm4csi.home.xs4all.nl/nwo/MindControl/delgado.00.htm
「プロジェクトMK-ウルトラ」(CIA 文書番号 (FOIA) /ESDN (CREST):06760269)
https://www.cia.gov/readingroom/document/06760269
「パンドラプロジェクト」
https://www.esd.whs.mil/Portals/54/Documents/FOID/Reading%20Room/Other/Operational_Procedure_For_Project_Pandora.pdf
「病害虫と雑草による農作物の損失」(20年6月 (社) 日本植物防疫協会)

○初出
月刊ムー
webムー
不思議ナックルズ
怖い噂
週刊大衆
週刊大衆ヴィーナス
TOCANA
女性セブン

ヤバめの科学チートマニュアル

2024年2月9日　初版発行

著者　久野友萬（ひさのゆーまん）
編集　新紀元社 編集部
DTP　TITANHEADS

発行者　福本皇祐
発行所　株式会社新紀元社
〒101-0054　東京都千代田区神田錦町1-7
錦町一丁目ビル2F
TEL 03-3219-0921 ／ FAX 03-3219-0922
http://www.shinkigensha.co.jp/
郵便振替　00110-4-27618

印刷・製本　中央精版印刷株式会社
ISBN978-4-7753-2123-2
Printed in Japan